D0313599

LES FILLES DU FEU
LES CHIMÈRES

GÉRARD DE NERVAL

LES FILLES DU FEU

ANGÉLIQUE — SYLVIE — CHANSONS
ET LÉGENDES DU VALOIS — JEMMY —
OCTAVIE — ISIS — CORILLA — ÉMILIE

LES CHIMÈRES

Chronologie et préface
par
Léon Cellier
professeur à la Faculté des Lettres
et Sciences humaines de Grenoble

GARNIER-FLAMMARION

CHRONOLOGIE

1808 : *22 mai*, naissance à Paris, rue Saint-Martin, de Gérard Labrunie, fils d'Etienne, docteur en médecine, et de Marie-Antoinette Laurent. La famille paternelle était d'origine méridionale (d'Agen en Périgord). Sa mère était une « femme du Nord » dont la famille s'était fixée dans le Valois.
23 mai, baptême à Saint-Merri.
8 juin, E. Labrunie, médecin adjoint à la Grande Armée, puis *22 décembre*, attaché à l'Armée du Rhin. Gérard a été mis en nourrice à Loisy entre Ermenonville et Mortefontaine.

1810 : E. Labrunie, en Allemagne, dirige l'hôpital de Hanovre puis de Glogau. Sa femme l'a suivi en Allemagne.
29 novembre, la mère de Gérard meurt à 25 ans; elle est inhumée au cimetière catholique polonais de Gross-Glogau.

1812 : E. Labrunie, blessé à Wilna en Pologne. On reste sans nouvelles de lui.
Gérard, en l'absence de ses parents, avait été confié à l'oncle de sa mère, Antoine Boucher, qui habitait Mortefontaine.

1814 : Retour du père. Retraité, il s'installe à Paris et prend Gérard avec lui. L'enfant revient chez son oncle pendant les vacances.

1820 : Gérard entre comme externe au collège Charlemagne. Il a pour camarade Théophile Gautier.
30 mai, mort de l'oncle Boucher.

1820-1826 : Gérard poursuit régulièrement ses études.

Dès l'âge de 13 ans, il commence à écrire des vers. Dans le Valois, il a été ébloui par Sophie de Feuchères, favorite du duc de Bourbon qui demeure à Chantilly. Le duc a acquis pour elle le domaine de Mortefontaine.

1826 : Dès le collège, il est déjà imprimé : *Elégies nationales* (à la gloire de Napoléon), l'*Académie ou les membres introuvables*, comédie satirique.
Sort du collège reçu bachelier par MM. Villemain, Cousin et Guizot réunis.
26 août, mort à 25 ans d'Eugénie, sœur de la mère de Gérard.

1826-1827 : Il traduit le *Faust* de Gœthe. Cette traduction lui vaut une renommée immédiate : présenté à Hugo, lié à Célestin Nanteuil et Pétrus Borel.

1828-1830 : En désaccord avec son père qui ne veut pas d'un fils homme de lettres, aurait été apprenti imprimeur, puis clerc de notaire.

1829 : *Couronne poétique de Béranger*.
Tire un mélodrame du roman de Hugo, *Han d'Islande* (joué en 1831).
Publie des traductions de l'allemand dans les revues.

1830 : Participe à la bataille d'*Hernani*.
Publie en volume une traduction de *Poésies allemandes* (Klopstock, Gœthe, Schiller, Bürger) et un *Choix de poésies de Ronsard* (Du Bellay, Baïf, Belleau, Du Bartas, Chassignet, Desportes et Régnier).

1831 : Essais dramatiques qui n'aboutissent pas (*le Prince des Sots*, *Lara*).
Publie régulièrement à partir de cette date traductions et odelettes dans les revues. Prend le pseudonyme de Gérard de Nerval du nom d'un clos appartenant à sa famille maternelle. A une date incertaine, entre 1831 et 1836, commence un roman *le Prince des Sots*.

1832 : Fait partie du « Petit cénacle » du sculpteur Jehan Duseigneur.

1832-1834 : Etudiant en médecine.

1834 : Hérite de son grand-père maternel mort le

19 janvier. Grâce à son héritage, il va quitter le domicile paternel, voyager, fonder une revue.
De *septembre à novembre*, VOYAGE EN ITALIE (Florence, Rome et Naples). S'éprend de l'actrice Jenny Colon.

1835 : Habite impasse du Doyenné avec Rogier, Gautier, Houssaye : c'est l'époque de la « Bohème galante » et des Cydalises.
En *mai*, fonde le *Monde dramatique*, revue de luxe.
En *octobre*, Mme de Feuchères achète à Mortefontaine la maison de l'oncle Boucher.

1836 : Echec du *Monde dramatique* : Gérard ruiné.
Désormais, il va gagner sa vie comme journaliste, et tenter de faire fortune au théâtre. Collaboration régulière au cours des années suivantes à *la Charte de 1830, la Presse, l'Artiste*.
Juillet : Avec Gautier, VOYAGE EN BELGIQUE (Anvers, Gand, Bruxelles).

1837 : *31 octobre* : Première de *Piquillo*, opéra comique en collaboration avec A. Dumas. Interprété par J. Colon.
26 décembre : Première de *Caligula*, tragédie en collaboration avec Dumas.
Lettres à Jenny Colon.

1838 : Fin de l'intrigue avec Jenny qui se marie.
Août : Avec Dumas, VOYAGE EN ALLEMAGNE (Baden, Strasbourg, Francfort).

1839 : *10 avril* : Première de *l'Alchimiste*, drame en collaboration avec Dumas.
16 avril : première de *Léo Burckart* à la Porte Saint-Martin. VOYAGE EN AUTRICHE : séjour à Vienne du *19 novembre 1839* au *1er mars 1840*. Est reçu à l'Ambassade. Rencontre la pianiste Marie Pleyel. Publie des articles dans les journaux viennois.

1840 : *Faust, suivi du Second Faust et d'un choix de ballades et poésies*, avec une importante préface.
D'octobre à décembre : VOYAGE EN BELGIQUE. A Bruxelles, le *15 décembre*, création de *Piquillo*. Le même jour à Londres, mort de Mme de Feuchères. Gérard retrouve à Bruxelles Jenny Colon et Marie Pleyel.

1841 : *Février* : A Paris, première crise de folie.

1er mars : dans *les Débats*, J. Janin fait « l'épitaphe »
de l'esprit de Nerval.
21 mars : nouvelle crise : séjour à la clinique du docteur
Esprit Blanche jusqu'en novembre.

1842 : *5 juin :* mort de Jenny Colon.
Préparation d'un grand voyage qui doit rétablir sa
santé et renouveler son inspiration. Départ en *décembre* pour Marseille.

1843 : VOYAGE EN ORIENT. *1er janvier :* s'embarque à
Marseille ; *16 janvier*, arrivée à Alexandrie après escale
à Malte et du *7 février* au *2 mai :* séjour au Caire.
Vers la *mi-mai :* arrivée en Syrie ; parti de Beyrouth,
visite Chypre, Rhodes et Smyrne ; le *25 juillet*, arrivée
à Constantinople où il séjourne jusqu'au *28 octobre*.
Retour en France par mer. Arrêt à Malte du *5 au
16 novembre ;* séjour à Naples du *18 novembre au
1er décembre. 5 décembre :* arrivée à Marseille.

1844 : Prépare le récit de son voyage qu'il publie fragmentairement dans les revues. Collabore régulièrement à *l'Artiste* où il publie prose et vers.
En septembre, avec Houssaye VOYAGE EN BELGIQUE ET
EN HOLLANDE (Anvers, La Haye, Harlem, Rotterdam,
Amsterdam).

1845 : Tient le feuilleton dramatique de *La Presse*.
En août, VOYAGE A LONDRES.

1846 : A partir de cette année, promenades aux environs
de Paris. Publie dans la *Revue des deux Mondes* le
récit de son voyage en Orient.

1847 : Suite du récit (*Histoire du calife Hakem*).
En août, VOYAGE AU HAVRE.

1848 : Il publie en volume au moment de la Révolution,
le récit de son voyage en Orient : *Les femmes du
Caire*. Insuccès de l'ouvrage.
La Révolution retarde la représentation de son nouvel
opéra-comique : *Les Monténégrins*.
Traduction des poésies de Heine dans la *Revue des
deux Mondes*.

1849 : *31 mars*, première des *Monténégrins* à l'Opéra-
Comique.

Dans *le Temps*, publication d'un roman historique, le *Marquis de Fayolle*, qu'il n'achève pas.
Avril : rechute et séjour en clinique.
Mai-juin : VOYAGE A LONDRES.

1850 : *13 mai*, première à l'Odéon du *Chariot d'enfant* en collaboration avec Méry; dans *le National*, continue le récit de son voyage (*Histoire de Soliman et de la Reine du matin*).
Publie en volume la seconde partie de son voyage : *Les Femmes du Liban*.
Août-septembre : VOYAGE EN ALLEMAGNE ET EN BELGIQUE (assiste à Weimar à la première de *Lohengrin*).

1851 : Espère conquérir la gloire : en publiant la version définitive du *Voyage en Orient* le 14 juin; en faisant jouer le 27 décembre *l'Imagier de Harlem*, qui devait être son *Faust*.
Insuccès des deux tentatives. Fait une chute en septembre, est malade jusqu'en novembre.

1852 : Soigné par son ami Stadler, puis hospitalisé en janvier-février à la Maison Dubois.
En mai, VOYAGE EN BELGIQUE ET EN HOLLANDE.
En août, VOYAGE DANS LE VALOIS.
Malgré sa détresse, ne cesse à partir de ce moment de publier : *Lorely, Souvenirs d'Allemagne, Les Nuits d'Octobre, Les Illuminés, La Bohême galante, Contes et facéties*.

1853 : En *janvier*, publie *Petits Châteaux de Bohême*. Son état s'aggrave : il séjourne en *février* et *mars* à la Maison Dubois. Malgré tout, il termine *Sylvie* qui paraît le *15 août* dans la *Revue des deux Mondes*. Peu après, il est interné à la clinique du docteur Emile Blanche à Passy où il séjournera jusqu'en mai 1854. Cependant il prépare *Les Filles du Feu*.
Le 10 décembre, Dumas publie dans *le Mousquetaire El Desdichado*.

1854 : *Janvier* : *Les Filles du Feu*. Traduit la pièce de Kotzebue *Misanthropie et Repentir*.
Le 27 mai, il sort de la clinique. VOYAGE EN ALLEMAGNE jusqu'en juillet (Strasbourg, Carlsruhe, Munich, Nuremberg, Leipzig, Weimar, Gotha, Cassel, Francfort).
Rentre à la clinique Blanche mais, sur l'intervention

de la Société des Gens de Lettres, en sort en *octobre*.
Séjourne chez une tante à Paris, à Saint-Germain,
erre sans domicile. Il travaille à *Aurélia*, œuvre entreprise, comme on le croit aujourd'hui, depuis sa première crise en 1841.

Le 31 octobre, Dumas dans *le Mousquetaire* publie le
début de *la Pandora*.

Le 30 décembre, paraît dans *l'Illustration* le début des
Promenades et Souvenirs dont la publication continue
en janvier-février 1855.

1855 : *1er janvier,* la *Revue de Paris* publie le début
d'*Aurélia*.

Misère physique et morale : une nouvelle dépression
lui est fatale.

A l'aube du 26 janvier, Gérard est trouvé pendu rue
de la Vieille Lanterne (sur l'emplacement actuel du
Théâtre Sarah-Bernard).

30 janvier : obsèques religieuses à Notre-Dame de
Paris, il est inhumé au Père-Lachaise.

15 février : la fin d'*Aurélia* paraît dans la *Revue de
Paris*.

PRÉFACE

C'est en janvier 1854 que l'éditeur Giraud publia
Les Filles du Feu. Gérard de Nerval se trouvait alors en
traitement à la maison de santé du docteur Blanche, où
il était interné depuis le mois d'août 1853. Il n'avait
plus qu'un an à vivre : à l'aube du 26 janvier 1855, on
devait le trouver pendu rue de la Vieille Lanterne.

Au cours des derniers mois, comme s'il pressentait
sa fin prochaine, ou plutôt comme s'il regrettait d'avoir
gaspillé ses dons dans les journaux, et d'avoir couru
après un succès tapageur au théâtre, il avait, avec une
hâte fiévreuse, rassemblé en volumes son œuvre. En
1852, avaient paru coup sur coup *Lorely*, *Les Illuminés*,
Contes et Facéties, *Petits Châteaux de Bohême*. Au cours
de l'année 1853, sortant à peine d'une nouvelle crise,
il avait mis tous ses soins à achever le récit qui est
son chef-d'œuvre, *Sylvie, Souvenirs du Valois*. Quelques
jours après sa publication dans la *Revue des Deux Mondes*,
une crise de folie s'empara encore du malheureux.
Mais déjà il avait l'idée d'un nouveau recueil à la préparation duquel il se consacra de toute son âme, malgré
la gêne causée par l'internement.

Parce que *Sylvie* est la plus belle des *Filles du Feu*,
on pourrait croire que les autres nouvelles ont été grou-
pées autour de ce foyer lumineux. Il n'en est rien.
Gérard, très conscient de la valeur de cette œuvre,
voulait la publier à part. Le titre *Filles du Feu* avait dans
son esprit un sens précis qui ne s'appliquait pas aux
souvenirs du Valois.

Dans l'*Histoire de la Reine du matin* il avait célébré
en la personne de l'architecte Adoniram, la race rouge,
les descendants de Caïn, maître du feu et patron des
génies révoltés. Il se prenait lui-même pour un fils

du Feu, et il rattachait dans sa rêverie à cette filiation
caïnite la femme prédestinée qui devait être sa sœur-
épouse pour l'éternité. Sous des figures diverses, il se
proposait donc de chanter la Femme, fille du Feu. Au
cours de son premier voyage en Italie, puis au retour
de son voyage en Orient, il avait séjourné à Naples. Le
Sud de l'Italie, le pays appelé autrefois Grande Grèce,
était devenu le décor de son rêve; et non pas seulement
parce qu'il avait contemplé la *mer d'Italie*. Errant du
Pausilippe *de mille feux brillant* aux ruines d'Herculanum
et de Pompéi, de l'antre de la Sibylle au bord du lac
Averne, jusqu'au Vésuve, le volcan sacré, il avait trouvé
en la Campanie une Terre de Feu; et le volcan était
devenu son fief, les fils et les filles du feu ayant le privilège de ranimer la flamme quand ils touchent le sol
volcanique de leur pied. Comme il avait situé dans ce
décor *Corilla*, *Isis* et *Octavie*, le titre désignait à l'origine
les nouvelles dont l'action se déroulait auprès du Vésuve;
et plusieurs sonnets, *El Desdichado*, *Myrtho*, *Delfica*,
étaient éclairés des mêmes lueurs rouges.

Tout cela ne faisait malheureusement qu'une mince
plaquette. Il était en train d'écrire une nouvelle étrange,
La Pandora, qui, bien que située à Vienne, se trouvait
mystérieusement accordée par son atmosphère malé-
fique aux autres morceaux. Mais il avait peine à l'achever, et le récit trahissait, malgré qu'il en ait, les ravages
de la démence. Il pouvait du moins utiliser des textes
déjà écrits. Il n'hésita pas à ressortir une nouvelle qui
n'était qu'une libre adaptation d'une œuvre allemande
publiée par lui en 1843 sous le titre *Jemmy O' Dougherty*.
Pendant l'année 1850, il avait fourni au *National* une
sorte de feuilleton, les *Faux Saulniers*, au déroulement
si capricieux qu'il avait pu en extraire pour les *Illuminés*,
l'*Histoire de l'abbé de Bucquoy*. Il en reprit une autre
partie sous le titre d'*Angélique*. Remontant plus haut
encore, il se rappela qu'en 1839 le *Messager* avait publié
une nouvelle dont il avait imaginé le sujet, mais qui avait
été rédigée par Maquet, le célèbre collaborateur d'A-
lexandre Dumas. La nouvelle s'appelait alors *le Fort de
Bitche, Histoire de la Révolution française*. Puisque le
recueil de nouvelles s'intitulait *Les Filles du Feu*, il eut
l'idée d'attribuer pour titre à chacune d'entre elles un
prénom de femme : *Jemmy O'Dougherty* devint simplement *Jemmy*, et *le Fort de Bitche*, *Émilie*.

Le volume étant encore trop mince, il prit la décision

d'y ajouter *Sylvie*, et comme la nouvelle avait pour sous-titre *Souvenirs du Valois*, il en profita pour lui joindre en appendice une étude sur les Vieilles ballades françaises qu'il avait déjà publiée six fois et qu'il rebaptisa : *Chansons et Légendes du Valois*, et pour allonger cet appendice même avec un conte utilisé pour la quatrième fois, *la Reine des Poissons*.

Dans *Petits Châteaux de Bohême*, il s'était plu à mêler prose et vers. Il décida de recommencer et il joignit aux nouvelles en prose une douzaine de sonnets, dont sept étaient déjà groupés dans ces *Petits Châteaux* sous le titre *Mysticisme*; il leur ajouta *El Desdichado* que Dumas venait de publier le 10 décembre dans sa revue *le Mousquetaire*, et quatre autres tout à fait inédits.

Il fit précéder le tout d'une préface dont la composition est non moins étonnante : il prend deux morceaux déjà écrits, l'un de lui, l'autre de Dumas; celui de Dumas est l'article qui dans *le Mousquetaire* servait de présentation à *El Desdichado;* le sien est un fragment de roman, une imitation du *Roman comique* de Scarron, publié en 1844 dans *l'Artiste* et intitulé intentionnellement *Roman tragique*. Il enrobe le tout de variations à la fois humoristiques et profondes où, sans avoir l'air d'y toucher, il définit sa folie, annonce son œuvre testamentaire : *Aurélia*, et, comme il l'écrit dans une lettre de novembre, donne « la clé et la liaison de ces souvenirs ».

A mesure que le volume du livre augmentait, le contenu répondait de moins en moins au titre, si bien qu'il songea à en changer. Ce titre est devenu si « nervalien », si riche de poésie que nous sommes incapables de nous représenter l'effet qu'il pouvait produire à l'époque. Nerval s'explique fort bien dans une lettre à son éditeur : « J'ai réfléchi sur le titre nouveau [avant *Les Filles du Feu*, il y eut un titre primitif que nous ignorons]; je le trouve bien frou-frou : cela a un air de féerie et je ne vois pas trop que cela réponde au contenu. [Ainsi le titre *Filles du Feu* semblait convenir alors à ce que nous appellerions une revue de music-hall]. J'ai peur aussi que cela n'ait l'air d'un livre dangereux. [Idée toute différente : le lecteur pouvait croire à un ouvrage impie, si le Feu le faisait penser à l'Enfer : il signifiait alors les Filles du Diable, les Diaboliques]. Enfin, voyez si le titre suivant ne conviendrait pas mieux : *Les Amours perdues*, nouvelles ou *les Amours*

passées. Cela me semble rendre bien mieux le sentiment doux du livre et c'est plus littéraire, rappelant un
peu *Peines d'Amour perdues* de Shakespeare ». On revint
in extremis au titre *les Filles du Feu*, qui est devenu à
jamais célèbre.

Depuis que Nerval a pris place parmi les grands
romantiques, il est l'objet d'un véritable culte. La
dévotion peut conduire à des excès : c'est ainsi que pour
l'amour de Nerval, certains éditeurs, soucieux de ne
retenir de lui que ce qu'il avait produit de meilleur,
n'ont pas hésité à démembrer *les Filles du Feu*. L'histoire que nous venons de retracer semble leur donner
raison, puisque le recueil est fait de pièces et de morceaux, dont certains sont des traductions ou des plagiats.
Mais ils n'ont raison qu'en apparence. Nerval mettait
autant de soin à ordonner son recueil qu'à polir le style
de *Sylvie* ou faire de sa nouvelle un modèle de composition subtile. Faut-il admettre que le sens de la composition lui faisait défaut au moment où il choisissait
et rangeait les morceaux de son recueil ? Même si la
nécessité l'obligeait à renoncer à celui-ci, à prendre
celui-là, à l'heure décisive il se retrouvait lui-même
(Proust nous a appris à opposer le moi de l'écrivain au
moi de l'homme), non plus le malade inquiet, mais
l'artiste toujours lucide. Les éléments du livre ne sont
pas rassemblés au petit bonheur et, pour l'amour de
Nerval, il convient de reproduire le volume tel qu'il
l'a voulu. La mise en place des nouvelles obéit en effet
à un ordre savant, et les douze sonnets répondent aux
sept nouvelles, 7 et 12 (le lecteur d'*Aurélia* ne l'ignore
pas) étant des nombres sacrés. Après la préface qui
souligne l'unité du recueil, deux nouvelles se rattachent
au Valois, et au monde de l'enfance que prolonge le
trésor des contes et des vieilles chansons. La nouvelle
humoristique *Jemmy* établit une séparation entre le
premier groupe et le second formé par les trois nouvelles
campaniennes. La vieille France et la vieille Italie sont
donc séparées par un récit situé au Nouveau Monde.
La dernière nouvelle, *Emilie*, l'histoire la plus tragique,
contrastant donc avec l'humour de *Jemmy*, et qui
introduit un décor nouveau : l'Allemagne, au témoignage
de Nerval lui-même qui y « tenait beaucoup » et la
jugeait « très intéressante », « finit bien le volume ».

Les douze sonnets, ne suivent pas l'ordre chronolo-
gique de leur composition ; ils sont ordonnés selon une

architecture secrète, qui n'est pas sans rappeler celle
du recueil posthume de Vigny, les *Destinées*. Au poème
liminaire en terza rima présentant les Destinées, Déesses
fatales, correspond le premier sonnet *El Desdichado* intitulé
d'abord *Le Destin*. A *l'Esprit pur* qui clôt le
recueil de Vigny correspond le sonnet *Vers dorés*, au
dernier vers remarquable :

« *Un pur esprit s'accroît sous l'écorce des pierres !* »
Entre ces deux portants, le premier mélancolique, le
second serein, se déploie, disposé en deux panneaux
symétriques : les cinq sonnets païens — les cinq sonnets
chrétiens, le drame du monde qui reflète à l'échelle
cosmique le drame intime du poète : crépuscule des
dieux et union des civilisations, recours à l'abîme et
retour éternel. Mais la sagesse pythagoricienne met un
terme à ce débat, en célébrant dans l'être obscur la
présence du Dieu caché.

Nerval a toujours été curieux de voies nouvelles,
même s'il a besoin de joindre le présent au passé. Au
lieu de s'en tenir aux formules consacrées, il multiplie
les essais. Pourquoi séparer vers et prose ? pourquoi
ne pas unir dans un même recueil des nouvelles et des
sonnets ? Sous l'étiquette commode de « nouvelles »,
que ne nous propose-t-il pas ? Dans *Angélique*, à la
manière de Sterne, il se permet en cours de route toutes
les divagations ; mais dans *Emilie*, le récit à la trame
serrée nous mène implacablement au dénouement tragique.
Corilla est une pièce de théâtre ; *Isis*, un article
documentaire, un reportage. *Sylvie*, chef-d'œuvre romanesque,
entraîne dans son orbite une étude de folklore.
Dans *Angélique*, Gérard reproduit une pièce d'archives,
et autour du document au style naïf il enroule les volutes
de ses phrases à la merveilleuse souplesse. Dans la
Préface et dans *Octavie* il insère un texte ancien parmi
des développements nouveaux. Mais il ne s'agit pas
d'un excès de désinvolture. *Sylvie*, l'œuvre essentielle,
nous aide à comprendre que Gérard, obsédé par l'action
du temps, découvre sa vérité en confrontant les phases
de son existence, les faces de son moi. *Sylvie, Octavie*
distinguent en cette vie incertaine deux époques principales
et de leur opposition jaillit la lumière. *Sylvie*
enfin est l'exemple unique d'un roman d'expérience
condensé en quarante pages. A ce microcosme charmant
correspond le macrocosme prodigieux qui s'intitule : *A
la recherche du temps perdu*.

Non moins caractéristique que cette variété de formes, est le besoin qu'a Nerval, syncrétiste et cosmopolite invétéré, de mêler les temps et les lieux, de concentrer en un même point les civilisations et les paysages. Jemmy est une Irlandaise qui a épousé aux Etats-Unis un Allemand, avant de devenir la femme légitime d'un Peau-Rouge. Gérard le Français a rendez-vous à Portici avec une Anglaise, et sa maîtresse d'un soir est une bohémienne dont la mère parle une langue inconnue et qui a pour amant en titre un garde-suisse. Comme *Angélique* quittant le Valois pour l'Italie et l'Italie pour le Valois, Gérard qui revient d'Italie, va de Paris à Loisy, de Loisy à Paris, mais le lendemain est sur la route d'Allemagne. Si le syncrétisme religieux est exalté à Pompéi sous la forme du culte rendu partout et toujours à la Vierge mère, le Valois, cœur de la France, est un étrange carrefour où se succèdent les fils d'Armen, les cardinaux de la maison d'Este, et le citoyen de Genève hôte du marquis de Girardin... sans parler de Mme de F. la maîtresse anglaise du dernier des Condés. Sylvie a un sourire athénien, mais le narrateur aussitôt après déclare : je l'appelle quelquefois Lolotte, et elle me trouve un peu de ressemblance avec Werther.

Mieux encore, il importe de déceler de la prose aux vers, d'une nouvelle à l'autre, d'un sonnet à l'autre les liens ténus que Gérard se plaît à tisser, les signes qu'il cache avec intention. La préface en prose annonce le premier sonnet : *Moi... le déshérité, le banni de liesse, le beau ténébreux.* Le *Roman tragique* nous présente un héros amoureux d'une Etoile comme el Desdichado; nous passons avec lui du burlesque de Scarron au tragique de Racine, et son rêve de pyromane délicat place le recueil sous le signe du feu. La lettre de Brisacier annonce la lettre de Gérard contant l'aventure de Naples. Dans *Angélique* Delphine est déjà une préfiguration d'Adrienne. Emilie brode comme la bohémienne d'*Octavie.* Le syncrétisme d'*Isis* s'épanouit dans les sonnets. Le rapprochement le plus suggestif est le parallèle entre *Octavie* et *Sylvie* : il y a entre les deux nouvelles une parenté de structures et de thèmes. De part et d'autre nous retrouvons trois figures féminines. Sylvie la fée est la même qu'Octavie la fille des eaux; le narrateur adresse à l'une et à l'autre le même appel désespéré, et les deux nouvelles s'achèvent sur la même réflexion mélancolique : là était le bonheur peut-être.

Enfin le thème de la ressemblance court de *Sylvie* à *Octavie*, d'*Octavie* à *Corilla*, tantôt romanesque, tantôt tragique, Nerval ayant eu le sombre privilège de trouver dans la ressemblance une forme insidieuse de la fatalité.

Les Filles du Feu ne sont pas des contes bleus ou roses. Tous les thèmes romantiques sont rassemblés ici en un délicat florilège; et chacun est traité en des tonalités différentes, légères parfois, graves souvent, toujours musicalement pures : la Mélancolie, la Passion, le Rêve, la Fantaisie, le Voyage, le Chant, le Souvenir, la Nostalgie de l'enfance et du paradis perdu, l'Amour de la Nature, la Magie du Théâtre, la Quête de Joie, l'Inquiétude religieuse.

Une image de Gérard se dégage de ces textes disparates, complexe certes, car en dépit de la sincérité de l'accent on devine la « faculté comédienne » du mythomane, mais combien fascinante dans sa diversité : au gentil Gérard à la verve badine, à l'humour léger, succède le tendre Gérard qui rit en pleurs; l'homme aux dix-sept religions; le mal aimé qui finit par comprendre qu'il aime mal parce qu'il cherche un drame; le héros mythique, le nouvel Orphée criant : Eurydice, Eurydice, ou le nouveau Christ gémissant au Jardin des Oliviers; le Nerval tragique que les obsessions assiègent et que tente le suicide; le Nerval lucide, modeste et orgueilleux, qui se croit, qui se veut, qui se sait poète.

Mais, comme les titres l'indiquent, ce recueil nous offre aussi une merveilleuse galerie de figures féminines. *Les Filles du Feu*, sont un hymne à la gloire de la femme amoureuse. Elle est là tout entière, et Gérard, qui a appris de Heine que « la femme est la chimère de l'homme » (d'où le titre des sonnets) nous la présente avec l'ambiguïté du monstre fabuleux : elle est à la fois celle qui perd et celle qui sauve. *Corilla* sous une forme ingénieuse suggère cette dualité. A Aurélia, la femme fatale, s'oppose Sylvie, la fleur des champs: Mais Nerval ne s'en tient pas à cette vision mythique, prouvant que la rêverie supernaturaliste sait faire bon ménage avec le réalisme quotidien. Il nous montre tous les visages de la passion. A Angélique et Jemmy, qui savent faire contre mauvaise fortune bon cœur, correspondent Octavie et Emilie, qui sont marquées du signe noir de l'amour impossible. Le trio féminin : Aurélia, Adrienne, Sylvie, incarne trois aspects de l'éternel féminin sous les dehors

les plus séduisants et les plus vrais : Aurélia, la comédienne et la parisienne, Adrienne, la religieuse délicate
et racée, Sylvie, la provinciale, fraîche et sensée. Mais
en même temps ce trio illustre mieux que la triple
Hécate la triple postulation du poète romantique par-
tagé entre le ciel et l'enfer, et incapable de demeurer sur
terre.

L'auteur des *Filles du Feu* et des *Chimères* savait
comme Baudelaire, comme tout poète, que « la femme
est l'être qui projette la plus grande ombre ou la plus
grande lumière dans nos rêves. »

L. CELLIER.

LES FILLES DU FEU

A ALEXANDRE DUMAS

Je vous dédie ce livre, mon cher maître, comme j'ai
dédié *Lorely* à Jules Janin. J'avais à le remercier au même
titre que vous. Il y a quelques années, on m'avait cru
mort et il avait écrit ma biographie. Il y a quelques jours,
on m'a cru fou, et vous avez consacré quelques-unes de
vos lignes des plus charmantes à l'épitaphe de mon
esprit. Voilà bien de la gloire qui m'est échue en avancement d'hoirie. Comment oser, de mon vivant, porter au
front ces brillantes couronnes ? Je dois afficher un air
modeste et prier le public de rabattre beaucoup de tant
d'éloges accordés à mes cendres, ou au vague contenu
de cette bouteille que je suis allé chercher dans la lune à
l'imitation d'Astolfe, et que j'ai fait rentrer, j'espère, au
siège habituel de la pensée.

Or, maintenant que je ne suis plus sur l'hippogriffe et
qu'aux yeux des mortels j'ai recouvré ce qu'on appelle
vulgairement la raison, — raisonnons.

Voici un fragment de ce que vous écriviez sur moi le
10 décembre dernier :

« C'est un esprit charmant et distingué, comme vous
avez pu en juger, — chez lequel, de temps en temps, un
certain phénomène se produit, qui, par bonheur, nous
l'espérons, n'est sérieusement inquiétant, ni pour lui, ni
pour ses amis; — de temps en temps, lorsqu'un travail
quelconque l'a fort préoccupé, l'imagination, cette folle
du logis, en chasse momentanément la raison, qui n'en
est que la maîtresse; alors la première reste seule, toute-
puissante, dans ce cerveau nourri de rêves et d'hallucinations ni plus ni moins qu'un fumeur d'opium du Caire,
ou qu'un mangeur de haschisch d'Alger, et alors, la
vagabonde qu'elle est, le jette dans les théories impos-

sibles, dans les livres infaisables. Tantôt il est le roi
d'Orient Salomon, il a retrouvé le sceau qui évoque les
esprits, il attend la reine de Saba, et alors, croyez-le bien,
il n'est conte de fées, ou des *Mille et une Nuits*, qui vaille
ce qu'il raconte à ses amis, qui ne savent s'ils doivent le
plaindre ou l'envier, de l'agilité et de la puissance de ces
esprits, de la beauté et de la richesse de cette reine; tantôt
il est sultan de Crimée, comte d'Abyssinie, duc d'Égypte,
baron de Smyrne. Un autre jour il se croit fou, et il
raconte comment il l'est devenu, et avec un si joyeux
entrain, en passant par des péripéties si amusantes, que
chacun désire le devenir pour suivre ce guide entraînant
dans le pays des chimères et des hallucinations, plein
d'oasis plus fraîches et plus ombreuses que celles qui
s'élèvent sur la route brûlée d'Alexandrie à Ammon;
tantôt, enfin, c'est la mélancolie qui devient sa muse, et
alors retenez vos larmes si vous pouvez, car jamais Werther, jamais René, jamais Antony n'ont eu plaintes plus
poignantes, sanglots plus douloureux, paroles plus tendres,
cris plus poétiques!... »

Je vais essayer de vous expliquer, mon cher Dumas, le
phénomène dont vous avez parlé plus haut. Il est, vous le
savez, certains conteurs qui ne peuvent inventer sans
s'identifier aux personnages de leur imagination. Vous
savez avec quelle conviction notre vieil ami Nodier racontait comment il avait eu le malheur d'être guillotiné à
l'époque de la Révolution; on en devenait tellement persuadé que l'on se demandait comment il était parvenu à
se faire recoller la tête...

Eh bien, comprenez-vous que l'entraînement d'un
récit puisse produire un effet semblable; que l'on arrive
pour ainsi dire à s'incarner dans le héros de son imagination, si bien que sa vie devienne la vôtre et qu'on brûle
des flammes factices de ses ambitions et de ses amours!
C'est pourtant ce qui m'est arrivé en entreprenant l'histoire d'un personnage qui a figuré, je crois bien, vers
l'époque de Louis XV, sous le pseudonyme de Brisacier.
Où ai-je lu la biographie fatale de cet aventurier ? J'ai
retrouvé celle de l'abbé de Bucquoy; mais je me sens bien
incapable de renouer la moindre preuve historique à
l'existence de cet illustre inconnu! Ce qui n'eût été qu'un
jeu pour vous, maître, — qui avez su si bien vous jouer
avec nos chroniques et nos mémoires, que la postérité
ne saura plus démêler le vrai du faux, et chargera de vos

inventions tous les personnages historiques que vous avez appelés à figurer dans vos romans, — était devenu pour moi une obsession, un vertige. Inventer, au fond, c'est se ressouvenir, a dit un moraliste; ne pouvant trouver les preuves de l'existence matérielle de mon héros, j'ai cru tout à coup à la transmigration des âmes non moins fermement que Pythagore ou Pierre Leroux. Le dix-huitième siècle même, où je m'imaginais avoir vécu, était plein de ces illusions. Voisenon, Moncrif et Crébillon fils en ont écrit mille aventures. Rappelez-vous ce courtisan qui se souvenait d'avoir été sopha; sur quoi Schahabaham s'écrie avec enthousiasme : Quoi! vous avez été sopha! mais c'est fort galant... Et, dites-moi, étiez-vous brodé ?

Moi, je m'étais brodé sur toutes les coutures. — Du moment que j'avais cru saisir la série de toutes mes existences antérieures, il ne m'en coûtait pas plus d'avoir été prince, roi, mage, génie et même Dieu, la chaîne était brisée et marquait les heures pour des minutes. Ce serait le Songe de Scipion, la Vision du Tasse ou *la Divine Comédie* du Dante, si j'étais parvenu à concentrer mes souvenirs en un chef-d'œuvre. Renonçant désormais à la renommée d'inspiré, d'illuminé ou de prophète, je n'ai à vous offrir que ce que vous appelez si justement des théories impossibles, un *livre infaisable*, dont voici le premier chapitre, qui semble faire suite au *Roman comique* de Scarron... Jugez-en :

Me voici encore dans ma prison, madame; toujours imprudent, toujours coupable à ce qu'il semble, et toujours confiant, hélas! dans cette belle *étoile* de comédie, qui a bien voulu m'appeler un instant son destin. L'Étoile et le Destin : quel couple aimable dans le roman du poète Scarron! mais qu'il est difficile de jouer convenablement ces deux rôles aujourd'hui. La lourde charrette qui nous cahotait jadis sur l'inégal pavé du Mans a été remplacée par des carrosses, par des chaises de poste et autres inventions nouvelles. Où sont les aventures, désormais ? où est la charmante misère qui nous faisait vos égaux et vos camarades, mesdames les comédiennes, nous les pauvres poètes toujours et les poètes pauvres bien souvent ? Vous nous avez trahis, reniés! et vous vous plaigniez de notre orgueil! Vous avez commencé par suivre de riches seigneurs, chamarrés, galants et hardis, et vous nous avez abandonnés dans quelque misérable auberge pour payer la dépense de vos folles orgies. Ainsi, moi, le brillant comé-

dien naguère, le prince ignoré, l'amant mystérieux, le
déshérité, le banni de liesse, le beau ténébreux, adoré des
marquises comme des présidentes, moi, le favori bien
indigne de madame Bouvillon, je n'ai pas été mieux traité
que ce pauvre Ragotin, un poétereau de province, un
robin !... Ma bonne mine, défigurée d'un vaste emplâtre,
n'a servi même qu'à me perdre plus sûrement. L'hôte,
séduit par les discours de La Rancune, a bien voulu se
contenter de tenir en gage le propre fils du grand khan de
Crimée envoyé ici pour faire ses études, et avantageuse-
ment connu dans toute l'Europe chrétienne sous le pseudonyme de Brisacier. Encore si ce misérable, si cet intri-
gant suranné m'eût laissé quelques vieux louis, quelques
carolus, ou même une pauvre montre entourée de faux brillants, j'eusse pu sans doute imposer le respect à mes accu-
sateurs et éviter la triste péripétie d'une aussi sotte com-
binaison. Bien mieux, vous ne m'aviez laissé pour tout
costume qu'une méchante souquenille puce, un justaucorps rayé de noir et de bleu, et des chausses d'une conservation équivoque. Si bien qu'en soulevant ma valise
après votre départ l'aubergiste inquiet a soupçonné une
partie de la triste vérité, et m'est venu dire tout net que
j'étais *un prince de contrebande*. A ces mots, j'ai voulu sauter sur mon épée, mais La Rancune l'avait enlevée, pré-
textant qu'il fallait m'empêcher de m'en percer le cœur
sous les yeux de l'ingrate qui m'avait trahi! Cette dernière supposition était inutile, ô La Rancune! on ne se
perce pas le cœur avec une épée de comédie, on n'imite
pas le cuisinier Vatel, on n'essaie pas de parodier les
héros de roman, quand on est un héros de tragédie : et je
prends tous nos camarades à témoin qu'un tel trépas est
impossible à mettre en scène un peu noblement. Je sais
bien qu'on peut piquer l'épée en terre et se jeter dessus
les bras ouverts; mais nous sommes ici dans une chambre
parquetée, où le tapis manque, nonobstant la froide saison. La fenêtre est d'ailleurs assez ouverte et assez haute
sur la rue pour qu'il soit loisible à tout désespoir tragique de terminer par là son cours. Mais... mais, je vous
l'ai dit mille fois, je suis un comédien qui a de la religion.

Vous souvenez-vous de la façon dont je jouais Achille,
quand par hasard, passant dans une ville de troisième ou
de quatrième ordre, il nous prenait la fantaisie d'étendre
le culte négligé des anciens tragiques français ? J'étais
noble et puissant, n'est-ce pas, sous le casque doré aux
crins de pourpre, sous la cuirasse étincelante, et drapé

d'un manteau d'azur ? Et quelle pitié c'était alors de voir un père aussi lâche qu'Agamemnon disputer au prêtre Calchas l'honneur de livrer plus vite au couteau la pauvre Iphigénie en larmes! J'entrais comme la foudre au milieu de cette action forcée et cruelle; je rendais l'espérance aux mères et le courage aux pauvres filles, sacrifiées toujours à un devoir, à un Dieu, à la vengeance d'un peuple, à l'honneur ou au profit d'une famille!... car on comprenait bien partout que c'était là l'histoire éternelle des mariages humains. Toujours le père livrera sa fille par ambition, et toujours la mère la vendra avec avidité; mais l'amant ne sera pas toujours cet honnête Achille, si beau, si bien armé, si galant et si terrible, quoiqu'un peu rhéteur pour un homme d'épée! Moi, je m'indignais parfois d'avoir à débiter de si longues tirades dans une cause aussi limpide et devant un auditoire aisément convaincu de mon droit. J'étais tenté de sabrer, pour en finir, toute la cour imbécile du roi des rois, avec son espalier de figurants endormis! Le public en eût été charmé; mais il aurait fini par trouver la pièce trop courte, et par réfléchir qu'il lui faut le temps de voir souffrir une princesse, un amant et une reine; de les voir pleurer, s'emporter et répandre un torrent d'injures harmonieuses contre la vieille autorité du prêtre et du souverain. Tout cela vaut bien cinq actes et deux heures d'attente, et le public ne se contenterait pas à moins; il lui faut sa revanche de cet éclat d'une famille unique, pompeusement assise sur le trône de la Grèce, et devant laquelle Achille lui-même ne peut s'emporter qu'en paroles; il faut qu'il sache tout ce qu'il y a de misères sous cette pourpre, et pourtant d'irrésistible majesté! Ces pleurs tombés des plus beaux yeux du monde sur le sein rayonnant d'Iphigénie n'enivrent pas moins la foule que sa beauté, ses grâces et l'éclat de son costume royal! Cette voix si douce, qui demande la vie en rappelant qu'elle n'a pas encore vécu; le doux sourire de cet œil, qui fait trêve aux larmes pour caresser les faiblesses d'un père, première agacerie, hélas! qui ne sera pas pour l'amant!... Oh! comme chacun est attentif pour en recueillir quelque chose! La tuer ? elle! qui donc y songe ? Grands dieux! personne peut-être ?... Au contraire; chacun s'est dit déjà qu'il fallait qu'elle mourût pour tous, plutôt que de vivre pour un seul! chacun a trouvé Achille trop beau, trop grand, trop superbe! Iphigénie sera-t-elle emportée encore par ce vautour thessalien, comme l'autre, la fille de Léda, l'a été naguère par un prince berger de la voluptueuse côte d'Asie ? Là est la question pour tous les Grecs, et là est aussi la question pour le public qui nous juge dans ces rôles de héros! Et moi, je me sentais haï des hommes autant qu'admiré des femmes quand je jouais un de ces rôles d'amant superbe et victorieux. C'est qu'à la place d'une froide princesse de coulisse, élevée à psalmodier tristement ces vers immortels, j'avais à défendre, à éblouir, à conserver une véritable fille de la Grèce, une perle de grâce, d'amour et de pureté, digne en effet d'être disputée par les hommes aux dieux jaloux! Était-ce Iphigénie seulement ? Non, c'était Monime, c'était Junie, c'était Bérénice, c'étaient toutes les héroïnes inspirées par les beaux yeux d'azur de mademoiselle Champmeslé, ou par les grâces adorables des vierges nobles de Saint-Cyr! Pauvre Aurélie! notre compagne, notre sœur, n'auras-tu point regret toi-même à ces temps d'ivresse et d'orgueil ? Ne m'as-tu pas aimé un instant, froide Étoile! à force de me voir souffrir, combattre ou pleurer pour toi! L'éclat nouveau dont le monde t'environne aujourd'hui prévaudra-t-il sur l'image rayonnante de nos triomphes communs ? On se disait chaque soir : Quelle est donc cette comédienne si au-dessus de tout ce que nous avons applaudi ? Ne nous trompons-nous pas ? Est-elle bien aussi jeune, aussi fraîche, aussi honnête qu'elle le paraît ? Sont-ce de vraies perles et de fines opales qui ruissellent parmi ses blonds cheveux cendrés, et ce voile de dentelle appartient-il bien légitimement à cette malheureuse enfant ? N'a-t-elle pas honte de ces satins brochés, de ces velours à gros plis, de ces peluches et de ces hermines ? Tout cela est d'un goût suranné qui accuse des fantaisies au-dessus de son âge. Ainsi parlaient les mères, en admirant toutefois un choix constant d'atours et d'ornements d'un autre siècle qui leur rappelaient de beaux souvenirs. Les jeunes femmes enviaient, critiquaient ou admiraient tristement. Mais moi, j'avais besoin de la voir à toute heure pour ne pas me sentir ébloui près d'elle, et pour pouvoir fixer mes yeux sur les siens autant que le voulaient nos rôles. C'est pourquoi celui d'Achille était mon triomphe; mais que le choix des autres m'avait embarrassé souvent! quel malheur de n'oser changer les situations à mon gré et sacrifier même les pensées du génie à mon respect et à mon amour! Les Britannicus et les Bajazet, ces amants captifs et timides, n'étaient pas pour me convenir. La pourpre du jeune César me séduisait bien davantage! mais quel malheur

ensuite de ne rencontrer à dire que de froides perfidies!
Hé quoi! ce fut là ce Néron, tant célébré de Rome ? ce
beau lutteur, ce danseur, ce poète ardent, dont la seule
envie était de plaire à tous ? Voilà donc ce que l'histoire
en a fait, et ce que les poètes en ont rêvé d'après l'histoire!
Oh! donnez-moi ses fureurs à rendre, mais son pouvoir,
je craindrais de l'accepter. Néron! je t'ai compris, hélas!
non pas d'après Racine, mais d'après mon cœur déchiré
quand j'osais emprunter ton nom! Oui, tu fus un dieu,
toi qui voulais brûler Rome, et qui en avais le droit, peut-
être, puisque Rome t'avait insulté!...

Un sifflet, un sifflet indigne, *sous ses yeux*, près d'elle,
à cause d'elle! Un sifflet qu'elle s'attribue — par ma faute
(comprenez bien!). Et vous demanderez ce qu'on fait
quand on tient la foudre!... Oh! tenez, mes amis! J'ai eu
un moment l'idée d'être vrai, d'être grand, de me faire
immortel enfin, sur votre théâtre de planches et de toiles,
et dans votre comédie d'oripeaux! Au lieu de répondre à
l'insulte par une insulte, qui m'a valu le *châtiment* dont je
souffre encore, au lieu de provoquer tout un public vulgaire à se ruer sur les planches et à m'assommer lâche-
ment..., j'ai eu un moment l'idée, l'idée sublime, et digne
de César lui-même, l'idée que cette fois nul n'aurait osé
mettre au-dessous de celle du grand Racine, l'idée
auguste enfin de brûler le théâtre et le public, et vous tous!
et de l'emporter seule à travers les flammes, échevelée, à
demi nue, selon son rôle, ou du moins selon le récit classique de Burrhus. Et soyez sûrs alors que rien n'aurait pu
me la ravir, depuis cet instant jusqu'à l'échafaud! et de là
dans l'éternité!

O remords de mes nuits fiévreuses et de mes jours
mouillés de larmes! Quoi! j'ai pu le faire et ne l'ai pas
voulu ? Quoi! vous m'insultez encore, vous qui devez
la vie à ma pitié plus qu'à ma crainte! Les brûler tous, je
l'aurais fait! jugez-en : Le théâtre de P*** n'a qu'une seule
sortie; la nôtre donnait bien sur une petite rue de derrière,
mais le foyer où vous vous teniez tous est de l'autre côté
de la scène. Moi, je n'avais qu'à détacher un quinquet
pour incendier les toiles, et cela sans danger d'être surpris,
car le surveillant ne pouvait me voir, et j'étais seul à écouter le fade dialogue de Britannicus et de Junie pour reparaître ensuite et faire tableau. Je luttai avec moi-même
pendant tout cet intervalle; en rentrant, je roulais dans
mes doigts un gant que j'avais ramassé; j'attendais à me
venger plus noblement que César lui-même d'une injure

que j'avais sentie avec tout le cœur d'un César... Eh bien!
ces lâches n'osaient recommencer! mon œil les foudroyait
sans crainte, et j'allais pardonner au public, sinon à Junie,
quand elle a osé... Dieux immortels!... tenez, laissez-moi
parler comme je veux!... Oui, depuis cette soirée, ma
folie est de me croire un Romain, un empereur; mon rôle
s'est identifié à moi-même, et la tunique de Néron s'est
collée à mes membres qu'elle brûle, comme celle du cen-
taure dévorait Hercule expirant. Ne jouons plus avec les
choses saintes, même d'un peuple et d'un âge éteints
depuis si longtemps, car il y a peut-être quelque flamme
encore sous les cendres des dieux de Rome!... Mes amis!
comprenez surtout qu'il ne s'agissait pas pour moi d'une
froide traduction de paroles compassées; mais d'une scène
où tout vivait, où trois cœurs luttaient à chances égales, où,
comme au jeu du cirque, c'était peut-être du vrai sang
qui allait couler! Et le public le savait bien, lui, ce public
de petite ville, si bien au courant de toutes nos affaires de
coulisse; ces femmes dont plusieurs m'auraient aimé si
j'avais voulu trahir mon seul amour! ces hommes tous
jaloux de moi à cause d'elle; et l'autre, le Britannicus
bien choisi, le pauvre soupirant confus, qui tremblait
devant moi et devant elle, mais qui devait me vaincre à ce
jeu terrible, où le dernier venu a tout l'avantage et toute
la gloire... Ah! le débutant d'amour savait son métier...
mais il n'avait rien à craindre, car je suis trop juste pour
faire un crime à quelqu'un d'aimer comme moi, et c'est
en quoi je m'éloigne du monstre idéal rêvé par le poète
Racine : je ferais brûler Rome sans hésiter, mais en sau-
vant Junie, je sauverais aussi mon frère Britannicus.

Oui, mon frère, oui, pauvre enfant comme moi de l'art
et de la fantaisie, tu l'as conquise, tu l'as méritée en me la
disputant seulement. Le ciel me garde d'abuser de mon
âge, de ma force et de cette humeur altière que la santé
m'a rendue, pour attaquer son choix ou son caprice à elle,
la toute-puissante, l'équitable, la divinité de mes rêves
comme de ma vie!... Seulement j'avais craint longtemps
que mon malheur ne te profitât en rien, et que les beaux
galants de la ville ne nous enlevassent à tous ce qui n'est
perdu que pour moi.

La lettre que je viens de recevoir de La Caverne me
rassure pleinement sur ce point. Elle me conseille de
renoncer à « un art qui n'est pas fait pour moi et dont je
n'ai nul besoin... » Hélas! cette plaisanterie est amère, car
jamais je n'eus davantage besoin, sinon de l'art, du moins

de ses produits brillants. Voilà ce que vous n'avez pas compris. Vous croyez avoir assez fait en me recommandant aux autorités de Soissons comme un personnage illustre que sa famille ne pouvait abandonner, mais que la violence de son mal vous obligeait à laisser en route. Votre La Rancune s'est présenté à la maison de ville et chez mon hôte, avec des airs de grand d'Espagne de première classe forcé par un contretemps de s'arrêter deux nuits dans un si triste endroit; vous autres, forcés de partir précipitamment de P*** le lendemain de ma déconvenue, vous n'aviez, je le conçois, nulle raison de vous faire passer ici pour d'*infâmes histrions :* c'est bien assez de se laisser clouer ce masque au visage dans les endroits où l'on ne peut faire autrement. Mais, moi, que vais-je dire, et comment me dépêtrer de l'infernal réseau d'intrigues où les récits de La Rancune viennent de m'engager ? Le grand couplet du *Menteur* de Corneille lui a servi assurément à composer son histoire, car la conception d'un faquin tel que lui ne pouvait s'élever si haut. Imaginez... Mais que vais-je vous dire que vous ne sachiez de reste et que vous n'ayez comploté ensemble pour me perdre ? L'ingrate qui est cause de mes malheurs n'y aura-t-elle pas mélangé tous les fils de satin les plus inextricables que ses doigts d'Arachné auront pu tendre autour d'une pauvre victime ?... Le beau chef-d'œuvre ! Eh bien! je suis pris, je l'avoue; je cède, je demande grâce. Vous pouvez me reprendre avec vous sans crainte, et, si les rapides chaises de poste qui vous emportèrent sur la route de Flandre, il y a près de trois mois, ont déjà fait place à l'humble charrette de nos premières équipées, daignez me recevoir au moins en qualité de monstre, de phénomène, de *calot* propre à faire amasser la foule, et je réponds de m'acquitter de ces divers emplois de manière à contenter les amateurs les plus sévères des provinces... Répondez-moi maintenant au bureau de poste, car je crains la curiosité de mon hôte : j'enverrai prendre votre épître par un homme de la maison, qui m'est dévoué...

L'ILLUSTRE BRISACIER.

Que faire maintenant de ce héros abandonné de sa maîtresse et de ses compagnons ? N'est-ce en vérité qu'un comédien de hasard, justement puni de son irrévérence envers le public, de sa sotte jalousie, de ses folles prétentions! Comment arrivera-t-il à prouver qu'il est le propre fils du khan de Crimée, ainsi que l'a proclamé l'astucieux récit de La Rancune ? Comment de cet abaissement inouï s'élancera-t-il aux plus hautes destinées ?... Voilà des points qui ne vous embarrasseraient nullement sans doute, mais qui m'ont jeté dans le plus étrange désordre d'esprit. Une fois persuadé que j'écrivais ma propre histoire, je me suis mis à traduire tous mes rêves, toutes mes émotions, je me suis attendri à cet amour pour une *étoile* fugitive qui m'abandonnait seul dans la nuit de ma destinée, j'ai pleuré, j'ai frémi des vaines apparitions de mon sommeil. Puis un rayon divin a lui dans mon enfer ; entouré de monstres contre lesquels je luttais obscurément, j'ai saisi le fil d'Ariane et dès lors toutes mes visions sont devenues célestes. Quelque jour j'écrirai l'histoire de cette « descente aux enfers », et vous verrez qu'elle n'a pas été entièrement dépourvue de raisonnement si elle a toujours manqué de raison.

Et puisque vous avez eu l'imprudence de citer un des sonnets composés dans cet état de rêverie *super-naturaliste*, comme diraient les Allemands, il faut que vous les entendiez tous. — Vous les trouverez à la fin du volume. Ils ne sont guère plus obscurs que la métaphysique d'Hégel ou les *Mémorables* de Swedenborg, et perdraient de leur charme à être expliqués, si la chose était possible, concédez-moi du moins le mérite de l'expression ; — la dernière folie qui me restera probablement, ce sera de me croire poète : c'est à la critique de m'en guérir.

ANGÉLIQUE

Iʳᵉ LETTRE

A M. L. D.

Voyage à la recherche d'un livre unique.
Francfort et Paris. — L'abbé de Bucquoy. — Pilat à Vienne.
La bibliothèque Richelieu.
Personnalités. — La bibliothèque d'Alexandrie.

En 1851, je passais à Francfort. — Obligé de rester deux jours dans cette ville, que je connaissais déjà, — je n'eus d'autre ressource que de parcourir les rues principales, encombrées alors par les marchands forains. La place de Rœmer, surtout, resplendissait d'un luxe inouï d'étalages; et près de là, le marché aux fourrures étalait des dépouilles d'animaux sans nombre, venues soit de la haute Sibérie, soit des bords de la mer Caspienne. — L'ours blanc, le renard bleu, l'hermine, étaient les moindres curiosités de cette incomparable exhibition; plus loin, les verres de Bohême aux mille couleurs éclatantes, montés, festonnés, gravés, incrustés d'or, s'étalaient sur des rayons de planches de cèdre, — comme les fleurs coupées d'un paradis inconnu.

Une plus modeste série d'étalages régnait le long de sombres boutiques, entourant les parties les moins luxueuses du bazar, — consacrées à la mercerie, à la cordonnerie et aux divers objets d'habillement. C'étaient des libraires, venus de divers points de l'Allemagne, et dont la vente la plus productive paraissait être celle des almanachs, des images peintes et des lithographies : le *Volks-Kalender* (Almanach du peuple), avec ses gravures sur bois, — les chansons politiques, les litho-

graphies de Robert Blum et des héros de la guerre de
Hongrie, voilà ce qui attirait les yeux et les *kreutzers* de
la foule. Un grand nombre de vieux livres, étalés sous ces
nouveautés, ne se recommandaient que par leurs prix
modiques, — et je fus étonné d'y trouver beaucoup de
livres français.

C'est que Francfort, ville libre, a servi longtemps de
refuge aux protestants, — et, comme les principales
villes des Pays-Bas, elle fut longtemps le siège d'impri-
meries qui commencèrent par répandre en Europe les
œuvres hardies des philosophes et des mécontents français, — et qui sont restées, sur certains points, des ate-
liers de contrefaçon pure et simple, qu'on aura bien de la
peine à détruire.

Il est impossible, pour un Parisien, de résister au désir
de feuilleter de vieux ouvrages étalés par un bouquiniste.
Cette partie de la foire de Francfort me rappelait les quais,
— souvenir plein d'émotion et de charme. J'achetai
quelques vieux livres, — ce qui me donnait le droit de
parcourir longuement les autres. Dans le nombre, j'en
rencontrai un, imprimé moitié en français, moitié en allemand, et dont voici le titre, que j'ai pu vérifier depuis
dans le *Manuel du Libraire* de Brunet :

« Événement des plus rares, ou Histoire du *sieur abbé
comte de Bucquoy*, singulièrement son évasion du Fort-
l'Évêque et de la Bastille, avec plusieurs ouvrages vers
et prose, et particulièrement la *game* des femmes, *se vend
chez Jean de la France*, rue de la Réforme, à l'Espérance,
à Bonnefoy. — 1719. »

Le libraire m'en demanda un florin et six kreutzers
(on prononce *cruches*). Cela me parut cher pour l'endroit,
et je me bornai à feuilleter le livre, — ce qui, grâce à la
dépense que j'avais déjà faite, m'était gratuitement permis. Le récit des évasions de l'abbé de Bucquoy était plein
d'intérêt; mais je me dis enfin : je trouverai ce livre à
Paris, aux bibliothèques, ou dans ces mille collections où
sont réunis tous les mémoires possibles relatifs à l'histoire de France. Je pris seulement le titre exact, et j'allai
me promener au *Meinlust*, sur le quai du Mein, en feuil-
letant les pages du Volks-Kalender.

A mon retour à Paris, je trouvai la littérature dans un
état de terreur inexprimable. Par suite de l'amendement
Riancey à la loi sur la presse, il était défendu aux journaux d'insérer ce que l'assemblée s'est plu à appeler le
feuilleton-roman. J'ai vu bien des écrivains, étrangers à

toute couleur politique, désespérés de cette résolution qui les frappait cruellement dans leurs moyens d'existence.

Moi-même, qui ne suis pas un romancier, je tremblais en songeant à cette interprétation vague, qu'il serait possible de donner à ces deux mots bizarrement accouplés : feuilleton-roman, et pressé de vous donner un titre, j'indiquai celui-ci : *l'Abbé de Bucquoy*, pensant bien que je trouverais très vite à Paris les documents nécessaires pour parler de ce personnage d'une façon historique et non romanesque, — car il faut bien s'entendre sur les mots.

Je m'étais assuré de l'existence du livre en France, et je l'avais vu classé non seulement dans le manuel de Brunet, mais aussi dans *la France littéraire* de Quérard. — Il paraissait certain que cet ouvrage, noté, il est vrai, comme rare, se rencontrerait facilement soit dans quelque bibliothèque publique, soit encore chez un amateur, soit chez les libraires spéciaux.

Du reste, ayant parcouru le livre, — ayant même rencontré un second récit des aventures de l'abbé de Bucquoy dans les lettres si spirituelles et si curieuses de madame Dunoyer, — je ne me sentais pas embarrassé pour donner le portrait de l'homme et pour écrire sa biographie selon des données irréprochables.

Mais je commence à m'effrayer aujourd'hui des condamnations suspendues sur les journaux pour la moindre infraction au texte de la loi nouvelle. Cinquante francs d'amende par exemplaire saisi, c'est de quoi faire reculer les plus intrépides : car, pour les journaux qui tirent seulement à vingt-cinq mille, — et il y en a plusieurs, — cela représenterait plus d'un million. On comprend alors combien une *large* interprétation de la loi donnerait au pouvoir de moyens pour éteindre toute opposition. Le régime de la censure serait de beaucoup préférable. Sous l'ancien régime, avec l'approbation d'un censeur, — qu'il était permis de choisir, — on était sûr de pouvoir sans danger produire ses idées, et la liberté dont on jouissait était extraordinaire quelquefois. J'ai lu des livres contresignés Louis et Phélippeaux qui seraient saisis aujourd'hui incontestablement.

Le hasard m'a fait vivre à Vienne sous le régime de la censure. Me trouvant quelque peu gêné par suite de frais de voyage imprévus, et en raison de la difficulté de faire venir de l'argent de France, j'avais recouru au moyen bien simple d'écrire dans les journaux du pays. On payait

cent cinquante francs la feuille de seize colonnes très
courtes. Je donnai deux séries d'articles, qu'il fallut soumettre aux censeurs.

J'attendis d'abord plusieurs jours. On ne me rendait
rien. — Je me vis forcé d'aller trouver M. Pilat, le direc-
teur de cette institution, en lui exposant qu'on me faisait
attendre trop longtemps le *visa*. — Il fut pour moi d'une
complaisance rare, — et il ne voulut pas, comme son
quasi-homonyme, se laver les mains de l'injustice que je
lui signalais. J'étais privé, en outre, de la lecture des journaux français, car on ne recevait dans les cafés que le
Journal des Débats et *la Quotidienne*. M. Pilat me dit :
« Vous êtes ici dans l'endroit le plus libre de l'empire (les
bureaux de la censure), et vous pouvez venir y lire, tous
les jours, même *le National* et *le Charivari*. »

Voilà des façons spirituelles et généreuses qu'on ne
rencontre que chez les fonctionnaires allemands, et qui
n'ont que cela de fâcheux qu'elles font supporter plus
longtemps l'arbitraire.

Je n'ai jamais eu tant de bonheur avec la censure française, je veux parler de celle des théâtres, — et je doute
que si l'on rétablissait celle des livres et des journaux nous
eussions plus à nous en louer. Dans le caractère de notre
nation, il y a toujours une tendance à exercer la force,
quand on la possède, ou les prétentions du pouvoir, quand
on le tient en main.

Je parlais dernièrement de mon embarras à un savant,
qu'il est inutile de désigner autrement qu'en l'appelant
bibliophile. Il me dit : Ne vous servez pas des *Lettres
galantes* de madame Dunoyer pour écrire l'histoire de
l'abbé de Bucquoy. Le titre seul du livre empêchera
qu'on le considère comme sérieux ; attendez la réouver-
ture de la Bibliothèque (elle était alors en vacances), et
vous ne pouvez manquer d'y trouver l'ouvrage que vous
avez lu à Francfort.

Je ne fis pas attention au malin sourire qui, probablement, pinçait alors la lèvre du bibliophile, — et, le
1er octobre, je me présentais l'un des premiers à la Bibliothèque nationale.

M. Pilon est un homme plein de savoir et de complaisance. Il fit faire des recherches qui, au bout d'une demi-
heure, n'amenèrent aucun résultat. Il feuilleta Brunet et
Quérard, y trouva le livre parfaitement désigné, et me pria
de revenir au bout de trois jours : — on n'avait pas pu le
trouver. — Peut-être cependant, me dit M. Pilon, avec

l'obligeante patience qu'on lui connaît, — peut-être se trouve-t-il classé parmi les romans.

Je frémis : — *Parmi les romans?*... mais c'est un livre historique!... cela doit se trouver dans la collection des Mémoires relatifs au siècle de Louis XIV. Ce livre se rapporte à l'histoire spéciale de la Bastille : il donne des détails sur la révolte des Camisards, sur l'exil des protestants, sur cette célèbre ligue des faux-saulniers de Lorraine, dont Mandrin se servit plus tard pour lever des troupes régulières qui furent capables de lutter contre des corps d'armée et de prendre d'assaut des villes telles que Beaune et Dijon!...

— Je le sais, me dit M. Pilon; mais le classement des livres, fait à diverses époques, est souvent fautif. On ne peut en réparer les erreurs qu'à mesure que le public fait la demande des ouvrages. Il n'y a ici que M. Ravenel qui puisse vous tirer d'embarras... Malheureusement, il n'est pas *de semaine.*

J'attendis la semaine de M. Ravenel. Par bonheur, je rencontrai, le lundi suivant, dans la salle de lecture, quelqu'un qui le connaissait, et qui m'offrit de me présenter à lui. M. Ravenel m'accueillit avec beaucoup de politesse, et me dit ensuite : « Monsieur, je suis charmé du hasard qui me procure votre connaissance, et je vous prie seulement de m'accorder quelques jours. Cette semaine, j'appartiens au public. La semaine prochaine, je serai tout à votre service. »

Comme j'avais été présenté à M. Ravenel, je ne faisais plus partie du public! Je devenais une connaissance privée, — pour laquelle on ne pouvait se déranger du service ordinaire.

Cela était parfaitement juste d'ailleurs; — mais admirez ma mauvaise chance!... Et je n'ai eu qu'elle à accuser.

On a souvent parlé des abus de la Bibliothèque. Ils tiennent en partie à l'insuffisance du personnel, en partie aussi à de vieilles traditions qui se perpétuent. Ce qui a été dit de plus juste, c'est qu'une grande partie du temps et de la fatigue des savants distingués qui remplissent là des fonctions peu lucratives de bibliothécaires est dépensée à donner aux six cents lecteurs quotidiens des livres usuels, qu'on trouverait dans tous les cabinets de lecture; — ce qui ne fait pas moins de tort à ces derniers qu'aux éditeurs et aux auteurs, dont il devient inutile dès lors d'acheter ou de louer les livres.

On l'a dit encore avec raison, un établissement unique

au monde comme celui-là ne devrait pas être un chauffoir public, une salle d'asile, — dont les hôtes sont, en majorité, dangereux pour l'existence et la conservation des livres. Cette quantité de désœuvrés vulgaires, de bourgeois retirés, d'hommes veufs, de solliciteurs sans places, d'écoliers qui viennent copier leur version, de vieillards maniaques, — comme l'était ce pauvre *Carnaval* qui venait tous les jours avec un habit rouge, bleu clair, ou vert-pomme, et un chapeau orné de fleurs, — mérite sans doute considération, mais n'existe-t-il pas d'autres bibliothèques, et même des bibliothèques spéciales à leur ouvrir ?...

Il y avait aux imprimés dix-neuf éditions de *Don Qui-chotte*. Aucune n'est restée complète. Les voyages, les comédies, les histoires amusantes, comme celles de M. Thiers et de M. Capefigue, l'Almanach des adresses, sont ce que ce public demande invariablement, depuis que les bibliothèques ne donnent plus de romans en lecture.

Puis, de temps en temps, une édition se dépareille, un livre curieux disparaît, grâce au système trop large qui consiste à ne pas même demander les noms des lecteurs.

La république des lettres est la seule qui doive être quelque peu imprégnée d'aristocratie, — car on ne contestera jamais celle de la science et du talent.

La célèbre bibliothèque d'Alexandrie n'était ouverte qu'aux savants ou aux poètes connus par des ouvrages d'un mérite quelconque. Mais aussi l'hospitalité y était complète, et ceux qui venaient y consulter les auteurs étaient logés et nourris gratuitement pendant tout le temps qu'il leur plaisait d'y séjourner.

Et à ce propos, — permettez à un voyageur qui en a foulé les débris et interrogé les souvenirs de venger la mémoire de l'illustre calife Omar de cet éternel incendie de la bibliothèque d'Alexandrie, qu'on lui reproche communément. Omar n'a jamais mis le pied à Alexandrie, — quoi qu'en aient dit bien des académiciens. Il n'a pas même eu d'ordres à envoyer sur ce point à son lieutenant Amrou. — La bibliothèque d'Alexandrie et le *Serapéon*, ou maison de secours, qui en faisait partie, avaient été brûlés et détruits au quatrième siècle par les chrétiens, — qui, en outre, massacrèrent dans les rues la célèbre Hypatie, philosophe pythagoricienne. Ce sont là, sans doute, des excès qu'on ne peut reprocher à la religion, — mais il est bon de laver du reproche d'ignorance ces malheureux Arabes dont les traductions nous ont conservé les merveilles de la philosophie, de la médecine et des sciences grecques, en y ajoutant leurs propres travaux, — qui sans cesse perçaient de vifs rayons la brume obstinée des époques féodales.

Pardonnez-moi ces digressions, — et je vous tiendrai au courant du voyage que j'entreprends *à la recherche* de l'abbé de Bucquoy. Ce personnage excentrique et éternellement fugitif ne peut échapper toujours à une investigation rigoureuse.

2ᵉ LETTRE

Un paléographe. — Rapports de police en 1709.
Affaire Le Pileur. — Un drame domestique.

Il est certain que la plus grande complaisance règne à la Bibliothèque nationale. Aucun savant sérieux ne se plaindra de l'organisation actuelle; — mais quand un feuilletoniste ou un romancier se présente, « tout le dedans des rayons tremble ». Un bibliographe, un homme appartenant à la science régulière savent juste ce qu'ils ont à demander. Mais l'écrivain fantaisiste, exposé à perpétrer un *roman-feuilleton*, fait tout déranger, et dérange tout le monde pour une idée biscornue qui lui passe par la tête.

C'est ici qu'il faut admirer la patience d'un conservateur, — l'employé secondaire est souvent trop jeune encore pour s'être fait à cette paternelle abnégation. Il vient parfois des gens grossiers qui se font une idée exagérée des droits que leur confère cet avantage de faire partie du *public*, — et qui parlent à un bibliothécaire avec le ton qu'on emploie pour se faire servir dans un café. — Eh bien, un savant illustre, un académicien, répondra à cet homme avec la résignation bienveillante d'un moine. Il supportera tout de lui de dix heures à deux heures et demie, inclusivement.

Prenant pitié de mon embarras, on avait feuilleté les catalogues, remué jusqu'à la *réserve*, jusqu'à l'amas indigeste des romans, — parmi lesquels avait pu se trouver classé par erreur l'abbé Bucquoy; tout d'un coup un employé s'écria : — Nous l'avons en hollandais ! Il me lut

ce titre : « Jacques de Bucquoy : — *Événements remar-*
quables... »

— Pardon, fis-je observer, le livre que je cherche commence par « *Événement des plus rares...* »

— Voyons encore, il peut y avoir une erreur de traduction : « *...d'un voyage de seize années fait aux Indes.* —
Harlem, 1744. »

— Ce n'est pas cela... et cependant le livre se rapporte
à une époque où vivait l'abbé de Bucquoy; le prénom
Jacques est bien le sien. Mais qu'est-ce que cet abbé fantastique a pu aller faire dans les Indes ?

Un autre employé arrive : on s'est trompé dans l'orthographe du nom; ce n'est pas de Bucquoy; c'est du Bucquoy, et comme il peut avoir été écrit Dubucquoy, il faut
recommencer toutes les recherches à la lettre D.

Il y avait véritablement de quoi maudire les parti-
cules des noms de famille! Dubucquoy, disais-je, serait
un roturier... et le titre du livre le qualifie comte de Bucquoy!

Un *paléographe* qui travaillait à la table voisine leva la
tête et me dit : « La particule n'a jamais été une preuve de
noblesse; au contraire, le plus souvent, elle indique la
bourgeoisie propriétaire, qui a commencé par ceux que
l'on appelait les gens de *franc-alleu*. On les désignait par
le nom de leur terre, et l'on distinguait même les *branches*
diverses par la désinence variée des noms d'une famille.
Les grandes familles historiques s'appellent Bouchard
(Montmorency), Bozon (Périgord), Beaupoil (Saint-
Aulaire), Capet (Bourbon), etc. Les *de* et les *du* sont pleins
d'irrégularités et d'usurpations. Il y a plus : dans toute la
Flandre et la Belgique, *de* est le même article que le *der*
allemand, et signifie *le*. Ainsi, de Muller veut dire : le
meunier, etc. — Voilà un quart de la France rempli de
faux gentilshommes. Béranger s'est raillé lui-même très
gaiement sur le *de* qui précède son nom, et qui indique
l'origine flamande. »

On ne discute pas avec un paléographe; on le laisse parler.

Cependant, l'examen de la lettre *D* dans les diverses
séries de catalogues n'avait pas produit de résultat.

— D'après quoi supposez-vous que c'est du Bucquoy ?
dis-je à l'obligeant bibliothécaire qui était venu en dernier lieu.

— C'est que je viens de chercher ce nom aux manuscrits dans le catalogue des archives de la police : 1709, est-ce l'époque ?

— Sans doute ; c'est l'époque de la troisième évasion du comte de Bucquoy.

— Du Bucquoy !... c'est ainsi qu'il est porté au catalogue des manuscrits. Montez avec moi, vous consulterez le livre même.

Je me suis vu bientôt maître de feuilleter un gros in-folio relié en maroquin rouge, et réunissant plusieurs dossiers de rapports de police de l'année 1709. Le second du volume portait ces noms : « Le Pileur, François Bouchard, dame de Boulanvilliers, Jeanne Massé, — comte du Bucquoy. »

Nous tenons le loup par les oreilles, — car il s'agit bien là d'une évasion de la Bastille, et voici ce qu'écrit M. d'Argenson dans un rapport à M. de Pontchartrain :

« Je continue à faire chercher le *prétendu* comte du Bucquoy dans tous les endroits qu'il vous a pleu de m'indiquer, mais on n'a peu en rien apprendre, et je ne pense pas qu'il soit à Paris. »

Il y a dans ce peu de lignes quelque chose de rassurant et quelque chose de désolant pour moi. — Le comte de Buquoy ou de Bucquoy, sur lequel je n'avais que des données vagues ou contestables, prend, grâce à cette pièce, une existence historique certaine. Aucun tribunal n'a plus le droit de le classer parmi les héros du roman-feuilleton.

D'un autre côté, pourquoi M. d'Argenson écrit-il : le *prétendu* comte du Buquoy ?

Serait-ce un faux Bucquoy, — qui se serait fait passer pour l'autre... dans un but qu'il est bien difficile aujourd'hui d'apprécier ?

Serait-ce le véritable, qui aurait caché son nom sous un pseudonyme ?

Réduit à cette seule preuve, la vérité m'échappe, — et il n'y a pas un légiste qui ne fût fondé à contester même l'existence matérielle de l'individu !

Que répondre à un substitut qui s'écrierait devant le tribunal : « Le comte de Bucquoy est un personnage fictif, créé par la *romanesque* imagination de l'auteur !... » et qui réclamerait l'application de la loi, c'est-à-dire, peut-être un million d'amende ! ce qui se multiplierait encore par la série quotidienne de numéros saisis, si on les laissait s'accumuler ?

Sans avoir droit au beau nom de savant, tout écrivain

est forcé parfois d'employer la méthode scientifique; je me mis donc à examiner curieusement l'écriture jannie sur papier de Hollande du rapport signé d'Argensou. A la hauteur de cette ligne : « Je continue de faire chercher le prétendu comte... », il y avait sur la marge ces trois mots écrits au crayon, et tracés d'une main rapide et ferme : « L'on ne peut trop. » Qu'est-ce que l'on ne peut trop ?
— Chercher l'abbé de Bucquoy, sans doute...

C'était aussi mon avis.

Toutefois, pour acquérir la certitude, en matière d'écritures, il faut comparer. Cette note se reproduisait sur une autre page à propos des lignes suivantes du même rapport :

« Les lanternes ont été posées sous les guichets du Louvre suivant votre intention, et je tiendrai la main à ce qu'elles soient allumées tous les soirs. »

La phrase était terminée ainsi dans l'écriture du secrétaire, qui avait copié le rapport. Une autre main moins exercée avait ajouté à ces mots : « allumées tous les soirs », ceux-ci : « *fort exactement.* »

A la marge se retrouvaient ces mots de l'écriture évidemment du ministre Pontchartrain : « L'on ne peut trop. »

La même note que pour l'abbé de Bucquoy.

Cependant, il est probable que M. de Pontchartrain variait ses formules. Voici autre chose :

« J'ai fait dire aux marchands de la foire Saint-Germain qu'ils aient à se conformer aux ordres du roy, qui défendent de donner à manger durant les heures qui conviennent à l'observation du jeusne, suivant les règles de l'Église. »

Il y a seulement à la marge ce mot au crayon : « Bon. »

Plus loin il est question d'un *particulier*, arrêté pour avoir assassiné une religieuse d'Évreux. On a trouvé sur lui une tasse, un cachet d'argent, des linges ensanglantés et un *gand.* — Il se trouve que cet homme est un abbé (encore un abbé!); mais les charges se sont dissipées, selon M. d'Argenson, qui dit que cet abbé est venu à Versailles pour y solliciter des affaires qui ne lui réussissent pas, puisqu'il est toujours dans le besoin. « Aincy, ajoute-t-il, je crois qu'on peut le regarder comme un visionnaire plus propre à renvoyer dans sa province qu'à tolérer à Paris, où il ne peut être qu'à charge au public. »

Le ministre a écrit au crayon : « Qu'il luy parle auparavant. » Terribles mots, qui ont peut-être changé la face de l'affaire du pauvre abbé.

Et si c'était l'abbé de Bucquoy lui-même! — Pas de nom; seulement un mot : *Un particulier.* — Il est question plus loin de la nommée Lebeau, femme du nommé Cardinal, connue pour une prostituée... Le sieur Pasquier s'intéresse à elle...

Au crayon, en marge : « A la maison de Force. Bon pour six mois. »

Je ne sais si tout le monde prendrait le même intérêt que moi à dérouler ces pages terribles intitulées : *Pièces diverses de police.* Ce petit nombre de faits peint le point historique où se déroulera la vie de l'abbé fugitif. Et moi, qui le connais, ce pauvre abbé, — mieux peut-être que ne pourront le connaître mes lecteurs, — j'ai frémi en tournant les pages de ces rapports impitoyables qui avaient passé sous la main de ces deux hommes, — d'Argenson et Pontchartrain*.

Il y a un endroit où le premier écrit, après quelques protestations de dévouement :

« Je saurais même comme je dois recevoir les reproches et les réprimandes qu'il vous plaira de me faire... »

Le ministre répond, à la troisième personne, et, cette fois, en se servant d'une plume : « Il ne les méritera pas quand il voudra; et je serais bien fâché de douter de son dévouement, ne pouvant douter de sa capacité. »

Il restait une pièce dans ce dossier : « Affaire Le Pileur. » Tout un drame effrayant se déroula sous mes yeux.

Ce n'est pas un *roman.*

UN DRAME DOMESTIQUE — AFFAIRE LE PILEUR

L'action représente une de ces terribles scènes de famille qui se passent au chevet des morts, — dans ce moment si bien rendu jadis sur une scène des boulevards, — où l'héritier, quittant son masque de componction et de tristesse, se lève fièrement et dit aux gens de la maison : « Les clefs ? »

Ici nous avons deux héritiers après la mort de Binet

---

* Voici à quoi rimait dans ce temps-là le nom de Pontchartrain :

C'est un *pont* de planches pourries,
Un *char* traîné par les furies
Dont le diable emporte le *train.*

(Note de Gérard.)

de Villiers : son frère Binet de Basse-Maison, légataire universel, et son beau-frère Le Pileur.

Deux procureurs, celui du défunt et celui de Le Pileur, travaillaient à l'inventaire, assistés d'un notaire et d'un clerc. Le Pileur se plaignit de ce qu'on n'avait pas inventorié un certain nombre de papiers que Binet de Basse-Maison déclarait de peu d'importance. Ce dernier dit à Le Pileur qu'il ne devait pas soulever de mauvais incidents et pouvait s'en rapporter à ce que dirait Châtelain, son procureur.

Mais Le Pileur répondit qu'il n'avait que faire de consulter son procureur ; qu'il savait ce qui était à faire, et que s'il formait de mauvais incidents, il était *assez gros seigneur* pour les soutenir.

Basse-Maison, irrité de ce discours, s'approcha de Le Pileur et lui dit, en le prenant par les deux boutonnières du haut de son justaucorps, qu'il l'en empêcherait bien ; — Le Pileur mit l'épée à la main, Basse-Maison en fit autant... Ils se portèrent d'abord quelques coups d'épée sans beaucoup s'approcher. La dame Le Pileur se jeta entre son mari et son frère ; les assistants s'en mêlèrent et l'on parvint à les pousser chacun dans une chambre différente, que l'on ferma à clef.

Un moment après l'on entendit s'ouvrir une fenêtre ; c'était Le Pileur qui criait à ses gens restés dans la cour « d'aller quérir ses deux neveux ».

Les hommes de loi commençaient un procès-verbal sur le désordre survenu, quand les deux neveux entrèrent le sabre à la main. — C'étaient deux officiers de la maison du roi ; ils repoussèrent les valets, et présentèrent la pointe aux procureurs et au notaire, demandant où était Basse-Maison.

On refusait de leur dire, quand Le Pileur cria de sa chambre : « A moi, mes neveux ! »

Les neveux avaient déjà enfoncé la porte de la chambre de gauche, et accablaient de coups de plat de sabre l'infortuné Binet de Basse-Maison, lequel était, selon le rapport, « hasthmatique ».

Le notaire, qui s'appelait Dionis, crut alors que la colère de Le Pileur serait satisfaite et qu'il arrêterait ses neveux ; — il ouvrit donc la porte et lui fit ses remontrances. A peine dehors, Le Pileur s'écria : « On va voir beau jeu ! » En arrivant derrière ses neveux, qui battaient toujours Basse-Maison, il lui porta un coup d'épée dans le ventre.

La pièce qui relate ces faits est suivie d'une autre plus détaillée, avec les dépositions de treize témoins, — dont *les plus considérables* étaient les deux procureurs et le notaire.

Il est juste de dire que ces treize témoins avaient lâché pied au moment critique. Aussi, aucun ne rapporte qu'il soit absolument certain que Le Pileur ait donné le coup d'épée.

Le premier procureur dit qu'il n'est sûr que d'avoir entendu de loin les coups de plat de sabre.

Le second dépose comme son confrère.

Un laquais nommé Barry s'avance davantage : — Il a vu le meurtre de loin par une fenêtre; mais il ne sait si c'était Le Pileur ou *un habillé de gris blanc* qui a donné à Basse-Maison un coup d'épée dans le ventre. Louis Calot, autre laquais, dépose à peu près de même.

Le dernier de ces treize braves, qui est le moins considérable, le clerc du notaire, a *veu* la dame Le Pileur faire main basse sur plusieurs des papiers du défunt. Il a ajouté qu'après la scène Le Pileur est venu tranquillement chercher sa femme dans la salle où elle était, et « qu'il s'en alla dans son carrosse avec elle et les deux hommes qui avaient fait la violence ».

La moralité manquerait à ce récit instructif, touchant les mœurs du temps, — si l'on ne lisait à la fin du rapport cette conclusion remarquable : « Il y a peu d'exemples d'une violence aussi odieuse et aussi criminelle... Cependant, comme les héritiers des deux frères morts se trouvent aussi beaux-frères du meurtrier, on peut craindre avec beaucoup d'apparence que cet assassinat ne demeure impuni et ne produise d'autre effet que de rendre le sieur Le Pileur beaucoup plus traitable sur des propositions d'accommoder qui lui seront faites de la part de ses cohéritiers, par rapport à leurs intérêts communs. »

On a dit que dans le grand siècle le plus petit commis écrivait aussi pompeusement que Bossuet. Il est impossible de ne pas admirer ce beau détachement du *rapport* qui fait espérer que le meurtrier deviendra plus traitable sur le règlement de ses intérêts... Quant au meurtre, à l'enlèvement des papiers, aux coups même, distribués probablement aux hommes de loi, ils ne peuvent être punis, parce que ni les parents ni d'autres n'en porteront plainte, — M. le Pileur étant *trop grand seigneur* pour ne pas *soutenir* même ses *mauvais incidents...*

Il n'est plus question ensuite de cette histoire, — qui m'a fait oublier un instant le pauvre abbé; — mais, à défaut d'enjolivements romanesques, on peut du moins découper des silhouettes historiques pour le fond du tableau. Tout déjà, pour moi, vit et se recompose. Je vois d'Argenson dans son bureau, Pontchartrain dans son cabinet, le Pontchartrain de Saint-Simon, qui se rendit si plaisant en se faisant appeler de Pontchartrain, et qui, comme bien d'autres, se vengeait du ridicule par la terreur.

Mais à quoi bon ces préparations ? Me sera-t-il permis seulement de mettre en scène les faits, à la manière de Froissard ou de Monstrelet ? — On me dirait que c'est le procédé de Walter Scott, un romancier, et je crains bien qu'il ne faille me borner à une analyse pure et simple de l'histoire de l'abbé de Bucquoy... quand je l'aurai trouvée.

3e LETTRE

Un conservateur de la Bibliothèque Mazarine. — La souris d'Athènes.
La Sonnette enchantée.

J'avais bon espoir : M. Ravenel devait s'en occuper; — ce n'était plus que huit jours à attendre. Et, du reste, je pouvais, dans l'intervalle, trouver encore le livre dans quelque autre bibliothèque publique.

Malheureusement, toutes étaient fermées, — hors la Mazarine. J'allai donc troubler le silence de ces magnifiques et froides galeries. Il y a là un catalogue fort complet, que l'on peut consulter soi-même, et qui, en dix minutes, vous signale clairement le oui ou le non de toute question. Les garçons eux-mêmes sont si instruits qu'il est presque toujours inutile de déranger les employés et de feuilleter le catalogue. Je m'adressai à l'un d'eux, qui fut étonné, chercha dans sa tête et me dit : « Nous n'avons pas le livre...; pourtant, j'en ai une vague idée. »

Le conservateur est un homme plein d'esprit, que tout le monde connaît, et de science sérieuse. Il me reconnut. « Qu'avez-vous donc à faire de l'abbé de Bucquoy ? est-ce pour un livret d'opéra ? J'en ai vu un charmant de vous il y a dix ans *; la musique était ravissante. Vous aviez là une actrice admirable... Mais la censure, aujourd'hui, ne vous laissera pas mettre au théâtre *un abbé*.

— C'est pour un travail historique que j'ai besoin du livre. »

Il me regarda avec attention, comme on regarde ceux qui demandent des livres d'alchimie. « Je comprends, dit-il enfin; c'est pour un roman historique, genre Dumas. »

— Je n'en ai jamais fait; je n'en veux pas faire : je ne veux pas grever les journaux où j'écris de quatre ou cinq cents francs par jour de timbre... Si je ne sais pas faire de l'histoire, j'imprimerai le livre tel qu'il est!

Il hocha la tête et me dit : — Nous l'avons.

— Ah!

— Je sais où il est. Il fait partie du fonds de livres qui nous est venu de Saint-Germain-des-Prés. C'est pourquoi il n'est pas encore catalogué... Il est dans les caves.

— Ah! si vous étiez assez bon...

— Je vous le chercherai : donnez-moi quelques jours.

— Je commence le travail après-demain.

— Ah! c'est que tout cela est l'un sur l'autre : c'est une maison à remuer. Mais le livre y est : je l'ai vu.

— Ah! faites bien attention, dis-je, à ces livres du fonds de Saint-Germain-des-Prés, — à cause des rats... On en a signalé tant d'espèces nouvelles, sans compter le rat gris de Russie venu à la suite des Cosaques. Il est vrai qu'il a servi à détruire le rat anglais; mais on parle à présent d'un nouveau *rongeur* arrivé depuis peu. C'est la *souris d'Athènes*. Il paraît qu'elle peuple énormément, et que la race en a été apportée dans des caisses envoyées ici par l'Université que la France entretient à Athènes.

Le conservateur sourit de ma crainte et me congédia en me promettant tous ses soins.

La Sonnette enchantée

Il m'est venu encore une idée : la Bibliothèque de l'Arsenal est en vacances; mais j'y connais un conservateur. — Il est à Paris : il a les clefs. Il a été autrefois

---

* *Piquillo*, musique de Monpou, en collaboration avec Alexandre Dumas. *(Note de Gérard.)*

très bienveillant pour moi, et voudra bien me communiquer exceptionnellement ce livre, qui est de ceux que
sa bibliothèque possède en grand nombre.

Je m'étais mis en route. Une pensée terrible m'arrêta.
C'était le souvenir d'un récit fantastique qui m'avait été
fait il y a longtemps.

Le conservateur que je connais avait succédé à un
vieillard célèbre *, qui avait la passion des livres, et qui
ne quitta que fort tard et avec grand regret ses chères
éditions du dix-septième siècle ; il mourut cependant, et
le nouveau conservateur prit possession de son appartement.

Il venait de se marier, et reposait en paix près de sa
jeune épouse, lorsque tout à coup il se sent réveillé, à
une heure du matin, par de violents coups de sonnette.
La bonne couchait à un autre étage. Le conservateur se
lève et va ouvrir.

Personne.

Il s'informe dans la maison : tout le monde dormait ;
— le concierge n'avait rien vu.

Le lendemain, à la même heure, la sonnette retentit
de la même manière avec une longue série de carillons.

Pas plus de visiteur que la veille. Le conservateur, qui
avait été professeur quelque temps auparavant, suppose
que c'est quelque écolier rancuneux, affligé de trop de
pensums, qui se sera caché dans la maison, — ou qui
aura même attaché un chat par la queue à un nœud coulant qui se serait relâché par l'effet de la traction...

Enfin, le troisième jour, il charge le concierge de se
tenir sur le palier, avec une lumière, jusqu'au-delà de
l'heure fatale, et lui promet une récompense si la son-
nerie n'a pas lieu.

A une heure du matin, le concierge voit avec consternation le cordon de sonnette se mettre en branle
de lui-même, le gland rouge danse avec frénésie le long
du mur. Le conservateur ouvre, de son côté, et ne voit
devant lui que le concierge faisant des signes de croix.

— C'est l'âme de votre prédécesseur qui revient !

— L'avez-vous vu ?

— Non ! mais des fantômes, cela ne se voit pas à la
chandelle.

— Eh bien, nous essayerons demain sans lumière.

— Monsieur, vous pourrez bien essayer tout seul...

---

* M. de Saint-Martin. *(Note de Gérard.)*

Après mûre réflexion, le conservateur se décida à ne pas essayer de voir le fantôme, et probablement on fit dire une messe pour le vieux bibliophile, car le fait ne se renouvela plus.

Et j'irais, moi, tirer cette même sonnette!... Qui sait si ce n'est pas le fantôme *qui m'ouvrira?*

Cette bibliothèque est, d'ailleurs, pleine pour moi de tristes souvenirs : j'y ai connu trois conservateurs, — dont le premier était l'original du fantôme supposé; le second, si spirituel et si bon... qui fut un de mes tuteurs littéraires *, le dernier **, qui me révélait si complaisamment ses belles collections de gravures, et à qui j'ai fait présent d'un *Faust*, illustré de planches allemandes!

Non, je ne me déciderai pas facilement à retourner à l'Arsenal.

D'ailleurs, nous avons encore à visiter les vieux libraires. Il y a France; il y a Merlin; il y a Techener...

M. France me dit : « Je connais bien le livre; je l'ai eu dans les mains dix fois... Vous pouvez le trouver par hasard sur les quais : je l'y ai trouvé pour dix sous. »

Courir les quais plusieurs jours pour chercher un livre noté comme rare... J'ai mieux aimé aller chez Merlin. « Le Bucquoy? me dit son successeur; nous ne connaissons que cela; j'en ai même un sur ce rayon... »

Il est inutile d'exprimer ma joie. Le libraire m'apporta un livre in-12, du format indiqué; seulement, il était un peu gros (649 pages). Je trouvai, en l'ouvrant, ce titre, en regard d'un portrait : « Éloge du comte de Bucquoy. » Autour du portrait, on retrouvait en latin : *COMES. A. BVCQVOY.*

Mon illusion ne dura pas longtemps; c'était une histoire de la rébellion de Bohême, avec le portrait d'un Bucquoy en cuirasse, ayant barbe coupée à la mode de Louis XIII. C'est probablement l'aïeul du pauvre abbé. — Mais il n'était pas sans intérêt de posséder ce livre; car souvent les goûts et les traits de famille se reproduisent. Voilà un Bucquoy né dans l'Artois qui fait la guerre de Bohême; — sa figure révèle l'imagination et l'énergie, avec un grain de tendance au fantasque. L'abbé de Bucquoy a dû lui succéder comme les rêveurs succèdent aux hommes d'action.

* Nodier. *(Note de Gérard.)*
** Soulié. *(Note de Gérard.)*

LE CANARI

En me rendant chez Techener pour tenter une dernière chance, je m'arrêtai à la porte d'un oiselier. Une
femme d'un certain âge, en chapeau, vêtue avec ce soin
à demi luxueux qui révèle qu'on a vu de meilleurs jours,
offrait au marchand de lui vendre un canari avec sa
cage.

Le marchand répondit qu'il était bien embarrassé seulement de nourrir les siens. La vieille dame insistait
d'une voix oppressée. L'oiselier lui dit que son oiseau
n'avait pas de valeur. — La dame s'éloigna en soupirant.

J'avais donné tout mon argent pour les exploits en
Bohême du comte de Bucquoy; sans cela, j'aurais dit
au marchand : Rappelez cette dame, et dites-lui que vous
vous décidez à acheter l'oiseau...

La fatalité qui me poursuit à propos des Bucquoy m'a
laissé le remords de n'avoir pu le faire.

M. Techener m'a dit : Je n'ai plus d'exemplaires du
livre que vous cherchez; mais je sais qu'il s'en vendra
un prochainement dans la bibliothèque d'un amateur.

— Quel amateur ?...

— X., si vous voulez, le nom ne sera pas sur le catalogue.

— Mais, si je veux acheter l'exemplaire maintenant ?...

— On ne vend jamais d'avance les livres catalogués
et classés dans les lots. La vente aura lieu le 11 novembre.

Le 11 novembre!

Hier, j'ai reçu une note de M. Ravenel, conservateur
de la Bibliothèque, à qui j'avais été présenté. Il ne m'avait
pas oublié, et m'instruisait du même détail. Seulement
il paraît que la vente a été remise au 20 novembre.

Que faire d'ici là ? — Et encore, à présent, le livre
montera peut-être à un prix fabuleux...

4e LETTRE

Un manuscrit des Archives. — Angélique de Longueval.
Voyage à Compiègne.
Histoire de la grand'tante de l'abbé de Bucquoy.

J'ai eu l'idée d'aller aux Archives de France où l'on m'a communiqué la généalogie authentique des Bucquoy. Leur nom patronymique est *Longueval*. En compulsant les dossiers nombreux qui se rattachent à cette famille, j'ai fait une trouvaille des plus heureuses.

C'est un manuscrit d'environ cent pages, au papier jauni, à l'encre déteinte, dont les feuilles sont réunies avec des faveurs d'un rose passé, et qui contient l'histoire d'*Angélique de Longueval;* j'en ai pris quelques extraits que je tâcherai de lier par une analyse fidèle. Une foule de pièces et de renseignements sur les Longueval et sur les Bucquoy m'ont renvoyé à d'autres pièces, qui doivent exister à la Bibliothèque de Compiègne. — Le lendemain était le propre jour de la Toussaint; je n'ai pas manqué cette occasion de distraction et d'étude.

La vieille France provinciale est à peine connue, — de ces côtés surtout, — qui cependant font partie des environs de Paris. Au point où l'Ile-de-France, le Valois et la Picardie se rencontrent, — divisés par l'Oise et l'Aisne, au cours si lent et si paisible, — il est permis de rêver les plus belles bergeries du monde.

La langue des paysans eux-mêmes est du plus pur français, à peine modifié par une prononciation où les désinences des mots montent au ciel à la manière du chant de l'alouette... Chez les enfants cela forme comme un ramage. Il y a aussi dans les tournures de phrases quelque chose d'italien, — ce qui tient sans doute au long séjour qu'ont fait les Médicis et leur suite florentine dans ces contrées, divisées autrefois en apanages royaux et princiers.

Je suis arrivé hier au soir à Compiègne, poursuivant *les Bucquoy* sous toutes les formes, avec cette obstination lente qui m'est naturelle. Aussi bien les archives de Paris, où je n'avais pu prendre encore que quelques notes, eussent été fermées aujourd'hui, jour de la Toussaint.

A l'hôtel de la Cloche, célébré par Alexandre Dumas, on menait grand bruit, ce matin. Les chiens aboyaient, les chasseurs préparaient leurs armes; j'ai entendu un piqueur qui disait à son maître : « Voici le fusil de monsieur le marquis. »

Il y a donc encore des marquis!

J'étais préoccupé d'une tout autre chasse... Je m'informai de l'heure à laquelle ouvrait la bibliothèque.

— Le jour de la Toussaint, me dit-on, elle est naturellement fermée.

— Et les autres jours ?

— Elle ouvre de sept heures du soir à onze heures.

Je crains de me faire ici plus malheureux que je n'étais. J'avais une recommandation pour l'un des bibliothécaires, qui est en même temps un de nos bibliophiles les plus éminents. Non seulement il a bien voulu me montrer les livres de la ville, mais encore les siens, — parmi lesquels se trouvent de précieux autographes, tels que ceux d'une correspondance *inédite* de Voltaire, et un recueil de chansons mises en musique par Rousseau et écrites de sa main, dont je n'ai pu voir sans attendrissement la belle et nette exécution, — avec ce titre : *Anciennes Chansons sur de nouveaux airs*. Voici la première dans le style marotique :

> Celui plus je ne suis que j'ai jadis été,
> Et plus ne saurais jamais l'être :
> Mon doux printemps et mon été
> Ont fait le saut par la fenêtre, *etc.*

Cela m'a donné l'idée de revenir à Paris par Ermenonville, — ce qui est la route la plus courte comme distance et la plus longue comme temps, bien que le chemin de fer fasse un coude énorme pour atteindre Compiègne.

On ne peut parvenir à Ermenonville, ni s'en éloigner, sans faire au moins trois lieues à pied. — Pas une voiture directe. Mais demain, jour des Morts, c'est un pèlerinage que j'accomplirai respectueusement, — tout en pensant à la belle Angélique de Longueval.

Je vous adresse tout ce que j'ai recueilli sur elle aux Archives et à Compiègne, rédigé sans trop de préparation d'après les documents manuscrits et surtout d'après ce cahier jauni, entièrement écrit de sa main, qui est peut-être plus hardi, — étant d'une fille de grande maison, — que les *Confessions* mêmes de Rousseau.

Angélique de Longueval était fille d'un des plus grands seigneurs de Picardie. Jacques de Longueval, comte d'Haraucourt, son père, conseiller du roi en ses conseils, maréchal de ses camps et armées, avait le gouvernement du Châtelet et de Clermont-en-Beauvoisis. C'était dans le voisinage de cette dernière ville, au château de Saint-Rimault, qu'il laissait sa femme et sa fille, lorsque le devoir de ses charges l'appelait à la cour ou à l'armée.

Dès l'âge de treize ans, Angélique de Longueval, d'un caractère triste et rêveur, — n'ayant goût, comme elle le disait, *ni aux belles pierres, ni aux belles tapisseries, ni aux beaux habits, ne respirait que la mort pour guérir son esprit*. Un gentilhomme de la maison de son père en devint amoureux. Il jetait continuellement les yeux sur elle, l'entourait de ses soins, et bien qu'Angélique ne sût pas encore ce que c'était qu'Amour, elle trouvait un certain charme à la poursuite dont elle était l'objet.

La déclaration d'amour que lui fit ce gentilhomme resta même tellement gravée dans sa mémoire que six ans plus tard, après avoir traversé les orages d'un autre amour, des malheurs de toute sorte, elle se rappelait encore cette première lettre et la retraçait mot pour mot. Qu'on me permette de citer ici ce curieux échantillon du style d'un amoureux de province au temps de Louis XIII.

Voici la lettre du premier amoureux de mademoiselle Angélique de Longueval :

« Je ne m'étonne plus de ce que les simples, sans la force des rayons du soleil, n'ont nulle vertu, puisque aujourd'hui j'ai été si malheureux que de sortir sans avoir vu cette belle aurore, laquelle m'a toujours mis en pleine lumière, et dans l'absence de laquelle je suis perpétuellement accompagné d'un cercle de ténèbres, dont le désir d'en sortir, et celui de vous revoir, ma belle, m'a obligé, comme ne pouvant vivre sans vous voir, de retourner avec tant de promptitude, afin de me ranger à l'ombre de vos belles perfections, l'aimant desquelles m'a entièrement dérobé le cœur et l'âme ; larcin toutefois que je révère, en ce qu'il m'a élevé en un lieu si saint et si redoutable, et lequel je veux adorer toute ma vie avec autant de zèle et de fidélité que vous êtes parfaite. »

Cette lettre ne porta pas bonheur au pauvre jeune

homme qui l'avait écrite. En essayant de la glisser à
Angélique, il fut surpris par le père, — et mourait à
quatre jours de là, tué l'on ne dit pas comment.

Le déchirement que cette mort fit éprouver à Angélique lui révéla l'Amour. Deux ans entiers elle pleura. Au
bout de ce temps, ne voyant, dit-elle, d'autre remède à
sa douleur que la mort ou une autre affection, elle supplia
son père de la mener dans le monde. Parmi tant de seigneurs qu'elle y rencontrerait elle trouverait bien, pen-
sait-elle, quelqu'un à mettre en son esprit à la place de
ce mort éternel.

Le comte d'Haraucourt ne se rendit pas, selon toute
apparence, aux prières de sa fille, car parmi les personnes
qui s'éprirent d'amour pour elle, nous ne voyons que
des officiers domestiques de la maison paternelle. Deux,
entre autres, M. de Saint-Georges, gentilhomme du
comte, et Fargue, son valet de chambre, trouvèrent dans
cette passion commune pour la fille de leur maître une
occasion de rivalité qui eut un dénouement tragique.
Fargue, jaloux de la supériorité de son rival, avait tenu
quelques discours sur son compte. M. de Saint-Georges
l'apprend, appelle Fargue, lui remontre sa faute, et lui
donne, en fin de compte, tant de coups de plat d'épée
que son arme en reste tordue. Plein de fureur, Fargue
parcourt l'hôtel, cherchant une épée. Il rencontre le
baron d'Haraucourt, frère d'Angélique : lui arrachant
son épée, il court la plonger dans la gorge de son rival,
que l'on relève expirant. Le chirurgien n'arrive que pour
dire à Saint-Georges : « Criez merci à Dieu, car vous
êtes mort. » Pendant ce temps, Fargue s'était enfui.

Tels étaient les tragiques préambules de la grande
passion qui devait précipiter la pauvre Angélique dans
une série de malheurs.

HISTOIRE DE LA GRAND'TANTE
DE L'ABBÉ DE BUCQUOY

Voici maintenant les premières lignes du manuscrit :
« Lorsque ma mauvaise fortune jura de continuer à
ne plus me laisser en repos, ce fut un soir à Saint-Rimault, par un homme que j'avais connu il y avait plus
de sept ans, et pratiqué deux ans entiers sans l'aimer. Ce

garçon, étant entré dans ma chambre sous prétexte du bien qu'il voulait à la demoiselle de ma mère nommée Beauregard, s'approcha de mon lit en me disant : « Vous plaît-il, madame ? » et en s'approchant de plus près me dit ces paroles : « Ah! que je vous aime, il y a longtemps! » auxquelles paroles je répondis : « Je ne vous aime point, je ne vous hais point aussi; seulement, allez-vous-en, de peur que mon papa ne sache que vous êtes ici à ces heures. »

« Le jour étant venu, je cherchai incontinent l'occasion de voir celui qui m'avait fait la nuit sa déclaration d'amour; et, le considérant, je ne le trouvai haïssable que de sa condition, laquelle lui donna tout ce jour-là une grande retenue, et il me regardait continuellement. Tous les jours ensuivants se passèrent avec de grands soins qu'il prenait de s'ajuster bien pour me plaire. Il est vrai aussi qu'il était fort aimable, et que ses actions ne procédaient pas du lieu d'où il était sorti, car il avait le cœur très haut et très courageux. »

Ce jeune homme, comme nous l'apprend le récit d'un père célestin, cousin d'Angélique, se nommait La Corbinière et n'était autre que le fils d'un charcutier de Clermont-sur-Oise, engagé au service du comte d'Haraucourt. Il est vrai que le comte, maréchal des camps et armées du roi, avait monté sa maison sur un pied militaire, et chez lui les serviteurs, portant moustaches et éperons, n'avaient pour livrée que l'uniforme. Ceci explique jusqu'à un certain point l'illusion d'Angélique.

Elle vit avec chagrin partir La Corbinière, qui s'en allait, à la suite de son maître, retrouver à Charleville monseigneur de Longueville, malade d'une dysenterie. — Triste maladie, pensait naïvement la jeune fille, triste maladie, qui l'empêchait de voir celui « dont l'affection ne lui déplaisait pas ». Elle le revit plus tard à Verneuil. Cette rencontre se fit à l'église. Le jeune homme avait gagné de belles manières à la cour du duc de Longueville. Il était vêtu de drap d'Espagne gris de perle, avec un collet de point coupé et un chapeau gris orné de plumes gris de perle et jaunes. Il s'approcha d'elle un moment sans que personne le remarquât et lui dit : « Prenez, madame, ces bracelets de senteur que j'ai apportés de Charleville, où *il m'a grandement ennuyé*. »

La Corbinière reprit ses fonctions au château. Il feignait toujours d'aimer la chambrière Beauregard, et lui faisait accroire qu'il ne venait chez sa maîtresse que pour elle. « Cette simple fille — dit Angélique — le croyait fermement... Ainsi, nous passions deux ou trois heures à rire tous trois ensemble tous les soirs, dans le donjon de Verneuil, en la chambre tendue de blanc. »

La surveillance et les soupçons d'un valet de chambre nommé Dourdillie interrompirent ces rendez-vous. Les amoureux ne purent plus correspondre que par lettres. Cependant, le père d'Angélique, étant allé à Rouen pour retrouver le duc de Longueville, dont il était le lieutenant, — La Corbinière s'échappa la nuit, monta sur une muraille par une brèche, et, arrivé près de la fenêtre d'Angélique, jeta une pierre à la vitre.

La demoiselle le reconnut et dit, en dissimulant encore, à sa chambrière Beauregard : « Je crois que votre amoureux est fou. Allez vitement lui ouvrir la porte de la salle basse qui donne dans le parterre, car il y est entré. Cependant, je vais m'habiller et allumer de la chandelle. »

Il fut question de donner à souper au jeune homme, « lequel ne fut que de confitures liquides. Toute cette nuit, — ajoute la demoiselle, — nous la passâmes tous trois à rire. »

Mais, ce qu'il y a eu de malheureux pour la pauvre Beauregard, c'est que la demoiselle et La Corbinière *se riaient* surtout en secret de la confiance qu'elle avait d'être aimée de lui.

Le jour venu, on cacha le jeune homme dans la chambre dite *du Roy* où jamais personne n'entrait; — puis à la nuit on l'allait quérir. « Son manger, dit Angélique, fut, ces trois jours, de poulet frais que je lui portais entre ma chemise et ma cotte. »

La Corbinière fut forcé enfin d'aller rejoindre le comte, qui alors séjournait à Paris. Un an se passa, pour Angélique, dans une mélancolie, — distraite seulement par les lettres qu'elle écrivait à son amant. « Je n'avais pas d'autre divertissement, dit-elle, car les belles pierres, ni les belles tapisseries et beaux habits, sans la conversation des honnêtes gens, ne me pouvaient plaire... Notre *revue* fut à Saint-Rimault, avec des contentements si grands que personne ne peut le savoir que ceux qui ont aimé. Je le trouvai encore plus aimable dans cet habit, qu'il avait, d'écarlate... »

Les rendez-vous du soir recommencèrent. Le valet Dourdillie n'était plus au château, et sa chambre était occupée par un fauconnier nommé Lavigne qui faisait semblant de ne s'apercevoir de rien.

Les relations se continuèrent ainsi, toujours chastement, du reste, — et ne laissant regretter que les mois
d'absence de La Corbinière, forcé souvent de suivre le
comte aux lieux où l'appelait son service militaire.
« Dire, écrit Angélique, tous les contentements que
nous eûmes en trois ans de temps *en France* *, il serait
impossible. »

Un jour, La Corbinière devint plus hardi. Peut-être les
compagnies de Paris l'avaient-elles un peu gâté. — Il
entra dans la chambre d'Angélique fort tard. Sa suivante
était couchée à terre, elle dans son lit. Il commença par
embrasser la suivante d'après la supposition habituelle,
puis il dit : « Il faut que je fasse peur à madame. »

« Alors, ajoute Angélique, — comme je dormais, il se
glissa tout d'un temps en mon lit, avec seulement un
caleçon. Moi, plus effrayée que contente, je le suppliai
par la passion qu'il avait pour moi, de s'en aller bien vite
parce qu'il était impossible de marcher ni de parler dans
ma chambre que mon papa ne l'entendît. J'eus beaucoup
de peine à le faire sortir. »

L'amoureux, un peu confus, retourna à Paris. Mais, à
son retour, l'affection mutuelle s'était encore augmentée ;
— et les parents en avaient quelque soupçon vague. —
La Corbinière se cacha sous un grand tapis de Turquie
recouvrant une table, un jour que la demoiselle était
couchée dans la chambre dite du Roi, « et vint se mettre
près d'elle ». Cinquante fois elle le supplia, craignant
toujours de voir son père entrer.— Du reste, même endormis l'un près de l'autre, leurs caresses étaient pures...

5ᵉ LETTRE

Suite de l'histoire de la grand'tante de l'abbé de Bucquoy.

C'était l'esprit du temps, — où la lecture des poètes
italiens faisait régner encore, dans les provinces surtout,
un platonisme digne de celui de Pétrarque. On voit des

* On disait alors ces mots : *en France*, de tous les lieux compris
dans l'Ile-de-France. Plus loin commençaient la Picardie et le Soissonnais. Cela se dit encore pour distinguer certaines localités *(Note
de Gérard.)*

traces de ce genre d'esprit dans le style de la belle péni-
tente à qui nous devons ces confessions.

Cependant, le jour étant venu, La Corbinière sortit un
peu tard par la grande salle. Le comte, qui s'était levé de
bonne heure, l'aperçut, sans pouvoir être sûr au juste
qu'il sortît de chez sa fille, mais le soupçonnant très fort.

« Ce pourquoi, ajoute la demoiselle, mon très cher papa
resta ce jour-là très mélancolique et ne faisait autre que de
parler avec maman ; pourtant l'on ne me dit rien du tout. »

Le troisième jour, le comte était obligé de se rendre
aux funérailles de son beau-frère Manicamp. Il se fit
suivre de La Corbinière, — ainsi que d'un fils, d'un palefrenier et de deux laquais, et se trouvant au milieu de la
forêt de Compiègne, il s'approcha tout à coup de l'amoureux, lui tira par surprise l'épée du baudrier, et, lui mettant le pistolet sur la gorge, dit au laquais : « Otez les
éperons à ce traître, et vous en allez un peu devant... »

INTERRUPTION

Je ne voudrais pas imiter ici le procédé des narrateurs
de Constantinople ou des conteurs du Caire, qui, par un
artifice vieux comme le monde, suspendent une narra-
tion à l'endroit le plus intéressant, afin que la foule
revienne le lendemain au même café. — L'histoire de
l'abbé Bucquoy existe ; je finirai par la trouver.

Seulement, je m'étonne que dans une ville comme Paris,
centre des lumières, et dont les bibliothèques publiques
contiennent deux millions de livres, on ne puisse rencontrer un livre français, que j'ai pu lire à Francfort, —
et que j'avais négligé d'acheter.

Tout disparaît peu à peu, grâce au système de prêt des
livres, — et aussi parce que la race des collectionneurs
littéraires et artistiques ne s'est pas renouvelée depuis la
Révolution. Tous les livres curieux volés, achetés ou
perdus, se retrouvent en Hollande, en Allemagne et en
Russie. — Je crains un long voyage dans cette saison, et
je me contente de faire encore des recherches dans un
rayon de quarante kilomètres autour de Paris.

J'ai appris que la poste de Senlis avait mis dix-sept
heures pour vous transmettre une lettre qui, en trois
heures, pouvait être rendue à Paris. Je pense que cela ne

tient pas à ce que je sois mal vu dans ce pays, où j'ai été élevé; mais voici un détail curieux :

Il y a quelques semaines, je commençais déjà à faire le plan du travail que vous voulez bien publier, et je faisais quelques recherches préparatoires sur les Bucquoy, — dont le nom a toujours résonné dans mon esprit comme un souvenir d'enfance. Je me trouvais à Senlis avec un ami, un ami breton, très grand et à la barbe noire. Arrivés de bonne heure par le chemin de fer, qui s'arrête à Saint-Maixent, et ensuite par un omnibus, qui traverse les bois, en suivant la vieille route de Flandre, — nous eûmes l'imprudence d'entrer au café le plus apparent de la ville, pour nous y réconforter.

Ce café était plein de gendarmes, dans l'état gracieux qui, après le service, leur permet de prendre quelques divertissements. Les uns jouaient aux dominos, les autres au billard.

Ces militaires s'étonnèrent sans doute de nos façons et de nos barbes parisiennes. Mais ils n'en manifestèrent rien ce soir-là.

Le lendemain, nous déjeunions à l'hôtel excellent de la Truite qui file (je vous prie de croire que je n'invente rien), lorsqu'un brigadier vint nous demander très poliment nos passeports.

Pardon de ces minces détails, — mais cela peut intéresser tout le monde...

Nous lui répondîmes à la manière dont un certain soldat répondit à la maréchaussée, — selon une chanson de ce pays-là même... (J'ai été bercé avec cette chanson.)

On lui a demandé :
Où est votre congé ?
— Le congé que j'ai pris,
Il est sous mes souliers !

La réponse est jolie. Mais le refrain est terrible :

Spiritus sanctus,
Quoniam bonus !

Ce qui indique suffisamment que le soldat n'a pas bien fini... Notre affaire a eu un dénouement moins grave. Aussi avions-nous répondu très honnêtement qu'on ne prenait pas d'ordinaire de passeport pour visiter la grande banlieue de Paris. Le brigadier avait salué sans faire d'observation.

Nous avions parlé à l'hôtel d'un dessein vague d'aller à Ermenonville. Puis, le temps étant devenu mauvais, l'idée a changé, et nous sommes allés retenir nos places à la voiture de Chantilly, qui nous rapprochait de Paris.

Au moment de partir, nous voyons arriver un commissaire orné de deux gendarmes qui nous dit : « Vos papiers ? »

Nous répétons ce que nous avions dit déjà.

— Eh bien! messieurs, dit ce fonctionnaire, vous êtes en état d'arrestation.

Mon ami le Breton fronçait le sourcil, ce qui aggravait notre situation.

Je lui ai dit : Calme-toi. Je suis presque un diplomate... J'ai vu de près — à l'étranger — des rois, des pachas et même des padischas, et je sais comment on parle aux autorités.

— Monsieur le commissaire, dis-je alors (parce qu'il faut toujours donner leurs titres aux personnes), j'ai fait trois voyages en Angleterre, et l'on ne m'a jamais demandé de passeport que pour me conférer le droit de sortir de France... Je reviens d'Allemagne, où j'ai traversé dix pays souverains, — y compris la Hesse : — on ne m'a pas même demandé mon passeport en Prusse.

— Eh bien! je vous le demande en France.

— Vous savez que les malfaiteurs ont toujours des papiers en règle...

— Pas toujours...

Je m'inclinai.

— J'ai vécu sept ans dans ce pays; j'y ai même quelques restes de propriétés...

— Mais vous n'avez pas de papiers ?

— C'est juste... Croyez-vous maintenant que des gens suspects iraient prendre un bol de punch dans un café où les gendarmes font leur partie le soir ?

— Cela pourrait être un moyen de se déguiser mieux.

Je vis que j'avais affaire à un homme d'esprit.

— Eh bien! monsieur le commissaire, ajoutai-je, je suis tout bonnement un écrivain : je fais des recherches sur la famille des Bucquoy de Longueval, et je veux préciser la place, et retrouver les ruines des châteaux qu'ils possédaient dans la province.

Le front du commissaire s'éclaircit tout à coup :

— Ah! vous vous occupez de littérature ? Et moi aussi, monsieur! J'ai fait des vers dans ma jeunesse... une tragédie.

Un péril succédait à un autre; — le commissaire parais-

sait disposé à nous inviter à dîner pour nous lire sa tragédie. Il fallut prétexter des affaires à Paris pour être
autorisé à monter dans la voiture de Chantilly, dont le
départ était suspendu par notre arrestation.

Je n'ai pas besoin de vous dire que je continue à ne vous
donner que des détails exacts sur ce qui m'arrive dans ma
recherche assidue.

Ceux qui ne sont pas chasseurs ne comprennent point
assez la beauté des paysages d'automne. — En ce moment,
malgré la brume du matin, nous apercevons des tableaux
dignes des grands maîtres flamands. Dans les châteaux
et dans les musées, on retrouve encore l'esprit des
peintres du Nord. Toujours des points de vue aux teintes
roses ou bleuâtres dans le ciel, aux arbres à demi effeuillés,
— avec des champs dans le lointain ou sur le premier
plan des scènes champêtres.

Le voyage à Cythère de Watteau a été conçu dans les
brumes transparentes et colorées de ce pays. C'est une
Cythère calquée sur un îlot de ces étangs créés par les
débordements de l'Oise et de l'Aisne, — ces rivières si
calmes et si paisibles en été.

Le lyrisme de ces observations ne doit pas vous étonner; — fatigué des querelles vaines et des stériles agita-
tions de Paris, je me repose en revoyant ces campagnes
si vertes et si fécondes; — je reprends des forces sur cette
terre maternelle.

Quoi qu'on puisse dire philosophiquement, nous tenons
au sol par bien des liens. On n'emporte pas les cendres de
ses pères à la semelle de ses souliers, — et le plus pauvre
garde quelque part un souvenir sacré qui lui rappelle
ceux qui l'ont aimé. Religion ou philosophie, tout indique
à l'homme ce culte éternel des souvenirs.

6ᵉ LETTRE

Le jour des Morts. — Senlis. — Les tours des Romains.
Les jeunes filles. — Delphine.

C'est le jour des Morts que je vous écris; — pardon de
ces idées mélancoliques. Arrivé à Senlis la veille, j'ai passé
par les paysages les plus beaux et les plus tristes qu'on
puisse voir dans cette saison. La teinte rougeâtre des

chênes et des trembles sur le vert foncé des gazons, les troncs blancs des bouleaux se détachant du milieu des bruyères et des broussailles, — et surtout la majestueuse longueur de cette route de Flandre, qui s'élève parfois de façon à vous faire admirer un vaste horizon de forêts brumeuses, tout cela m'avait porté à la rêverie. En arrivant à Senlis, j'ai vu la ville en fête. Les cloches — dont Rousseau aimait tant le son lointain — résonnaient de tous côtés; les jeunes filles se promenaient par compagnies dans la ville, ou se tenaient devant les portes des maisons en souriant et caquetant. Je ne sais si je suis victime d'une illusion : je n'ai pu rencontrer encore une fille laide à Senlis... celles-là peut-être ne se montrent pas!

Non : — le sang est beau généralement, ce qui tient sans doute à l'air pur, à la nourriture abondante, à la qualité des eaux. Senlis est une ville isolée de ce grand mouvement du chemin de fer du Nord qui entraîne les populations vers l'Allemagne. — Je n'ai jamais su pourquoi le chemin de fer du Nord ne passait pas par nos pays, — et faisait un coude énorme qui encadre en partie Montmorency, Luzarches, Gonesse et autres localités, privées du privilège qui leur aurait assuré un trajet direct. Il est probable que les personnes qui ont institué ce chemin auront tenu à le faire passer par leurs propriétés. — Il suffit de consulter la carte pour apprécier la justesse de cette observation.

Il est naturel, un jour de fête à Senlis, d'aller voir la cathédrale. Elle est fort belle, et nouvellement restaurée, avec l'écusson semé de fleurs de lis qui représente les armes de la ville, et qu'on a eu soin de replacer sur la porte latérale. L'évêque officiait en personne, — et la nef était remplie des notabilités châtelaines et bourgeoises qui se rencontrent encore dans cette localité.

LES JEUNES FILLES

En sortant, j'ai pu admirer, sous un rayon de soleil couchant, les vieilles tours des fortifications romaines, à demi démolies et revêtues de lierre. — En passant près du prieuré, j'ai remarqué un groupe de petites filles qui s'étaient assises sur les marches de la porte.

Elles chantaient sous la direction de la plus grande, qui, debout devant elles, frappait des mains en réglant la mesure.

— Voyons, mesdemoiselles, recommençons ; les petites ne vont pas !... Je veux entendre cette petite-là qui est à gauche, la première sur la seconde marche : — Allons, chante toute seule.

Et la petite se met à chanter avec une voix faible, mais bien timbrée :

> Les canards dans la rivière... etc.

Encore un air avec lequel j'ai été bercé. Les souvenirs d'enfance se ravivent quand on a atteint la moitié de la vie. — C'est comme un manuscrit palimpseste dont on fait reparaître les lignes par des procédés chimiques.

Les petites filles reprirent ensemble une autre chanson, — encore un souvenir :

> Trois filles dedans un pré...
> Mon cœur vole ! *(bis)*
> Mon cœur vole à votre gré !

« Scélérats d'enfants ! dit un brave paysan qui s'était arrêté près de moi à les écouter... Mais vous êtes trop gentilles !... Il faut danser à présent. »

Les petites filles se levèrent de l'escalier et dansèrent une danse singulière qui m'a rappelé celle des filles grecques dans les îles.

Elles se mettent toutes — comme on dit chez nous — *à la queue leu leu ;* puis un jeune garçon prend les mains de la première et la conduit en reculant, pendant que les autres se tiennent les bras, que chacune saisit derrière sa compagne. Cela forme un serpent qui se meut d'abord en spirale et ensuite en cercle, et qui se resserre de plus en plus autour de l'auditeur, obligé d'écouter le chant, et quand la ronde se resserre, d'embrasser les pauvres enfants, qui font cette gracieuseté à l'étranger qui passe.

Je n'étais pas un étranger, mais j'étais ému jusqu'aux larmes en reconnaissant, dans ces petites voix, des intonations, des roulades, des finesses d'accent, autrefois entendues, — et qui, des mères aux filles, se conservent les mêmes...

La musique, dans cette contrée, n'a pas été gâtée par l'imitation des opéras parisiens, des romances de salon ou des mélodies exécutées par les orgues. On en est encore, à Senlis, à la musique du XVIe siècle, conservée

traditionnellement depuis les Médicis. L'époque de
Louis XIV a aussi laissé des traces. Il y a, dans les souvenirs des filles de la campagne, des complaintes — d'un
mauvais goût ravissant. On trouve là des restes de morceaux d'opéras, du XVIe siècle, peut-être, — ou d'orato-
rios du XVIIe.

DELPHINE

J'ai assisté autrefois à une représentation donnée à
Senlis dans une pension de demoiselles.

On jouait un mystère, — comme aux temps passés. —
La vie du Christ avait été représentée dans tous ses
détails, et la scène dont je me souviens était celle où l'on
attendait la descente du Christ dans les enfers.

Une très belle fille blonde parut avec une robe blanche,
une coiffure de perles, une auréole et une épée dorée, sur
un demi-globe, qui figurait un astre éteint.

Elle chantait :

> Anges! descendez promptement,
> Au fond du purgatoire!...

Et elle parlait de la gloire du Messie, qui allait visiter
ces sombres lieux. — Elle ajoutait :

> Vous le verrez distinctement
> Avec une couronne...
> Assis *dessus* un trône!

Ceci se passait dans une époque monarchique. La
demoiselle blonde était d'une des plus grandes familles
du pays et s'appelait Delphine. — Je n'oublierai jamais
ce nom!

...Le sire de Longueval dit à ses gens : « Fouillez ce
traître, car il a des lettres de ma fille » — et il ajoutait en
lui parlant : « Dis, perfide, d'où venais-tu quand tu sortais
si bonne heure de la grand'salle ? »

« Je venais, disait-il, de la chambre de M. de La Porte,
et ne sais ce que vous voulez me dire de lettres. »

Heureusement La Corbinière avait brûlé les lettres
précédemment reçues, de sorte qu'on ne trouva rien.
Cependant le comte de Longueval dit à son fils, — en
tenant toujours le pistolet à la main : — Coupe-lui la moustache et les cheveux!

Le comte s'imaginait qu'après cette opération La Corbinière ne plairait plus à sa fille.

Voici ce qu'elle a écrit à ce sujet :

« Ce garçon, se voyant de cette sorte, voulut mourir, car il croyait, en effet, que je ne l'aimerais plus ; mais, au contraire, lorsque je le vis en cet état pour l'amour de moi, mon affection redoubla de telle sorte que j'avais juré, si mon père le traitait plus mal, de me tuer devant lui ; — lequel usa de prudence, comme homme d'esprit qu'il était, car, sans éclater davantage, il l'envoya avec un bon cheval en Beauvoisis avertir ces messieurs les gendarmes de se tenir prêts à venir en garnison à Orbaix. »

La demoiselle ajoute :

« Le mauvais traitement que lui avait fait mon père, et le commandement qu'il lui avait enjoint de se tenir dans les bornes de son devoir ne purent empêcher qu'il ne passât toute cette nuit-là avec moi par cette invention : mon père lui ayant commandé de s'en aller en Beauvoisis, il monta à cheval, et au lieu de s'en aller vivement, il s'arrêta dans le bois de Guny jusqu'à ce qu'il fût nuit, et alors il s'en vint chez Tancar, à Coucy-la-Ville, et lorsqu'il eut soupé, il prit ses deux pistolets et s'en vint à Verneuil, grimper par le petit jardin, où je l'attendais avec assurance et sans peur, sachant qu'on croyait qu'il fût bien loin. Je le menai dans ma chambre ; alors il me dit : « Il ne faut pas perdre cette bonne occasion sans nous embrasser : c'est pourquoi il faut nous déshabiller... Il n'y a nul danger. »

La Corbinière fit une maladie, ce qui rendit le comte moins sévère envers lui ; — mais pour l'éloigner de sa fille, il lui dit : « Il vous en faut aller à la garnison à Orbaix, car déjà les autres gendarmes y sont. »

Ce qu'il fit avec grand déplaisir.

A Orbaix, le fauconnier du comte ayant envoyé à Verneuil son valet, nommé Toquette, La Corbinière lui donna une lettre pour Angélique de Longueval. Mais, craignant qu'elle ne fût vue, il lui recommanda de la mettre sous une pierre avant d'entrer au château, afin que si on le fouillait on ne trouvât rien.

Une fois admis, il devenait très simple d'aller quérir la lettre sous la pierre, et de la remettre à la demoiselle. Le petit garçon fit bien son message, et, s'approchant d'Angélique de Longueval, lui dit : « J'ai quelque chose pour vous. »

Elle eut un grand contentement de cette lettre. Il témoignait qu'il avait quitté de grands avantages en Allemagne pour venir la voir, et qu'il lui était impossible de vivre sans qu'elle lui donnât commodité de la voir.

Ayant été menée par son frère au château de la Neuville, Angélique dit à un laquais qui était à sa mère et qui s'appelait *Court-Toujours* : « Oblige-moi d'aller trouver La Corbinière, lequel est revenu d'Allemagne, et lui porte cette lettre de ma part bien secrètement. »

7ᵉ LETTRE

Observations. — Le roi Loys. — Dessous les rosiers blancs.

Avant de parler des grandes résolutions d'Angélique de Longueval, je demande la permission de placer encore un mot. Ensuite, je n'interromprai plus que rarement le récit. Puisqu'il nous est défendu de faire du *roman* historique, nous sommes forcé de servir la sauce sur un autre plat que le poisson; — c'est-à-dire les descriptions locales, le sentiment de l'époque, l'analyse des caractères, — en dehors du récit matériellement vrai.

Je me rends compte difficilement du voyage qu'a fait La Corbinière en Allemagne. La demoiselle de Longueval n'en dit qu'un mot. A cette époque, on appelait l'Allemagne les pays situés dans la haute Bourgogne, — où nous avons vu que M. de Longueville avait été malade de la dysenterie. Probablement La Corbinière était allé quelque temps près de lui.

Quant au caractère des pères de la province que je parcours, il a été éternellement le même si j'en crois les légendes que j'ai entendu chanter dans ma jeunesse. C'est un mélange de rudesse et de bonhomie tout patriarcal. Voici une des chansons que j'ai pu recueillir dans ce vieux pays de l'Ile-de-France, qui, du *Parisis*, s'étend jusqu'aux confins de la Picardie :

> Le roy Loys est sur *son pont*
> Tenant sa fille en son giron.
> Elle lui demande un cavalier...
> Qui n'a pas vaillant six deniers !

> — Oh ! oui, mon père, je l'aurai
> Malgré ma mère qui m'a portée.
> Aussi malgré tous mes parents
> Et vous, mon père... que j'aime tant !

> — Ma fille, il faut changer d'amour,
> Ou vous entrerez dans la tour...
> — J'aime mieux rester dans la tour,
> Mon père! que de changer d'amour!

> — Vite... où sont mes estafiers,
> Aussi bien que mes gens de pied ?
> Qu'on mène ma fille à la tour,
> Elle n'y verra jamais le jour!

> Elle y resta sept ans passés
> Sans que personne pût la trouver :
> Au bout de la septième année
> Son père vint la visiter.

> — Bonjour, ma fille! comme vous en va ?
> — Ma foi, mon père... ça va bien mal;
> J'ai les pieds pourris dans la terre.
> Et les côtés mangés des vers.

> Ma fille, il faut changer d'amour...
> Ou vous resterez dans la tour.
> — J'aime mieux rester dans la tour,
> Mon père, que de changer d'amour!

Nous venons de voir le père féroce; —, voici maintenant le père indulgent.

Il est malheureux de ne pouvoir vous faire entendre les airs, — qui sont aussi poétiques que ces vers, mêlés d'assonances, dans le goût espagnol, sont musicalement rythmés :

> Dessous le rosier blanc
> La belle se promène...
> Blanche comme la neige,
> Belle comme le jour :
> Au jardin de son père
> Trois cavaliers l'ont pris.

On a gâté depuis cette légende en y refaisant des vers, et en prétendant qu'elle était du Bourbonnais. On l'a même dédiée, avec de jolies illustrations, à l'ex-reine des Français... Je ne puis vous la donner entière; voici encore les détails dont je me souviens :

Trois capitaines passent à cheval près du rosier blanc :

> Le plus jeune des trois
> La prit par sa main blanche :
> — Montez, montez la belle,
> Dessus mon cheval gris.

On voit encore, par ces quatre vers, qu'il est possible de ne pas rimer en poésie; — c'est ce que savent les Allemands, qui, dans certaines pièces, emploient seulement les longues et les brèves, à la manière antique.

Les trois cavaliers et la jeune fille, montée en croupe derrière le plus jeune, arrivent à Senlis. «Aussitôt arrivés, l'hôtesse la regarde» :

> Entrez, entrez, la belle;
> Entrez sans plus de bruit,
> Avec trois capitaines
> Vous passerez la nuit!

Quand la belle comprend qu'elle a fait une démarche un peu légère, — après avoir présidé au souper, elle *fait la morte*, et les trois cavaliers sont assez naïfs pour se prendre à cette feinte. — Ils se disent : « Quoi! notre mie est morte! » et se demandent où il faut la reporter :

> Au jardin de son père!

dit le plus jeune; et c'est sous le rosier blanc qu'ils vont déposer le corps.

Le narrateur continue :

> Et au bout de trois jours
> La belle ressuscite!

> — Ouvrez, ouvrez, mon père,
> Ouvrez, sans plus tarder;
> Trois jours j'ai fait la morte
> Pour mon honneur garder.

Le père est en train de souper avec toute la famille. On accueille avec joie la jeune fille dont l'absence avait beaucoup inquiété ses parents depuis trois jours, — et il est probable qu'elle se maria plus tard fort honorablement.

Revenons à Angélique de Longueval.

« Mais pour parler de la résolution que je fis de quitter ma patrie, elle fut en cette sorte : lorsque celui * qui était allé au Maine fut revenu à Verneuil, mon père lui

---

* Elle ne nomme jamais La Corbinière, dont nous n'avons appris le nom que par le récit du moine célestin, cousin d'Angélique *(Note de Gérard.)*

demanda avant le souper : « Avez-vous force d'argent ? »
A quoi il répondit : « J'ai tant. » Mon père, non content,
prit un couteau sur la table, parce que le couvert était mis,
et se jetant sur lui pour le blesser, ma mère et moi y accou-
rûmes; mais déjà celui qui devait être cause de tant de
peine s'était blessé lui-même au doigt en voulant ôter le
couteau à mon père... et encore qu'il ait reçu ce mauvais
traitement, l'amour qu'il avait pour moi l'empêchait de
s'en aller, comme était son devoir.

« Huit jours se passèrent que mon père ne lui disait
ni bien ni mal, pendant lequel temps il me sollicitait
par lettres de prendre résolution de nous en aller
ensemble, à quoi je n'étais encore résolue; mais les huit
jours étant passés, mon père lui dit dans le jardin : « Je
m'étonne de votre effronterie, que vous restiez encore
dans ma maison après ce qui s'est passé; allez-vous-en
vitement, et ne venez jamais à pas une de mes maisons,
car vous ne serez jamais le bienvenu. »

« Il s'en vint donc vitement faire seller un cheval qu'il
avait, et monta à sa chambre pour y prendre ses hardes;
il m'avait fait signe de monter à la chambre d'Haraucourt, où dans l'antichambre il y avait une porte fermée,
où l'on pouvait néanmoins parler. Je m'y en allai vitement
et il me dit ces paroles : « C'est cette fois qu'il faut prendre
résolution, ou bien vous ne me verrez jamais. »

« Je lui demandai trois jours pour y penser; il s'en alla
donc à Paris et revint au bout de trois jours à Verneuil,
pendant lequel temps je fis tout ce que je pus pour me
pouvoir résoudre à laisser cette affection, mais il me fut
impossible, encore que toutes les misères que j'ai souf-
fertes se présentèrent devant mes yeux avant de partir.
L'amour et le désespoir passèrent sur toutes ces considérations; me voilà donc résolue. »

Au bout de trois jours, La Corbinière vint au château
et entra par le petit jardin. Angélique de Longueval
l'attendait dans le petit jardin et entra par la chambre
basse, où il fut *ravi de joie* en apprenant la résolution de
la demoiselle.

Le départ fut fixé au premier dimanche de carême, et
elle lui dit, sur l'observation qu'il fit, « qu'il fallait avoir
de l'argent et un cheval », qu'elle ferait ce qu'elle pourrait.

Angélique chercha dans son esprit le moyen d'avoir
de la vaisselle d'argent, car pour de la monnaie il n'y

fallait pas songer, le père ayant tout son argent avec lui à Paris.

Le jour venu, elle dit à un palefrenier nommé Breteau :

« Je voudrais bien que tu me prêtasses un cheval pour envoyer à Soissons, cette nuit, quérir du taffetas pour me faire un corps-de-cotte, te promettant que le cheval sera ici avant que maman se lève ; et ne t'étonne pas si je te le demande pour la nuit, car c'est afin qu'elle ne te crie. »

Le palefrenier consentit *à la volonté* de sa demoiselle. Il s'agissait encore d'avoir la clef de la première porte du château. Elle dit au portier qu'elle voulait faire sortir quelqu'un de nuit pour aller chercher quelque chose à la ville et qu'il ne fallait pas que madame le sût..., qu'ainsi il ôtât du trousseau de clefs celle de la première porte, et qu'elle ne s'en apercevrait pas.

Le principal était d'avoir l'argenterie. La comtesse qui, ainsi que le dit sa fille, semblait en ce moment « inspirée de Dieu », dit au souper à celle qui *l'avait en garde :* « Huberde, à cette heure que M. d'Haraucourt n'est point ici, serrez presque toute la vaisselle d'argent dans ce coffre et m'apportez la clef. »

La demoiselle changea de couleur, — et il fallut remettre le jour du départ. Cependant, sa mère étant allée se promener dans la campagne le dimanche suivant, elle eut l'idée de faire venir un maréchal du village pour *lever* la serrure du coffre, — sous prétexte que la clef était perdue.

« Mais, dit-elle, ce ne fut pas tout, car mon frère le chevalier, qui était seul resté avec moi, et qui était petit, me dit, lorsqu'il vit que j'avais donné des commissions à tous, et que j'avais fermé moi-même la première porte du château : « Ma sœur, si vous voulez voler papa et maman, pour moi, je ne le veux pas faire ; je m'en vais trouver vitement maman. » — « Va, lui dis-je, petit impudent, car aussi bien le saura-t-elle de ma bouche ; et si elle ne me fait raison, je me le ferai bien moi-même. » — Mais c'était au plus loin de ma pensée que je disais ces paroles. Cet enfant s'en courait pour aller dire ce que je voulais tenir caché ; mais se retournant toujours pour voir si je ne le regardais pas, il s'imagina que je ne m'en souciais guère, ce qui le fit revenir. Je le faisais exprès, sachant qu'aux enfants tant plus on leur montre de crainte, et plus ils ont d'ardeur à dire ce qu'on leur prie de taire. »

La nuit étant venue, et l'heure du coucher approchant, Angélique donna le bonsoir à sa mère avec un grand sentiment de douleur en elle-même, — et, rentrant chez elle, dit à sa fille de chambre :

« Jeanne, couchez-vous; j'ai quelque chose qui me travaille l'esprit; je ne puis me déshabiller encore... »

Elle se jeta toute vêtue sur son lit en attendant minuit; — La Corbinière fut exact.

« Oh Dieu! quelle heure! — écrit Angélique; — je tressaillis toute lorsque j'entendis qu'il jetait une petite pierre à ma fenêtre... car il était entré dans le petit jardin. »

Quand La Corbinière fut dans la salle, Angélique lui dit :

« Notre affaire va bien mal, car madame a pris la clef de la vaisselle d'argent, ce qu'elle n'avait jamais fait; mais pourtant j'ai la clef de la dépense où est le coffre. »

Sur ces paroles il me dit :

« Il faut commencer à t'habiller, et puis nous regarderons comme nous ferons. »

« Je commençai donc à mettre les chausses, et les bottes et éperons lesquels il m'aidait à mettre. Sur cela le palefrenier vint à la porte de la salle avec le cheval; moi, tout éperdue, je me mis vitement ma cotte de ratine pour couvrir mes habits d'homme que j'avais jusques à la ceinture, et m'en vins prendre le cheval des mains de Breteau, et le menai hors de la première porte du château, à un ormeau sous lequel dansaient aux fêtes les filles du village, et m'en retournai à la salle, où je trouvai *mon cousin* qui m'attendait avec grande impatience (tel était le nom que je le devais appeler pour le voyage), lequel me dit : « Allons donc voir si nous pourrons avoir quelque chose, ou, sinon, nous ne laisserons de nous en aller avec rien. » — A ces paroles je m'en allai dans la cuisine, qui était près de la dépense, et, ayant découvert le feu pour voir clair, j'aperçus une grande pelle à feu, de fer, laquelle je pris, et puis lui dis : « Allons à la dépense », et étant proche du coffre, nous mîmes la main au couvercle, lequel *ne serrait tout près*. Alors je lui dis : « Mets un peu la pelle entre le couvercle et ce coffre. » Alors, haussant tous deux les bras, nous n'y fîmes rien; mais la seconde fois, les deux ressorts de serrure se rompirent, et soudain je mis la main dedans. »

Elle trouva une pile de plats d'argent qu'elle donna à La Corbinière, et, comme elle voulait en prendre d'autres, il lui dit : « N'en tirez plus dehors, car le sac de moquette est plein. »

Elle en voulait prendre davantage, comme bassins, chandeliers, aiguières, mais il dit : « Cela est embarrassant. »

Et il l'engagea à s'aller vêtir en homme avec un pourpoint et une casaque, — afin qu'ils ne fussent pas reconnus.

Ils allèrent droit à Compiègne, où le cheval d'Angélique de Longueval fut vendu quarante écus. Puis, ils prirent la poste, et arrivèrent le soir à Charenton.

La rivière était débordée, de sorte qu'il fallut attendre jusqu'au jour. — Là, Angélique, dans son costume d'homme, put faire illusion à l'hôtesse, qui dit, « comme le postillon lui tirait les bottes » :

— *Messieurs*, que vous plaît-il de souper ?

— Tout ce que vous aurez de bon, madame, fut la réponse.

Cependant Angélique se mit au lit, si lasse qu'il lui fut impossible de manger. Elle craignait surtout le comte de Longueval, son père, « qui alors se trouvait à Paris ».

Le jour venu, ils se mirent dans le bateau jusqu'à Essonnes, où la demoiselle se trouva tellement lasse qu'elle dit à La Corbinière :

— « Allez-vous toujours devant m'attendre à Lyon, avec la vaisselle. »

Ils restèrent trois jours à Essonnes, d'abord pour attendre le coche, puis pour guérir les écorchures que la demoiselle s'était faites aux cuisses en courant à francétrier.

Passé Moulins, un homme qui était dans le coche et qui se disait gentilhomme commença à dire ces paroles :

— N'y a-t-il pas une demoiselle vêtue en homme ?

A quoi La Corbinière répondit :

— Oui-da, Monsieur... Pourquoi avez-vous quelque chose à dire là-dessus ? Ne suis-je pas maître de faire habiller ma femme comme il me plaît ?

Le soir, ils arrivèrent à Lyon, au *Chapeau rouge*, où ils vendirent la vaisselle pour trois cents écus; sur quoi La Corbinière se fit faire, « encore qu'il n'en eût du tout besoin, un fort bel habit d'écarlate, avec les aiguillettes d'or et d'argent ».

Ils descendirent sur le Rhône, et s'étant arrêtés le soir à une hôtellerie, La Corbinière voulut essayer ses pistolets. Il le fit si maladroitement qu'il adressa une balle dans le pied droit d'Angélique de Longueval, — et il dit seulement à ceux qui le blâmaient de son imprudence : « C'est un malheur qui m'est arrivé... *je puis dire à moi-même*, puisque c'est ma femme. »

Angélique resta trois jours au lit, puis ils se remirent dans la barque du Rhône, et purent atteindre Avignon, où Angélique se fit traiter pour sa blessure, et ayant pris une nouvelle barque lorsqu'elle se sentit mieux, ils arrivèrent enfin à Toulon le jour de Pâques.

Une tempête les accueillit en sortant du port pour aller à Gênes ; ils s'arrêtèrent dans un havre, au château dit de *Saint-Soupir*, dont la dame, les voyant sauvés, fit chanter le *Salve regina*. Puis elle leur fit faire collation à la mode du pays, avec olives et câpres, — et commanda que l'on donnât à leur valet des artichauts.

« Voyez, dit Angélique, ce que c'est *de l'amour ;* — encore que nous étions à un lieu qui n'était habité par personne, il fallut y jeûner les trois jours que nous attendîmes le bon vent. Néanmoins les heures me semblaient des minutes, encore que j'étais bien affamée. Car à Villefranche, peur de la peste, ils ne voulurent nous laisser prendre des vivres. Ainsi tous bien affamés, nous fîmes voile ; mais auparavant, de crainte de faire naufrage, je me voulus confesser à un bon père cordelier qui était en notre compagnie, et lequel venait à Gênes aussi. »

« Car mon mari (elle l'appelle toujours ainsi de ce moment), voyant entrer dans notre chambre un gentilhomme génois, lequel écorchait un peu le français, lui demanda : « Monsieur, vous plaît-il quelque chose ? — Monsieur, dit ce Génois, je voudrais bien parler à Madame. » Mon mari, tout d'un temps, mettant l'épée à la main, lui dit : « La connaissez-vous ? Sortez d'ici, car autrement je vous tuerai. »

« Incontinent, M. Audiffret nous vint voir, lequel lui conseilla de nous en aller le plus promptement qu'il se pourrait, parce que ce Génois, très assurément, lui ferait faire du déplaisir. »

« Nous arrivâmes à Civita-Vecchia, puis à Rome, où nous descendîmes à la meilleure hôtellerie, attendant de trouver la commodité de se mettre en chambre garnie, laquelle on nous fit trouver en la rue des Bourguignons, chez un Piémontais, duquel la femme était Romaine. Et un jour étant à sa fenêtre, le neveu de Sa Sainteté, passant avec dix-neuf estafiers, en envoya un qui me dit ces paroles en italien : « Mademoiselle, Son Éminence m'a commandé de venir savoir si vous aurez agréable qu'il vous vienne voir. » Toute tremblante, je lui réponds : « Si mon mari était ici, j'accepterais cet honneur ; mais n'y étant pas, je supplie très humblement votre maître de m'excuser. »

« Il avait fait arrêter son carrosse à trois maisons de la nôtre, attendant la réponse, laquelle soudain qu'il l'eut entendue, il fit marcher son carrosse, et depuis je n'entendis plus parler de lui. »

La Corbinière lui raconta peu après qu'il avait rencontré un fauconnier de son père qui s'appelait La Roirie. Elle eut un grand désir de le voir ; et, en le voyant, « il resta sans parler » ; puis, s'étant rassuré, il lui dit que madame l'ambassadrice avait entendu parler d'elle et désirait la voir.

Angélique de Longueval fut bien reçue par l'ambassadrice. — Toutefois, elle craignit, d'après certains détails, que le fauconnier n'eût dit quelque chose et qu'on n'arrêtât La Corbinière et elle.

Ils furent fâchés d'être restés vingt-neuf jours à Rome, et d'avoir fait toutes les diligences pour s'épouser sans pouvoir y parvenir. « Ainsi, — dit Angélique, — je partis sans voir le pape... »

C'est à Ancône qu'ils s'embarquèrent pour aller à Venise. Une tempête les accueillit dans l'Adriatique ; puis ils arrivèrent et allèrent loger sur le grand canal.

« Cette ville, quoique admirable — dit Angélique de Longueval — ne pouvait me plaire à cause de la mer — et il m'était impossible d'y boire et d'y manger que pour m'empêcher de mourir. »

Cependant, l'argent se dépensait, et Angélique dit à La Corbinière : « Mais, que ferons-nous ? Il n'y a tantôt plus d'argent ! »

Il répondit : « Lorsque nous serons en terre ferme, Dieu y pourvoira... Habillez-vous, et nous irons à la messe de Saint-Marc. »

Arrivés à Saint-Marc, les époux s'assirent au banc des sénateurs; et là, quoique étrangers, personne n'eut l'idée de leur contester cette place; — car La Corbinière avait des chausses de petit velours noir, avec le pourpoint de toile d'argent blanc, le manteau pareil..., et la petite oie d'argent.

Angélique était bien ajustée, et elle fut ravie, — car son habit à la française faisait que les sénateurs avaient toujours l'œil sur elle.

L'ambassadeur de France, qui marchait dans la procession avec le doge, la salua.

A l'heure du dîner, Angélique ne voulut plus sortir de son hôtel, — aimant mieux reposer que d'aller en mer en gondole.

Quant à La Corbinière, il alla se promener sur la place Saint-Marc, et y rencontra M. de La Morte, qui lui fit des offres de service, et qui, sur ce qu'il lui parla de la difficulté que lui et Angélique avaient à s'épouser, lui dit qu'il serait bon de se rendre à sa garnison de Palma-Nova, où l'on pourrait en conférer, et où La Corbinière pourrait se mettre au service.

Là, M. de La Morte présenta les futurs époux à *Son Excellence le général*, qui ne voulut pas croire qu'un homme *si bien couvert* s'offrît de *prendre une pique* dans une compagnie. Celle qu'il avait choisie était commandée par M. Ripert de Montélimart.

Son Excellence le général consentit cependant à servir de témoin au mariage... après lequel on fit un petit festin où s'écoulèrent *les dernières vingt pistoles* dont les conjoints étaient encore chargés.

Au bout de huit jours, le Sénat donna ordre au général d'envoyer la compagnie à Vérone, ce qui mit Angélique de Longueval au désespoir, car elle se plaisait à Palma-Nova, où les vivres étaient à bon marché.

En repassant à Venise, ils achetèrent du ménage, « deux paires de draps pour deux pistoles, sans compter une couverte, un matelas, six plats de faïence et six assiettes ».

En arrivant à Vérone, ils trouvèrent plusieurs officiers français. — M. de Breunel, enseigne, les recommanda à M. de Beaupuis, qui les logea sans s'incommoder, — les maisons étant à un grand bon marché. Vis-à-vis de la maison, il y avait un couvent de religieuses qui prièrent Angélique de Longueval d'aller les voir, — « et lui firent tant de caresses qu'elle en était confuse ».

A cette époque, elle accoucha de son premier enfant, qui fut tenu au baptême par S. E. Alluisi Georges et par la comtesse Bevilacqua. Son Excellence, après qu'Angélique de Longueval fut relevée de couches, lui envoyait son carrosse assez souvent.

A un bal donné plus tard, elle étonna toutes les dames de Vérone en dansant avec le général Alluisi, — en costume français. — Elle ajoute :

« Tous les Français officiers de la République étaient ravis de voir que ce grand général, craint et redouté partout, me faisait tant d'honneur. »

Le général, tout en dansant, ne manquait pas de parler à Angélique de Longueval « à part de son mari ». Il lui disait : « Qu'attendez-vous en Italie ?... La misère avec lui pour le reste de vos jours. Si vous dites qu'il vous aime, vous ne pouvez croire que je ne fasse plus encore... moi qui vous achèterai les plus belles perles qui seront ici, et d'abord des cottes de brocart telles qu'il vous plaira. Pensez, Mademoiselle, à laisser votre amour pour une personne qui parle pour votre bien et pour vous remettre en bonne grâce de messieurs vos parents. »

Cependant ce général conseillait à La Corbinière de s'engager dans les guerres d'Allemagne, lui disant qu'il trouverait *beaucoup d'avantage* à Inspruck, qui n'était qu'à sept journées de Vérone, et que là il *attraperait* une compagnie...

8e LETTRE

Réflexions. — Souvenirs de la Ligue.
Les Sylvanectes et les Francs. — La Ligue.

J'ai vu, en me promenant, sur une affiche bleue une représentation de *Charles VII* annoncée, — par Beauvallet et mademoiselle Rimblot. Le spectacle était bien choisi. Dans ce pays-ci on aime le souvenir des princes du Moyen Age et de la Renaissance, — qui ont créé les cathédrales merveilleuses que nous y voyons, et de magnifiques châteaux, — moins épargnés cependant par le temps et les guerres civiles.

C'est qu'il y a eu ici des luttes graves à l'époque de la Ligue... Un vieux noyau de protestants qu'on ne pouvait dissoudre, — et, plus tard, un autre noyau de catholiques non moins fervents pour repousser le *parpayot* dit *Henri IV*.

L'animation allait jusqu'à l'extrême, — comme dans toutes les grandes luttes politiques. Dans ces contrées, — qui faisaient partie des anciens apanages de Marguerite de Valois et des Médicis, — qui y avaient fait du bien, — on avait contracté une haine *constitutionnelle* contre la race qui les avait remplacés. Que de fois j'ai entendu ma grand'mère, parlant d'après ce qui lui avait été transmis, — me dire de l'épouse de Henri II : « cette grande madame Catherine de Médicis... à qui on a tué ses pauvres enfants! »

Cependant, des mœurs se sont conservées dans cette province à part, qui indiquent et caractérisent les vieilles luttes du passé. La fête principale, dans certaines localités, est la *Saint-Barthélemy*. C'est pour ce jour que sont fondés surtout de grands prix pour le tir de l'arc. — L'arc, aujourd'hui, est une arme assez légère. Eh bien, elle symbolise et rappelle d'abord l'époque où ces rudes tribus des *Sylvanectes* formaient une branche redoutable des races celtiques.

Les pierres druidiques d'Ermenonville, les haches de pierre et les tombeaux, où les squelettes ont toujours le visage tourné vers l'Orient, ne témoignent pas moins des origines du peuple qui habite ces régions entrecoupées de forêts et couvertes de marécages, — devenus des lacs aujourd'hui.

Le *Valois* et l'ancien petit pays nommé *la France* semblent établir par leur division l'existence de races bien distinctes. La France, division spéciale de l'Ile-de-France, a, dit-on, été peuplée par les Francs primitifs, venus de Germanie, dont ce fut, comme disent les chroniques, le premier *arrêt*. Il est reconnu aujourd'hui que les Francs n'ont nullement subjugué la Gaule, et n'ont pu que se trouver mêlés aux luttes de certaines provinces entre elles. Les Romains les avaient fait venir pour peupler certains points, et surtout pour défricher les grandes forêts ou assainir les pays de Paris. Issus généralement de la race caucasienne, ces hommes vivaient sur un pied d'égalité, d'après les mœurs patriarcales. Plus tard, on créa des fiefs, quand il fallut défendre le pays contre les invasions du Nord. Toutefois, les cultivateurs conservaient libres les terres qui leur avaient été concédées et qu'on appelait terres de franc-alleu.

La lutte de deux races différentes est évidente surtout dans les guerres de la Ligue. On peut penser que les descendants des Gallo-Romains favorisaient le Béarnais, tandis que l'autre race, plus indépendante de sa nature, se tournait vers Mayenne, d'Épernon, le cardinal de Lorraine et les Parisiens. On retrouve encore dans certains coins, surtout à Montépilloy, des amas de cadavres, résultat des massacres ou des combats de cette époque dont le principal fut la bataille de Senlis.

Et même ce grand comte Longueval de Bucquoy, — qui a fait les guerres de Bohême, aurait-il gagné l'illustration qui causa bien des peines à son descendant, — l'abbé de Bucquoy, — s'il n'eût, à la tête des ligueurs, protégé longtemps Soissons, Arras et Calais contre les armées de Henri IV ? Repoussé jusque dans la Frise après avoir tenu trois ans dans les pays de Flandre, il obtint cependant un traité d'armistice de dix ans en faveur de ces provinces, que Louis XIV dévasta plus tard.

Étonnez-vous maintenant des persécutions qu'eut à subir l'abbé de Bucquoy, — sous le ministère de Pontchartrain.

Quant à Angélique de Longueval, c'est l'opposition même en cotte hardie. Cependant elle aime son père, — et ne l'avait abandonné qu'à regret. Mais du moment qu'elle avait choisi l'homme qui semblait lui convenir, — comme la fille du duc Loys choisissant Lautrec pour cavalier, — elle n'a pas reculé devant la fuite et le malheur, et même, ayant aidé à soustraire l'argenterie de son père, elle s'écriait : « Ce que c'est de l'amour ! »

Les gens du Moyen Age croyaient aux charmes. Il semble qu'un charme l'ait en effet attachée à ce fils de charcutier, — qui était beau s'il faut l'en croire, — mais qui ne semble pas l'avoir rendue très heureuse. Cependant en constatant quelques malheureuses dispositions de *celui* qu'elle ne nomme jamais, elle n'en dit pas de mal un instant. Elle se borne à constater les faits, — et l'aime toujours, en épouse platonicienne et soumise à son sort par le raisonnement.

Les discours du lieutenant-colonel, qui voulait éloigner La Corbinière de Venise, avaient *donné dans la vue* de ce dernier. Il vend tout à coup son enseigne pour se rendre à Inspruck et chercher fortune en laissant sa femme à Venise.

« Voilà donc, dit Angélique, l'enseigne vendue à cet

homme qui m'aimait, content (le lieutenant-colonel) en croyant que je ne m'en pouvais plus dédire; mais l'amour, qui est la reine* de toutes les passions, se moqua bien de la charge, car lorsque je vis que mon mari faisait son préparatif pour s'en aller, il me fut impossible de penser seulement de vivre sans lui. »

Au dernier moment, pendant que le lieutenant-colonel se réjouissait déjà du succès de cette ruse, qui lui livrait une femme isolée de son mari, — Angélique se décida à suivre La Corbinière à Inspruck. « Ainsi, dit-elle, l'amour nous ruina en Italie aussi bien qu'en France, quoique en *celle* d'Italie je n'y avais point de coulpe (faute). »

Les voilà partis de Vérone avec un nommé Boyer, auquel La Corbinière avait promis de faire sa dépense jusqu'en Allemagne, parce qu'il n'avait point d'argent. (Ici, La Corbinière se relève un peu.) A vingt-cinq milles de Vérone, à un lieu où, par le lac, on va à la rive de Trente, Angélique faiblit un instant, et pria son mari de revenir vers quelque ville du bon pays vénitien, comme Brescia. — Cette admiratrice de Pétrarque quittait avec peine ce doux pays d'Italie pour les montagnes brumeuses qui cernent l'Allemagne. « Je pensais bien, dit-elle, que les cinquante pistoles qui nous restaient ne nous dureraient guère; mais mon amour était plus grand que toutes ces considérations. »

Ils passèrent huit jours à Inspruck, où le duc de Feria passa, et dit à La Corbinière qu'il fallait aller plus loin pour trouver de l'emploi, — dans une ville nommée *Fisch*. Là, Angélique eut un grand flux de sang, et l'on appela une femme, qui lui fit comprendre « qu'elle s'était gâtée d'un enfant ». — C'est une locution bien chrétienne, — qu'il faut pardonner au langage du temps et du pays.

On a toujours considéré comme une souillure, — dans la manière de voir des homme d'Église, le fait, légitime pourtant, — puisque Angélique s'était mariée, — de produire au monde un nouveau pécheur. Ce n'est pourtant pas là l'esprit de l'Évangile. — Mais passons.

La pauvre Angélique, un peu rétablie, fut forcée de se remettre à cheval sur l'unique haquenée que possédait le ménage : « Toute débile que j'étais, dit-elle, ou, pour dire la vérité, demi-morte, je montai à cheval pour

---

* L'amour se disait au féminin à cette époque. (*Note de Gérard.*)

aller avec mon mari rejoindre l'armée, — où je fus si
étonnée de voir autant de femmes que d'hommes, entre
beaucoup de celles de colonels et capitaines. »

Son mari alla faire la révérence au grand colonel nommé
Gildase, lequel, comme Wallon, avait entendu parler du
comte Longueval de Bucquoy, qui avait défendu la Frise
contre Henri IV. Il fit *grande caresse* au mari d'Angélique,
et lui dit qu'en attendant une compagnie il lui donnerait
une lieutenance, — et qu'il allait mettre mademoiselle
de Longueval dans le carrosse de sa sœur, qui était mariée
au premier capitaine de son régiment.

Le malheur ne se lassait pas de frapper les nouveaux
époux. — La Corbinière prit la fièvre, et il fallut le soi-
gner. — Il y a de bonnes gens partout : Angélique ne se
plaint que d'avoir été promenée, « tantôt à un lieu, tantôt
à un autre », par le malheur de la guerre, — à la façon des
Égyptiennes, — ce qui ne pouvait lui plaire, encore qu'elle
eût plus de sujets de se contenter que pas une femme,
puisqu'elle était la seule qui mangeât à la table du colonel
avec seulement sa sœur. — « Et le colonel encore montrait trop de bonté à La Corbinière, — en ce qu'il lui
donnait les meilleurs morceaux de la table... à cause qu'il
le voyait malade. »

Une nuit, les troupes étant en marche, le meilleur logement qu'on pût offrir aux dames fut une écurie, où il ne
fallait coucher qu'habillés à cause de la crainte de
l'ennemi. « En me réveillant au milieu de la nuit, dit
Angélique, je ressentis un si grand frais que je ne pus
m'empêcher de dire tout haut : Mon Dieu! je meurs de
frais! » Le colonel allemand lui jeta alors sa casaque, se
découvrant lui-même, car il n'avait pas autre chose sur
son uniforme.

Ici arrive une observation bien profonde :

« Tous ces honneurs, dit-elle, pouvaient bien arrêter
une Allemande, mais non pas les Françaises, à qui la
guerre ne peut plaire... »

Rien n'est plus vrai que cette observation. Les femmes
allemandes sont encore celles de l'époque des Romains.
Trusnelda combattait avec Hermann. A la bataille des
Cimbres, où vainquit Marius, il y avait autant de femmes
que d'hommes.

Les femmes sont courageuses dans les événements de
famille, devant la souffrance, la mort. Dans nos troubles
civils, elles plantent des drapeaux sur les barricades; —

elles portent vaillamment leur tête à l'échafaud. Dans les provinces qui se rapprochent du Nord ou de l'Allemagne, on a pu trouver des Jeanne d'Arc et des Jeanne Hachette. Mais la masse des femmes françaises redoute la guerre, à cause de l'amour qu'elles ont pour leurs enfants.

Les femmes guerrières sont de la race franque. Chez cette population originairement venue d'Asie, il existe une tradition qui consiste à exposer des femmes dans les batailles, pour animer le courage des combattants par la récompense offerte. Chez les Arabes, on retrouve la même coutume. La vierge qui se dévoue s'appelle la *kadra* et s'avance au premier rang, entourée de ceux qui sont résolus à se faire tuer pour elle. — Mais chez les Francs on en exposait plusieurs.

Le courage et souvent même la cruauté de ces femmes étaient tels qu'ils ont été cause de l'adoption de la loi salique. Et cependant, les femmes, guerrières ou non, ne perdirent jamais leur empire en France, soit comme reines, soit comme favorites.

La maladie de La Corbinière fut cause qu'il se résolut à retourner en Italie. Seulement, il oublia de prendre un passeport. « Nous fûmes bien confus, dit Angélique, lorsque nous fûmes à une forteresse nommée Reistre, où l'on ne voulut plus nous laisser passer, et où l'on retint mon mari malgré sa maladie. » Comme elle avait conservé sa liberté, elle put aller à Inspruck se jeter aux pieds de l'archiduchesse Léopold pour obtenir la grâce de La Corbinière, — qu'on peut supposer avoir un peu déserté, quoique sa femme ne l'avoue pas.

Munie de la grâce signée par l'archiduchesse, Angélique retourna au lieu où était détenu son mari. Elle demanda aux gens de ce bourg de Reitz s'ils n'avaient rien entendu dire d'un gentilhomme français prisonnier. On lui enseigna le lieu où il était, où elle le trouva contre un poêle, demi-mort, — et le ramena à Vérone.

Là elle retrouva M. de la Tour (de Périgord) et lui reprocha d'avoir fait vendre à son mari son enseigne, ce qui était cause de son malheur. « Je ne sais, ajoute-t-elle, s'il avait encore de l'amour pour moi, ou si ce fut de la pitié, tant il y a qu'il m'envoya vingt pistoles et tout un ameublement de maison, où mon mari se gouverna si mal qu'en peu de temps il mangea entièrement tout. »

Il avait repris un peu de santé et vivait continuellement en débauche avec deux de ses camarades, M. de la Perle

et M. Escutte. Cependant l'affection de sa femme ne
s'affaiblit pas. Elle se résolut, « pour ne pas vivre tout à
fait dans l'incommodité, à prendre *des gens en pension* », —
ce qui lui réussit; — seulement La Corbinière dépensait
tout le *gagnage* hors du logis, « ce qui, dit-elle, m'affligeait
jusqu'à la mort »; il finit par vendre les meubles, — de
sorte que la maison ne pouvait plus aller.

« Cependant, dit la pauvre femme, je sentais toujours
mon affection aussi grande que lorsque nous partîmes de
France. Il est vrai qu'après avoir reçu la première lettre
de ma mère, cette affection se partagea en deux... Mais,
j'avoue que l'amour que j'avais pour cet homme surpas-
sait l'affection que je portais à mes parents. »

9ᵉ LETTRE

Nouveaux détails inédits. — Manuscrit du célestin Goussencourt.
Dernières aventures d'Angélique. — Mort de La Corbinière.
Lettres.

Le manuscrit que les Archives nationales conservent
écrit de la main d'Angélique s'arrête là.

Mais nous trouvons annexées au même dossier les
observations suivantes écrites par son cousin, le moine
célestin Goussencourt. Elles n'ont point la même grâce
que le récit d'Angélique de Longueval, mais elles ont
aussi la marque d'une honnête naïveté.

Voici un passage des observations du moine célestin
Goussencourt :

« La nécessité les contraignit d'être taverniers : — où
les soldats français allaient boire et manger avec un tel
respect, qu'ils ne voulaient point être servis d'elle. Elle
cousait des collets de toile où elle ne gagnait tous les jours
que huit sous, et avec cela descendait à toute heure à la
cave, et lui se donnait à boire avec ses hôtes, de telle façon
qu'il devint tout couperosé.

« Un jour, elle étant à la porte, un capitaine vint à passer
et lui fit une grande révérence, et elle à lui, — ce qui fut
aperçu de son mari jaloux. Il l'appelle et la prend par la
gorge. Elle parvient à jeter un cri. Les buveurs arrivent
et la trouvent à demi morte couchée par terre, — à
laquelle il avait donné des coups de pied aux côtes qui lui

avaient ôté la parole, et dit, pour s'excuser, qu'il lui avait défendu de parler à celui-là, et que, si elle lui eût parlé, il l'eût enfilée de son épée. »

Il devint étique par ses débauches. A cette époque elle écrivit à sa mère pour lui demander pardon. Sa mère lui répondit qu'elle lui pardonnait et lui conseillait de revenir et qu'elle ne l'oublierait pas dans son testament.

Ce testament était gardé à l'église de Neuville-en-Hez, et contient un legs de huit mille livres.

Pendant l'absence d'Angélique de Longueval il y eut une demoiselle en Picardie qui voulut usurper sa place, et se donna pour elle. — Elle eut même la hardiesse de se présenter à madame d'Haraucourt, mère d'Angélique, laquelle dit qu'elle n'était pas sa fille. Elle racontait tant de choses que plusieurs des parents finirent par la prendre pour ce qu'elle se donnait...

Le célestin, son cousin, lui écrivit de revenir. — Mais La Corbinière n'en voulait pas entendre parler, craignant d'être pris et exécuté s'il rentrait en France. Il n'y faisait pas bon pour lui non plus; — car la faute d'Angélique fut cause que M. d'Haraucourt chassa des faubourgs de Clermont-sur-Oise sa mère et ses frères, « qui vivaient de leur boutique, étant charcutiers ».

Madame d'Haraucourt, enfin, étant morte en décembre 1636, à la Neuville-en-Hez, où elle repose (M. d'Haraucourt était mort en 1632), leur fille fit tant près de son mari, qu'il consentit à revenir en France.

Arrivés à Ferrare, ils tombent malades tous deux, — où ils furent douze jours; — s'embarquent à Livourne, arrivent à Avignon, où ils sont toujours malades. La Corbinière y meurt, le 5 d'août 1642; il repose à Sainte-Madeleine; — il meurt avec des repentances très grandes de l'avoir si mal traitée, et lui dit : « Pour votre consolation et ôter votre tristesse, souvenez-vous comme je vous ai traitée. »

« Là, continue le moine célestin, elle a été en si grande nécessité qu'elle m'a dit par écrit et de bouche, qu'elle fût morte de faim n'eût été les célestins qui l'ont aidée.

« Elle arrive à Paris le dimanche 19 d'octobre, par le coche, et manda à madame Boulogne, sa grande amie, de la venir quérir. N'y estant pas, son hostellier y fut. Le lendemain après dîner, elle vint me trouver avec ladite Boulogne et sa belle-mère, la mère de La Corbinière,

servante de cuisine chez M. Ferrant, estat qu'elle a été
contrainte de faire depuis qu'elle a été bannie de Clermont,
à cause de son fils.

« La première chose qu'elle fit, elle vint se jeter à mes
pieds, les mains jointes, me demandant pardon, ce qui
fit pleurer les femmes. Je lui dis que je ne lui pardonne-
rais pas (ce qui la fit soupirer et respirer, ayant entendu le
reste), car elle ne m'avait pas offensé. Et la prenant par la
main, lui dis-je : Levez-vous ; et la fis asseoir auprès de
moi, où elle me répéta ce qu'elle m'avait souvent écrit :
qu'après Dieu et sa mère, elle tenait la vie de moi. »

Quatre ans après, elle était retirée à Nivilliers, et très
malheureuse, n'ayant chemise au dos, comme il paraît
par la lettre ci-contre.

LETTRE QU'ELLE ÉCRIT AU CÉLESTIN SON COUSIN,
QUATRE ANS APRÈS SON RETOUR, DE NIVILLIERS.

Le 7 janvier 1646.

Monsieur mon bon papa (elle appelait ainsi le célestin),

Je vous supplie, très humblement, de n'attribuer mon
silence à manque du ressentiment que j'aurai toute ma
vie de vos bontés, mais bien de honte de n'avoir encore
que des paroles pour vous le témoigner. Vous protestant
que la mauvaise fortune me persécute au point de n'avoir
de chemise au dos. Ces misères m'ont empêchée jusqu'ici de vous écrire et à madame Boulogne, car il me
semble que vous deviez recevoir autant de satisfaction de
moi comme vous en avez été travaillés tous deux. Accusez
donc mon malheur et non ma volonté, et me faites
l'honneur, mon cher papa, de me mander de vos nouvelles.

Votre très humble servante,

A. DE LONGUEVAL.

(A M. de Goussencourt, aux Célestins, à Paris.)

On ne sait rien de plus. — Voici une réflexion générale
du célestin Goussencourt sur l'histoire de cet amour,
dans lequel l'imagination simple du moine ne pouvant
admettre, du reste, l'amour de sa cousine pour un petit
charcutier, rapportait tout à la magie ; — voici sa méditation :

« La nuit du premier dimanche de carême 1632 fut
leur départ; — retour en 1642, en carême. — Leurs affec-
tions commencèrent trois ans avant leur fuite. — Pour
se faire aimer, il lui donna des confitures qu'il avait fait
faire à Clermont, et où il y avait des mouches cantharides,
qui ne firent qu'échauffer la fille, mais non aimer; puis,
il lui donna d'un coing cuit, et depuis elle fut grandement
affectionnée. »

Rien ne prouve que le frère Goussencourt ait donné
une chemise à sa cousine. — Angélique n'était pas en
odeur de sainteté dans sa famille, — et cela paraît en ce
fait qu'elle n'a pas même été nommée dans la généalogie
de sa famille, qui énonce les noms de Jacques-Annibal
de Longueval, gouverneur de Clermont-en-Beauvoisis, et
de Suzanne d'Arquenvilliers, dame de Saint-Rimault. Ils
ont laissé deux Annibal, dont le dernier, qui a le prénom
d'Alexandre, est le même enfant qui ne voulait pas que
sa sœur *volât papa et maman*, — puis encore deux autres
garçons. — On ne parle pas de la fille.

10ᵉ LETTRE

Mon ami Sylvain. — Le château de Longueval en Soissonnais.
Correspondance. — Post-scriptum.

Je ne voyage jamais dans ces contrées sans me faire
accompagner d'un ami, que j'appellerai, de son petit
nom, Sylvain.

C'est un nom très commun dans cette province, — le
féminin est le gracieux nom de Sylvie, — illustré par
un bouquet de bois de Chantilly, dans lequel allait rêver
si souvent le poète Théophile de Viau.

J'ai dit à Sylvain : — Allons-nous à Chantilly ?

Il m'a répondu : — Non... tu as dit toi-même hier qu'il
fallait aller à Ermenonville pour gagner de là Soissons,
visiter ensuite les ruines du château de Longueval en
Soissonnais, sur la limite de Champagne.

— Oui, répondis-je; hier soir je m'étais monté la tête
à propos de cette belle Angélique de Longueval, et je voulais voir le château d'où elle a été enlevée par La Corbinière, — en habits d'homme, sur un cheval.

— Es-tu sûr, du moins, que ce soit là le Longueval
véritable ? car il y a des Longueval et des Longueville
partout... de même que des Bucquoy...

— Je n'en suis pas convaincu quant à ces derniers ; mais
lis seulement ce passage du manuscrit d'Angélique :

« Le jour étant venu duquel il me devait quérir la nuit,
je dis à un palefrenier qui avait nom Breteau : Je voudrais
bien que tu me prêtasses un cheval pour envoyer à Soissons cette nuit quérir pour me faire un corps de cotte, te
promettant que le cheval sera ici avant que maman se
lève... »

— Il semblerait donc prouvé — me dit Sylvain —
que le château de Longueval était situé aux environs de
Soissons, donc ce ne serait pas le moment de revenir
vers Chantilly. Ce changement de direction a déjà risqué
de te faire arrêter une fois, — parce que des gens qui
changent d'idée tout à coup paraissent toujours des gens
suspects...

CORRESPONDANCE

Vous m'envoyez deux lettres concernant mes premiers
articles sur l'abbé de Bucquoy. La première, d'après une
biographie abrégée, établit que Bucquoy et Bucquoi ne
représentent pas le même nom. — A quoi je répondrai que
les noms anciens n'ont pas d'orthographe. L'identité des
familles ne s'établit que d'après les armoiries, et nous
avons déjà donné celle de cette famille (l'écusson bandé
de vair et de gueules de six pièces). Cela se retrouve dans
toutes les branches, soit de Picardie, soit de l'Ile-de-
France, soit de Champagne, d'où était l'abbé de Bucquoy.
Longueval touche à la Champagne, comme on le sait déjà.
— Il est inutile de prolonger cette discussion héraldique.

Je reçois de vous une seconde lettre qui vient de Belgique :

« Lecteur sympathique de M. Gérard de Nerval et
désirant lui être agréable, je lui communique le document ci-joint, qui lui sera peut-être de quelque utilité
pour la suite de ses humoristiques pérégrinations à la
recherche de l'abbé de Bucquoy, cet insaisissable mou-
cheron issu de l'amendement Riancey.

156. Olivier de Wree, de vermoerde oorlogh-stucken
van den woonderdadighen velt-heer Carel de Longueval,

grave van Busquoy, Baron de Vaux. Brugge, 1625 *. —
Ej. mengheldichten : fyghes noeper; Bacchus-Cortryck.
Ibid., 1625. — Ej. Venus-Ban. Ibid., 1625, in-12, oblong,
vél.
    Livre rare et curieux. L'exemplaire est taché d'eau.

    Je ne chercherai pas à traduire cet article de bibliogra-
phie flamande; — seulement, je remarque qu'il fait partie
du prospectus d'une bibliothèque qui doit être vendue
le 5 décembre et jours suivants, sous la direction de
M. Héberlé, — 5, rue des Paroissiens, à Bruxelles.
    J'aime mieux attendre la vente de Techener, — qui,
je l'espère, aura toujours lieu le 20.

    LES RUINES. — LES PROMENADES. — CHAALIS.
    ERMENONVILLE. — LA TOMBE DE ROUSSEAU.

    Dans une de mes lettres j'ai employé à faux le mot réac-
tion en parlant d'*abus de l'autorité*, qui amènent des réactions *en sens contraire*.
    La faute paraît simple au premier abord; — mais il
y a plusieurs sortes de réactions : les unes prennent des
biais, les autres sont des réactions qui consistent à s'arrêter. J'ai voulu dire qu'un excès amenait d'autres excès.
Ainsi il est impossible de ne point blâmer les incendies,
et les dévastations privées, — rares pourtant de nos jours.
Il se mêle toujours à la foule en rumeur un élément hostile
ou étranger qui conduit les choses au-delà des limites que
le bon sens général aurait imposées, et qu'il finit toujours
par tracer.
    Je n'en veux pour preuve qu'une anecdote qui m'a été
racontée par un bibliophile fort connu, — et dont un
autre bibliophile a été le héros.

    Le jour de la révolution de février, on brûla quelques
voitures, — dites de la liste civile; — ce fut, certes, un
grand tort, qu'on reproche durement aujourd'hui à cette
foule mélangée qui, derrière les combattants, entraînait
aussi des traîtres...
    Le bibliophile dont je parle se rendit ce soir-là au Palais-

    * La note imprimée est extraite d'un catalogue. Ainsi nous avions
déjà cinq manières d'orthographier le nom de Bucquoy : voici la
sixième : *Busquoy*. *(Note de Gérard.)*

National. Sa préoccupation ne s'adressait pas aux voitures; il était inquiet d'un ouvrage en quatre volumes in-folio intitulé : *Perceforest.*

C'était un de ces *roumans* du cycle d'Artus, — ou du cycle de Charlemagne, — où sont contenues les épopées de nos plus anciennes guerres chevaleresques.

Il entra dans la cour du palais, se frayant un passage au milieu du tumulte. — C'était un homme grêle, d'une figure sèche, mais ridée parfois d'un sourire bienveillant, correctement vêtu d'un habit noir, et à qui l'on ouvrit passage avec curiosité.

— Mes amis, dit-il, a-t-on brûlé le *Perceforest?*

— On ne brûle que les voitures.

— Très bien! continuez. Mais la bibliothèque ?

— On n'y a pas touché... Ensuite, qu'est-ce que vous demandez ?

— Je demande que l'on respecte l'édition en quatre volumes du *Perceforest,* — un héros d'autrefois...; édition unique, avec deux pages transposées et une énorme tache d'encre au troisième volume.

On lui répondit :

— Montez au premier.

Au premier, il trouva des gens qui lui dirent :

— Nous déplorons ce qui s'est fait dans le premier moment... On a, dans le tumulte, abîmé quelques tableaux...

— Oui, je sais, un Horace Vernet, un Gudin... Tout cela n'est rien : — le *Perceforest ?...*

On le prit pour un fou. Il se retira et parvint à découvrir la concierge du palais, qui s'était retirée chez elle.

— Madame, si l'on n'a pas pénétré dans la bibliothèque, assurez-vous d'une chose : c'est de l'existence du *Perceforest,* — édition du seizième siècle, reliure en parchemin, de Gaume. Le reste de la bibliothèque, ce n'est rien... mal choisi! — des gens qui ne lisent pas! — Mais le *Perceforest* vaut quarante mille francs sur les tables.

La concierge ouvrit de grands yeux.

— Moi, j'en donnerais, aujourd'hui, vingt mille... malgré la dépréciation des fonds que doit amener nécessairement une révolution.

— Vingt mille francs!

— Je les ai chez moi. Seulement ce ne serait que pour rendre le livre à la nation. C'est un monument.

La concierge, étonnée, éblouie, consentit avec courage

à se rendre à la bibliothèque et à y pénétrer par un petit escalier. L'enthousiasme du savant l'avait gagnée.

Elle revint, après avoir vu le livre sur le rayon où le bibliophile savait qu'il était placé.

— Monsieur, le livre est en place. Mais il n'y a que trois volumes... Vous vous êtes trompé.

— Trois volumes!... Quelle perte!... Je m'en vais trouver le gouvernement provisoire, — il y en a toujours un... Le *Perceforest* incomplet! Les révolutions sont épouvantables!

Le bibliophile courut à l'Hôtel-de-Ville. — On avait autre chose à faire que de s'occuper de bibliographie. Pourtant il parvint à prendre à part M. Arago, — qui comprit l'importance de sa réclamation, et des ordres furent donnés immédiatement.

Le *Perceforest* n'était incomplet que parce qu'on en avait prêté précédemment un volume.

Nous sommes heureux de penser que cet ouvrage a pu rester en France.

Celui de l'*Histoire de l'abbé de Bucquoy*, qui doit être vendu le 20, n'aura peut-être pas le même sort!

Et maintenant, tenez compte, je vous prie, des fautes qui peuvent être commises, — dans une tournée rapide, souvent interrompue par la pluie ou par le brouillard...

Je quitte Senlis à regret; — mais mon ami le veut pour me faire obéir à une pensée que j'avais manifestée imprudemment...

Je me plaisais tant dans cette ville, où la Renaissance, le Moyen Age et l'époque romaine se retrouvent çà et là, — au détour d'une rue, dans une écurie, dans une cave. — Je vous parlais « de ces tours des Romains recouvertes de lierre! » — L'éternelle verdure dont elles sont vêtues fait honte à la nature inconstante de nos pays froids. — En Orient, les bois sont toujours verts; — chaque arbre a sa saison de mue; mais cette saison varie selon la nature de l'arbre. C'est ainsi que j'ai vu au Caire les sycomores perdre leurs feuilles en été. En revanche, ils étaient verts au mois de janvier.

Les allées qui entourent Senlis et qui remplacent les antiques fortifications romaines, — restaurées plus tard, par suite du long séjour des rois carlovingiens, — n'offrent plus aux regards que des feuilles rouillées d'ormes et de tilleuls. Cependant la vue est encore belle, aux alentours, par un beau coucher de soleil. — Les forêts de Chantilly, de Compiègne et d'Ermenonville ; — les bois de Châalis et de Pont-Armé se dessinent avec leurs masses rougeâtres sur le vert clair des prairies qui les séparent. Des châteaux lointains élèvent encore leurs tours, — solidement bâties en pierres *de Senlis*, et qui, généralement, ne servent plus que de pigeonniers.

Les clochers aigus, hérissés de saillies régulières, qu'on appelle dans le pays des *ossements* (je ne sais pourquoi), retentissent encore de ce bruit de cloches qui portait une douce mélancolie dans l'âme de Rousseau...

Accomplissons le pèlerinage que nous nous sommes promis de faire, non pas près de ses cendres, qui reposent au Panthéon, — mais près de son tombeau, situé à Ermenonville, dans l'île dite des Peupliers.

La cathédrale de Senlis ; l'église Saint-Pierre, qui sert aujourd'hui de caserne aux cuirassiers ; le château d'Henri IV, adossé aux vieilles fortifications de la ville ; les cloîtres byzantins de Charles le Gros et de ses successeurs, n'ont rien qui doive nous arrêter... C'est encore le moment de parcourir les bois, malgré la brume obstinée du matin.

Nous sommes partis de Senlis, à pied, à travers les bois, aspirant avec bonheur la brume d'automne.

Nous avions parcouru une route qui aboutit aux bois et au château de Mont-l'Evêque. — Des étangs brillaient çà et là à travers les feuilles rouges relevées par la verdure sombre des pins. Sylvain me chanta ce vieil air du pays :

> Courage ! mon ami, courage !
> Nous voici près du village !
> A la première maison,
> Nous nous rafraîchirons !

On buvait dans le village un petit vin qui n'était pas désagréable pour des voyageurs. L'hôtesse nous dit, voyant nos barbes : — Vous êtes des artistes... vous venez donc pour voir Châalis ?

Châalis, — à ce nom je me ressouvins d'une époque bien éloignée... celle où l'on me conduisait à l'abbaye, une fois par an, pour entendre la messe, et pour voir la foire qui avait lieu près de là.

— Châalis, dis-je... Est-ce que cela existe encore ?

La Chapelle-en-Serval, ce 20 novembre.

De même qu'il est bon dans une symphonie même pastorale de faire revenir de temps en temps le motif principal, gracieux, tendre ou terrible, pour enfin le faire tonner au finale avec la tempête graduée de tous les instruments, — je crois utile de vous parler encore de l'abbé de Bucquoy, sans m'interrompre dans la course que je fais en ce moment vers le château de ses pères, avec cette intention de mise en scène exacte et descriptive sans laquelle ses aventures n'auraient qu'un faible intérêt.

Le finale se recule encore, et vous allez voir que c'est encore malgré moi...

Et, d'abord, réparons une injustice à l'égard de ce bon M. Ravenel de la Bibliothèque nationale, qui, loin de s'occuper légèrement de la recherche du livre, a remué tous les *fonds* des huit cent mille volumes que nous y possédons. Je l'ai appris depuis; mais, ne pouvant trouver la chose absente, il m'a donné officieusement avis de la vente de Techener, ce qui est le procédé d'un véritable savant.

Sachant bien que toute vente de grande bibliothèque se continue pendant plusieurs jours, j'avais demandé avis du jour désigné pour la vente du livre, voulant, si c'était justement le 20, me trouver à la vacation du soir.

Mais ce ne sera que le 30!

Le livre est bien classé sous la rubrique : *Histoire* et sous le n° 3584. *Événement des plus rares*, etc., l'intitulé que vous savez.

La note suivante y est annexée.

« Rare. — Tel est le titre de ce livre bizarre, en tête duquel se trouve une gravure représentant *l'Enfer des vivants*, ou la Bastille. Le reste du volume est composé des choses les plus singulières.

« Catalogue de la bibliothèque de M. M..., etc. »

Je puis encore vous donner un avant-goût de l'intérêt de cette histoire, dont quelques personnes semblaient douter, en reproduisant des notes que j'ai prises dans la Biographie Michaud.

Après la biographie de Charles Bonaventure, comte de Bucquoy, généralissime et membre de l'ordre de la Toison-d'Or, célèbre par ses guerres en France, en Bohême, et en Hongrie, et dont le petit-fils, Charles, fut créé prince de l'Empire, — on trouve l'article sur *l'abbé de Bucquoy*, — indiqué comme *étant de la même famille* que le précédent. Sa vie politique commença par cinq années de services militaires. Échappé comme par miracle à un grand danger, il fit vœu de quitter le monde et se retira à la Trappe. L'abbé de Rancé, sur lequel Chateaubriand a écrit son dernier livre, le renvoya comme peu croyant. Il reprit son habit galonné, qu'il troqua bientôt contre les haillons d'un mendiant.

A l'exemple des fakirs et des derviches, il parcourait le monde, pensant donner des exemples d'humilité et d'austérité. Il se faisait appeler *le Mort*, et tint même à Rouen, sous ce nom, une école gratuite.

Je m'arrête de peur de déflorer le sujet. Je ne veux que faire remarquer encore, pour prouver que cette histoire a du sérieux, qu'il proposa plus tard aux États unis de Hollande, en guerre avec Louis XIV, « un projet pour *faire de la France une république*, et y détruire, disait-il, le *pouvoir* arbitraire. » Il mourut à Hanovre, à quatre-vingt-dix ans, laissant son mobilier et ses livres à l'Église catholique, dont il n'était jamais sorti. — Quant à ses seize années de voyages dans l'Inde, je n'ai encore là-dessus de données que par le livre en hollandais de la Bibliothèque nationale.

Nous sommes allés à Châalis pour voir en détail le domaine, avant qu'il soit restauré. Il y a d'abord une vaste enceinte entourée d'ormes; puis, on voit à gauche un bâtiment dans le style du seizième siècle, restauré sans doute plus tard selon l'architecture lourde du petit château de Chantilly.

Quand on a vu les offices et les cuisines, l'escalier suspendu du temps d'Henri IV vous conduit aux vastes appartements des premières galeries, — grands appartements donnant sur les bois. Quelques peintures enchâssées, le grand Condé à cheval et des vues de la forêt, voilà tout ce que j'ai remarqué. Dans une salle basse, on voit un portrait d'Henri IV à trente-cinq ans.

C'est l'époque de Gabrielle, — et probablement ce château a été témoin de leurs amours. — Ce prince qui, au fond, m'est peu sympathique, demeura longtemps à Senlis, surtout dans la première époque du siège, et l'on y voit, au-dessus de la porte de la mairie et des trois mots : *Liberté, égalité, fraternité,* son portrait en bronze avec une devise gravée, dans laquelle il est dit que son premier bonheur fut à Senlis, — en 1590. — Ce n'est pourtant pas là que Voltaire a placé la scène principale, imitée de l'Arioste, de ses amours avec Gabrielle d'Estrées.

Ne trouvez-vous pas étrange que *les d'Estrées* se trouvent être encore des parents de l'abbé de Bucquoy ? C'est cependant ce que révèle encore la généalogie de sa famille... Je n'invente rien.

C'était le fils du garde qui nous faisait voir le château, — abandonné depuis longtemps. — C'est un homme qui, sans être lettré, comprend le respect que l'on doit aux antiquités. Il nous fit voir dans une des salles *un moine* qu'il avait découvert dans les ruines. A voir ce squelette couché dans une auge de pierre, j'imaginai que ce n'était pas un moine, mais un guerrier celte ou franc couché selon l'usage, — avec le visage tourné vers l'Orient, dans cette localité, où les noms d'Erman ou d'Armen * sont communs dans le voisinage, sans parler même d'Ermenonville, située près de là, — et que l'on appelle dans le pays Arme-Nonville ou Nonval, qui est le terme ancien.

Le pâté des ruines principales forme les restes de l'ancienne abbaye, bâtie probablement vers l'époque de Charles VII, dans le style du gothique fleuri, sur des voûtes carlovingiennes aux piliers lourds, qui recouvrent les tombeaux. Le cloître n'a laissé qu'une longue galerie d'ogives qui relie l'abbaye à un premier monument, où l'on distingue encore des colonnes byzantines taillées à l'époque de Charles le Gros, et engagées dans de lourdes murailles du seizième siècle.

— On veut, nous dit le fils du garde, abattre le mur du cloître pour que, du château, l'on puisse avoir une vue sur les étangs. C'est un conseil qui a été donné à Madame.

— Il faut conseiller, dis-je, à votre dame de faire ouvrir seulement les arcs des ogives qu'on a remplis de maçonnerie, et alors la galerie se découpera sur les étangs, ce qui sera beaucoup plus gracieux.

Il a promis de s'en souvenir.

La suite des ruines amenait encore une tour et une chapelle. Nous montâmes à la tour. De là on distinguait toute la vallée, coupée d'étangs et de rivières, avec les longs espaces dénudés qu'on appelle le Désert d'Erme-

* Hermann, Arminius, ou peut-être Hermès. (*Note de Gérard.*)

nonville, et qui n'offrent que des grès de teinte grise, entremêlés de pins maigres et de bruyères.

Des carrières rougeâtres se dessinaient encore çà et là à travers les bois effeuillés, et ravivaient la teinte verdâtre des plaines et des forêts, — où les bouleaux blancs, les troncs tapissés de lierre et les dernières feuilles d'automne se détachaient encore sur les masses rougeâtres des bois encadrés des teintes bleues de l'horizon.

Nous redescendîmes pour voir la chapelle; c'est une merveille d'architecture. L'élancement des piliers et des nervures, l'ornement sobre et fin des détails révélaient l'époque intermédiaire entre le gothique fleuri et la Renaissance. Mais, une fois entrés, nous admirâmes les peintures, qui m'ont semblé être de cette dernière époque.

— Vous allez voir des saintes un peu décolletées, nous dit le fils du garde. En effet, on distinguait une sorte de Gloire peinte en fresque du côté de la porte, parfaitement conservée, malgré ses couleurs pâlies, sauf la partie inférieure couverte de peintures à la détrempe, mais qu'il ne sera pas difficile de restaurer.

Les bons moines de Châalis auraient voulu supprimer quelques nudités trop voyantes du *style Médicis*. — En effet, tous ces anges et toutes ces saintes faisaient l'effet d'amours et de nymphes aux gorges et aux cuisses nues. L'abside de la chapelle offre dans les intervalles de ses nervures d'autres figures mieux conservées encore et du style allégorique usité postérieurement à Louis XII. — En nous retournant pour sortir, nous remarquâmes au-dessus de la porte des armoiries qui devaient indiquer l'époque des dernières ornementations.

Il nous fut difficile de distinguer les détails de l'écusson écartelé, qui avait été repeint postérieurement en bleu et en blanc. Au 1 et au 4, c'étaient d'abord des oiseaux que le fils du garde appelait des cygnes, — disposés par 2 et 1; mais ce n'étaient pas des cygnes.

Sont-ce des aigles déployées, des merlettes ou des alérions ou des ailettes attachées à des foudres?

Au 2 et au 3, ce sont des fers de lance, ou des fleurs de lis, ce qui est la même chose. Un chapeau de cardinal recouvrait l'écusson et laissait tomber des deux côtés ses résilles triangulaires ornées de glands; mais n'en pouvant compter les rangées, parce que la pierre était fruste, nous ignorions si ce n'était pas un chapeau d'abbé.

Je n'ai pas de livres ici. Mais il me semble que ce sont

là les armes de Lorraine, écartelées de celles de France.
Seraient-ce les armes du cardinal de Lorraine, qui fut
proclamé roi dans ce pays, sous le nom de Charles X,
ou celles de l'autre cardinal qui aussi était soutenu par
la Ligue ?... Je m'y perds, n'étant encore, je le reconnais,
qu'un bien faible historien.

IIe LETTRE

Le château d'Ermenonville. — Les Illuminés.
Le roi de Prusse. — Gabrielle et Rousseau. — Les tombes.
Les abbés de Châalis.

En quittant Châalis, il y a encore à traverser quelques
bouquets de bois, puis nous entrons dans le Désert. Il y
a assez de désert pour que, du centre, on ne voie point
d'autre horizon, — pas assez pour qu'en une demi-heure
de marche on n'arrive au paysage le plus calme, le plus
charmant du monde... Une nature suisse découpée au
milieu du bois, par suite de l'idée qu'a eue René de Girardin d'y transplanter l'image du pays dont sa famille
était originaire.

Quelques années avant la Révolution, le château d'Ermenonville était le rendez-vous des Illuminés qui préparaient silencieusement l'avenir. Dans les *soupers* célèbres
d'Ermenonville, on a vu successivement le comte de
Saint-Germain, Mesmer et Cagliostro, développant, dans
des causeries inspirées, des idées et des paradoxes dont
l'école dite de Genève hérita plus tard. — Je crois bien
que M. de Robespierre, le fils du fondateur de la loge
écossaise d'Arras, — tout jeune encore, — peut-être
encore plus tard Sénancour, Saint-Martin, Dupont de
Nemours et Cazotte, vinrent exposer, soit dans ce
château, soit dans celui de Le Pelletier de Mortfon-
taine, les idées bizarres qui se proposaient les réformes
d'une société vieillie, laquelle dans ses modes mêmes,
avec cette poudre qui donnait aux plus jeunes fronts un
faux air de la vieillesse, indiquait la nécessité d'une complète transformation.

Saint-Germain appartient à une époque antérieure,
mais il est venu là. C'est lui qui avait fait voir à Louis XV
dans un miroir d'acier son petit-fils sans tête, comme

Nostradamus avait fait voir à Marie de Médicis les rois de sa race, dont le quatrième était également décapité.

Ceci est de l'enfantillage. Ce qui révèle les mystiques, c'est le détail rapporté par Beaumarchais, que les Prussiens — arrivés jusqu'à Verdun — se replièrent tout à coup d'une manière inattendue d'après l'effet d'une apparition dont leur roi fut surpris, et qui lui fit dire : « N'allons pas outre! » comme en certains cas disaient les chevaliers.

Les Illuminés français et allemands s'entendaient par des rapports d'affiliation. Les doctrines de Weisshaupt et de Jacob Bœhme avaient pénétré, chez nous, dans les anciens pays francs et bourguignons, par l'antique sympathie et les relations séculaires des races de même origine. Le premier ministre du neveu de Frédéric II était lui-même un Illuminé. Beaumarchais suppose qu'à Verdun, sous couleur d'une séance de magnétisme, on fit apparaître devant Frédéric-Guillaume son oncle, qui lui aurait dit : « Retourne! » comme le fit un fantôme à Charles VI.

Ces données bizarres confondent l'imagination ; seulement, Beaumarchais, qui était un sceptique, a prétendu que, pour cette scène de fantasmagorie, on fit venir de Paris l'acteur Fleury, qui avait joué précédemment aux Français le rôle de Frédéric II, et qui aurait ainsi fait illusion au roi de Prusse, lequel, depuis, se retira, comme on sait, de la confédération des rois ligués contre la France.

Les souvenirs des lieux où je suis m'oppressent moi-même, de sorte que je vous envoie tout cela au hasard, mais d'après des données sûres. Un détail plus important à recueillir, c'est que le général prussien qui, dans nos désastres de la Restauration, prit possession du pays, ayant appris que la tombe de Jean-Jacques Rousseau se trouvait à Ermenonville, exempta toute la contrée, depuis Compiègne, des charges de l'occupation militaire. C'était, je crois, le prince d'Anhalt : souvenons-nous au besoin de ce trait.

Rousseau n'a séjourné que peu de temps à Ermenonville. S'il y a accepté un asile, c'est que depuis longtemps, dans les promenades qu'il faisait en partant de l'*Ermitage* de Montmorency, il avait reconnu que cette contrée présentait à un herborisateur des familles de plantes remarquables, dues à la variété des terrains.

Nous sommes allés descendre à l'auberge de la Croix-

Blanche, où il demeura lui-même quelque temps, à son arrivée. Ensuite, il logea encore de l'autre côté du château, dans une maison occupée aujourd'hui par un épicier. M. René de Girardin lui offrit un pavillon inoccupé, faisant face à un autre pavillon qu'occupait le concierge du château. Ce fut là qu'il mourut.

En nous levant, nous allâmes parcourir les bois encore enveloppés des brouillards d'automne, que peu à peu nous vîmes se dissoudre en laissant reparaître le miroir azuré des lacs. J'ai vu de pareils effets de perspective sur des tabatières du temps... Je revis l'île des Peupliers, au-delà des bassins qui surmontent une grotte factice, sur laquelle l'eau tombe, quand elle tombe... Sa description pourrait se lire dans les idylles de Gessner.

Les rochers qu'on rencontre en parcourant les bois sont couverts d'inscriptions poétiques. Ici :

> Sa masse indestructible a fatigué le temps.

ailleurs :

> Ce lieu sert de théâtre aux courses valeureuses
> Qui signalent du cerf les fureurs amoureuses.

ou encore, avec un bas-relief représentant des druides qui coupent le *gui* :

> Tels furent nos aïeux dans leurs bois solitaires !

Ces vers ronflants me semblent être de Roucher...Delille les aurait faits moins solides.

M. René de Girardin faisait aussi des vers. — C'était en outre un homme de bien. Je pense qu'on lui doit les vers suivants, sculptés sur une fontaine d'un endroit voisin, que surmontent un Neptune et une Amphitrite, légèrement *décolletée* comme les anges et les saints de Châalis :

> Des bords fleuris où j'aimais à répandre
> Le plus pur cristal de mes eaux,
> Passant, je viens ici me rendre
> Aux désirs, aux besoins de l'homme et des troupeaux.
> En puisant les trésors de mon urne féconde,
> Songe que tu les dois à des soins bienfaisants ;
> Puissé-je n'abreuver du tribut de mes ondes
> Que des mortels paisibles et contents !

Je ne m'arrête pas à la forme des vers; — c'est la pensée d'un honnête homme que j'admire. L'influence de son séjour est profondément sentie dans le pays. — Là, ce sont des salles de danse, — où l'on remarque encore *le banc des vieillards;* là, des tirs à l'arc, avec la tribune d'où l'on distribuait des prix... Au bord des eaux, des temples ronds, à colonnes de marbre, consacrés soit à Vénus génitrice, soit à Hermès consolateur. — Toute cette mythologie avait alors un sens philosophique et profond.

La tombe de Rousseau est restée telle qu'elle était, avec sa forme antique et simple, et les peupliers, effeuillés, accompagnent encore d'une manière pittoresque le monument, qui se reflète dans les eaux dormantes de l'étang. Seulement la barque qui y conduisait les visiteurs est aujourd'hui submergée... Les cygnes, je ne sais pourquoi, au lieu de nager gracieusement autour de l'île, préfèrent se baigner dans un ruisseau d'eau bourbeuse, qui coule, dans un rebord, entre des saules aux branches rougeâtres, et qui aboutit à un lavoir, situé le long de la route.

Nous sommes revenus au château. — C'est encore un bâtiment de l'époque d'Henri IV, refait vers Louis XV, et construit probablement sur des ruines antérieures, — car on a conservé une tour crénelée qui jure avec le reste, et les fondements massifs sont entourés d'eau, avec des poternes et des restes de ponts-levis.

Le concierge ne nous a pas permis de visiter les appartements, parce que les maîtres y résidaient. — Les artistes ont plus de bonheur dans les châteaux princiers, dont les hôtes sentent qu'après tout ils doivent quelque chose à la nation.

On nous laissa seulement parcourir les bords du grand lac, dont la vue, à gauche, est dominée par la tour dite de Gabrielle, reste d'un ancien château. Un paysan qui nous accompagnait nous dit : « Voici la tour où était enfermée la belle Gabrielle... tous les soirs Rousseau venait pincer de la guitare sous sa fenêtre, et le roi, qui était jaloux, le guettait souvent, et a fini par le faire mourir. »

Voilà pourtant comment se forment les légendes. Dans quelques centaines d'années, on croira cela. — Henri IV, Gabrielle et Rousseau sont les grands souvenirs du pays. On a confondu déjà — à deux cents ans d'intervalle —

les deux souvenirs, et Rousseau devient peu à peu le contemporain d'Henri IV. Comme la population l'aime, elle suppose que le roi a été jaloux de lui, et trahi par sa maîtresse, — en faveur de l'homme sympathique aux races souffrantes. Le sentiment qui a dicté cette pensée est peut-être plus vrai qu'on ne croit. Rousseau, qui a refusé cent louis de madame de Pompadour, a ruiné profondément l'édifice royal fondé par Henri. Tout a croulé. — Son image immortelle demeure debout sur les ruines.

Quant à ses chansons, dont nous avons vu les dernières à Compiègne, elles célébraient d'autres que Gabrielle. Mais le type de la beauté n'est-il pas éternel comme le génie ?

En sortant du parc, nous nous sommes dirigés vers l'église, située sur la hauteur. Elle est fort ancienne, mais moins remarquable que la plupart de celles du pays. Le cimetière était ouvert; nous y avons vu principalement le tombeau de De Vic, — ancien compagnon d'armes d'Henri IV, — qui lui avait fait présent du domaine d'Ermenonville. C'est un tombeau de famille, dont la légende s'arrête à un abbé. — Il reste ensuite des filles qui s'unissent à des bourgeois. — Tel a été le sort de la plupart des anciennes maisons. Deux tombes plates d'abbés, très vieilles, dont il est difficile de déchiffrer les légendes, se voient encore près de la terrasse. Puis, près d'une allée, une pierre simple sur laquelle on trouve inscrit : Ci-gît *Almazor*. Est-ce un fou ? — est-ce un laquais ? — est-ce un chien ? La pierre ne dit rien de plus.

Du haut de la terrasse du cimetière, la vue s'étend sur la plus belle partie de la contrée; les eaux miroitent à travers les grands arbres roux, les pins et les chênes verts. Les grès du désert prennent à gauche un aspect druidique. La tombe de Rousseau se dessine à droite, et plus loin, sur le bord, le temple de marbre d'une déesse absente, — qui doit être la Vérité.

Ce dut être un beau jour que celui où une députation, envoyée par l'Assemblée nationale, vint chercher les cendres du philosophe pour les transporter au Panthéon. — Lorsqu'on parcourt le village, on est étonné de la fraîcheur et de la grâce des petites filles; — avec leurs grands chapeaux de paille, elles ont l'air de Suissesses... Les idées sur l'éducation de l'auteur d'*Émile* semblent

avoir été suivies; les exercices de force et d'adresse, la
danse, les travaux de précision encouragés par des fondations diverses, ont donné sans doute à cette jeunesse la
santé, la vigueur et l'intelligence des choses utiles.

J'aime beaucoup cette chaussée, — dont j'avais
conservé un souvenir d'enfance, — et qui, passant devant
le château, rejoint les deux parties du village, ayant
quatre tours basses à ses deux extrémités.

Sylvain me dit : — Nous avons vu la tombe de Rousseau : il faudrait maintenant gagner Dammartin, où nous
trouverons des voitures pour nous mener à Soissons,
et de là, à Longueval. Nous allons nous informer du
chemin aux laveuses qui travaillent devant le château.

— Allez tout droit par la route à gauche, nous dirent-
elles, ou, également, par la droite... Vous arriverez, soit
à *Ver*, soit à *Ève*, — vous passerez par *Othis*, et en deux
heures de marche vous gagnerez Dammartin.

Ces jeunes filles fallacieuses nous firent faire une route
bien étrange; — il faut ajouter qu'il pleuvait.

La route était fort dégradée, avec des ornières pleines
d'eau, qu'il fallait éviter en marchant sur les gazons.
D'énormes chardons, qui nous venaient à la poitrine, —
chardons à demi gelés, mais encore vivaces, — nous
arrêtaient quelquefois.

Ayant fait une lieue, nous comprîmes que ne voyant
ni *Ver*, ni *Ève*, ni *Othis*, ni seulement la plaine, nous
pouvions nous être fourvoyés.

Une éclaircie se manifesta tout à coup à notre droite,
— quelqu'une de ces coupes sombres qui éclaircissent
singulièrement les forêts...

Nous aperçûmes une hutte fortement construite en
branches rechampies de terre, avec un toit de chaume
tout à fait primitif. Un bûcheron fumait sa pipe devant
la porte.

— Pour aller à Ver ?...

— Vous en êtes bien loin... En suivant la route, vous
arriverez à Montaby.

— Nous demandons Ver, — ou Ève...

— Eh bien! vous allez retourner... vous ferez une
demi-lieue (on peut traduire cela si l'on veut en mètres,
à cause de la loi), puis, arrivés à la place où l'on tire l'arc,
vous prendrez à droite. Vous sortirez du bois, vous
trouverez la plaine, et ensuite *tout le monde* vous indiquera
Ver.

Nous avons retrouvé la place du tir, avec sa tribune et son hémicycle destiné aux sept vieillards. Puis nous nous sommes engagés dans un sentier qui doit être fort beau quand les arbres sont verts. Nous chantions encore, pour aider la marche et peupler la solitude, quelques chansons du pays.

La route se prolongeait *comme le diable ;* je ne sais trop jusqu'à quel point le diable se prolonge, — ceci est la réflexion d'un Parisien. — Sylvain, avant de quitter le bois, chanta cette ronde de l'époque de Louis XIV :

> C'était un cavalier
> Qui revenait de Flandre...

Le reste est difficile à raconter. — Le refrain s'adresse au tambour, et lui dit :

> Battez la générale
> Jusqu'au point du jour !

Quand Sylvain — homme taciturne — se met à chanter, on n'en est pas quitte facilement. — Il m'a chanté je ne sais quelle chanson des *Moines rouges* qui habitaient primitivement Châalis. — Quels moines ! C'étaient des Templiers ! — Le roi et le pape se sont entendus pour les brûler.

Ne parlons plus de ces moines rouges.

Au sortir de la forêt, nous nous sommes trouvés dans les terres labourées. Nous emportions beaucoup de notre patrie à la semelle de nos souliers ; — mais nous finissions par le rendre plus loin dans les prairies... Enfin, nous sommes arrivés à Ver. — C'est un gros bourg.

L'hôtesse était aimable et sa fille fort avenante, — ayant de beaux cheveux châtains, une figure régulière et douce, et ce *parler* si charmant des pays de brouillards, qui donne aux plus jeunes filles des intonations de *contralto,* par moments !

— Vous voilà, mes enfants, dit l'hôtesse... Eh bien ! on va mettre un fagot dans le feu !

— Nous vous demandons à souper, sans indiscrétion.

— Voulez-vous, dit l'hôtesse, qu'on vous fasse d'abord une soupe à l'oignon ?

— Cela ne peut pas faire de mal, et ensuite ?

— Ensuite, il y a aussi *de la chasse.*

Nous vîmes là que nous étions bien tombés.

Sylvain a un talent, c'est un garçon pensif, — qui, n'ayant pas eu beaucoup d'éducation, se préoccupe pourtant de *parfaire* ce qu'il n'a reçu qu'*imparfait* du peu de leçons qui lui ont été données.

Il a des idées sur tout. — Il est capable de composer une montre... ou une boussole. — Ce qui le gêne dans la montre, c'est la *chaîne*, qui ne peut se prolonger assez... Ce qui le gêne dans la boussole, c'est que cela fait seulement reconnaître que l'aimant polaire du globe attire forcément les aiguilles; — mais que sur le reste, — sur la cause et sur les moyens de s'en servir, les documents sont imparfaits!

L'auberge, un peu isolée, mais solidement bâtie, où nous avons pu trouver asile, offre à l'intérieur une cour à galeries d'un système entièrement valaque... Sylvain a embrassé la fille, qui est assez bien découplée, et nous prenons plaisir à nous chauffer les pieds en caressant deux chiens de chasse, attentifs au tourne-broche, — qui est l'espoir d'un souper prochain...

12ᵉ LETTRE

M. Toulouse. — Les deux bibliophiles.
Saint-Médard de Soissons. — Le château des Longueval de Bucquoy.
Réflexions.

Je n'ai pas à me reprocher d'avoir suspendu pendant dix jours le cours du récit historique que vous m'aviez demandé. L'ouvrage qui devait en être la base, c'est-à-dire l'histoire *officielle* de l'abbé de Bucquoy, devait être vendu le 20 novembre, et ne l'a été que le 30, soit qu'il ait été retiré d'abord (comme on me l'a dit), soit que l'ordre même de la vente, énoncé dans le catalogue, n'ait pas permis de le présenter plus tôt aux enchères.

L'ouvrage pouvait, comme tant d'autres, prendre le chemin de l'étranger, et les renseignements qu'on m'avait adressés des pays du Nord indiquaient seulement des traductions hollandaises du livre, sans donner aucune indication sur l'édition originale, imprimée à Francfort, avec l'allemand en regard.

J'avais vainement, vous le savez, cherché le livre à

Paris. Les bibliothèques publiques ne le possédaient pas. Les libraires spéciaux ne l'avaient point vu depuis long-temps. Un seul, M. Toulouse, m'avait été indiqué comme pouvant le posséder.

M. Toulouse a la spécialité des livres de controverse religieuse. Il m'a interrogé sur la nature de l'ouvrage; puis il m'a dit : « Monsieur, je ne l'ai point... Mais, si je l'avais, peut-être ne vous le vendrais-je pas ? »

J'ai compris que vendant d'ordinaire des livres à des ecclésiastiques, il ne se souciait pas d'avoir affaire à un *fils de Voltaire.*

Je lui ai répondu que je m'en passerais bien, ayant déjà des notions générales sur le personnage dont il s'agissait.

« Voilà pourtant comme on écrit l'histoire! » m'a-t-il répondu *.

Vous me direz que j'aurais pu me faire communiquer l'histoire de l'abbé de Bucquoy par quelques-uns de ces bibliophiles qui subsistent encore, tels M. de Mont-merqué et autres. A quoi je répondrai qu'un bibliophile sérieux ne communique pas ses livres. Lui-même ne les lit pas, de crainte de les fatiguer.

Un bibliophile connu avait un ami; — cet ami était devenu amoureux d'un Anacréon *in-seize*, édition lyon-naise du XVIᵉ siècle, augmentée des poésies de Bion, de Moschus et de Sapho. Le possesseur du livre n'eût pas défendu sa femme aussi fortement que son in-16. Presque toujours son ami, venant déjeuner chez lui, traversait indifféremment la bibliothèque; mais il jetait à la déro-bée un regard sur l'*Anacréon.*

Un jour, il dit à son ami : Qu'est-ce que tu fais de cet in-16 mal relié... et coupé ? Je te donnerais volontiers le *Voyage de Polyphile* en italien, *édition princeps* des Aldes, avec les gravures de Belin, pour cet in-16... Franchement, c'est pour compléter ma collection des poètes grecs.

Le possesseur se borna à sourire.

— Que te faut-il encore ?

— Rien, je n'aime pas à échanger mes livres.

— Si je t'offrais encore mon *Roman de la Rose,* grandes marges, avec des annotations de Marguerite de Valois ?

— Non... ne parlons plus de cela.

— Comme argent, je suis pauvre, tu le sais, mais j'offrirais bien mille francs.

---

* M. Toulouse, rue du Foin-Saint-Jacques, en face la caserne des gendarmes. *(Note de Gérard.)*

— N'en parlons plus...

— Allons! quinze cents livres.

— Je n'aime pas les questions d'argent entre amis.

La résistance ne faisait qu'accroître les désirs de l'ami du bibliophile. Après plusieurs offres, encore repoussées, il lui dit, arrivé au dernier paroxysme de la passion :

— Eh bien! j'aurai le livre à *ta vente*.

— A ma vente ?... mais, je suis plus jeune que toi...

— Oui, mais tu as une mauvaise toux.

— Et toi... ta sciatique ?

— On vit quatre-vingts ans avec cela!...

Je m'arrête, monsieur. Cette discussion serait une scène de Molière ou une de ces analyses tristes de la folie humaine, qui n'ont été traitées gaiement que par Érasme... En résultat, le bibliophile mourut quelques mois après, et son ami eut le livre pour six cents francs.

— Et il m'a refusé de me le laisser pour quinze cents francs! disait-il plus tard toutes les fois qu'il le faisait voir. Cependant, quand il n'était plus question de ce volume, qui avait projeté un seul nuage sur une amitié de cinquante ans, son œil se mouillait au souvenir de l'homme excellent qu'il avait aimé.

Cette anecdote est bonne à rappeler dans une époque où le goût des collections de livres, d'autographes et d'objets d'art n'est plus généralement compris en France. Elle pourra, néanmoins, vous expliquer les difficultés que j'ai éprouvées à me procurer l'*Abbé de Bucquoy*.

Samedi dernier, à sept heures, je revenais de Soissons, — où j'avais cru pouvoir trouver des renseignements sur les Bucquoy, — afin d'assister à la vente, faite par Techener, de la bibliothèque de M. Motteley, qui dure encore, et sur laquelle on a publié, avant-hier, un article dans l'*Indépendance de Bruxelles*.

Une vente de livres ou de curiosités a, pour les amateurs, l'attrait d'un tapis vert. Le râteau du commissaire, qui pousse les livres et ramène l'argent, rend cette comparaison fort exacte.

Les enchères étaient vives. Un volume isolé parvint jusqu'à six cents francs. A dix heures moins un quart, l'*Histoire de l'abbé de Bucquoy* fut mise sur table à vingt-cinq francs... A cinquante-cinq francs, les habitués et M. Techener lui-même abandonnèrent le livre : une seule personne poussait contre moi.

A soixante-cinq francs, l'amateur a manqué d'haleine.

Le marteau du commissaire-priseur m'a adjugé le livre pour soixante-six francs.

On m'a demandé ensuite trois francs vingt centimes pour les frais de la vente.

J'ai appris depuis que c'était un délégué de la Bibliothèque Nationale qui m'avait fait concurrence jusqu'au dernier moment.

Je possède donc le livre et je me trouve en mesure de continuer mon travail.

Votre, etc.

De Ver à Dammartin, il n'y a guère qu'une heure et demie de marche. — J'ai eu le plaisir d'admirer, par une belle matinée, l'horizon de dix lieues qui s'étend autour du vieux château, si redoutable autrefois, et dominant toute la contrée. Les hautes tours sont démolies, mais l'emplacement se dessine encore sur ce point élevé, où l'on a planté des allées de tilleuls servant de promenade, au point même où se trouvaient les entrées et les cours. Des charmilles d'épine-vinette et de belladone empêchent toute chute dans l'abîme que forment encore les fossés. — Un tir a été établi pour les archers dans un des fossés qui se rapprochent de la ville.

Sylvain est retourné dans son pays : — j'ai continué ma route vers Soissons à travers la forêt de Villers-Cotterêts, entièrement dépouillée de feuilles, mais reverdie çà et là par des plantations de pins qui occupent aujourd'hui les vastes espaces des *coupes sombres* pratiquées naguère. — Le soir, j'arrivai à Soissons, la vieille *Augusta Suessonium*, où se décida le sort de la nation française au VIe siècle.

On sait que c'est après la bataille de Soissons, gagnée par Clovis, que ce chef des Francs subit l'humiliation de ne pouvoir garder un vase d'or, produit du pillage de Reims. Peut-être songeait-il déjà à faire sa paix avec l'Église, en lui rendant un objet saint et précieux. Ce fut alors qu'un de ses guerriers voulut que ce vase entrât dans le partage, car l'égalité était le principe fondamental de ces tribus franques, originaires d'Asie. — Le vase d'or fut brisé, et plus tard la tête du Franc égalitaire eut le même sort, sous la *francisque* de son chef. Telle fut l'origine de nos monarchies.

Soissons, ville forte de seconde classe, renferme de curieuses antiquités. La cathédrale a sa haute tour, d'où l'on découvre sept lieues de pays; — un beau tableau de

Rubens, derrière son maître-autel. L'ancienne cathédrale est beaucoup plus curieuse, avec ses clochers festonnés et découpés en guipure. Il n'en reste que la façade
et les tours, malheureusement. Il y a encore une autre
église qu'on restaure avec cette belle pierre et ce béton
romain, qui font l'orgueil de la contrée. Je me suis entretenu là avec les tailleurs de pierre, qui déjeunaient autour
d'un feu de bruyère et qui m'ont paru très forts sur
l'histoire de l'art. Ils regrettaient, comme moi, qu'on ne
restaurât point l'ancienne cathédrale, Saint-Jean-des-
Vignes, plutôt que l'église lourde où on les occupait.
— Mais cette dernière est, dit-on, plus *logeable*. Dans
nos époques de foi restreinte, on n'attire plus les fidèles
qu'avec l'élégance et le confort.

Les compagnons m'ont indiqué comme chose à voir
Saint-Médard, situé à une portée de fusil de la ville, au-
delà du pont et de la gare de l'Aisne. Les constructions les
plus modernes forment l'établissement des sourds-muets.
Une surprise m'attendait là. C'était d'abord la tour en
partie démolie où Abailard fut prisonnier quelque temps.
On montre encore sur les murs des inscriptions latines de
sa main; — puis de vastes caveaux déblayés depuis peu,
où l'on a retrouvé la tombe de Louis le Débonnaire, —
formée d'une vaste cuve de pierre qui m'a rappelé les
tombeaux égyptiens.

Près de ces caveaux, composés de cellules souterraines
avec des niches çà et là comme dans les tombeaux
romains, on voit la prison même où cet empereur fut
retenu par ses enfants, l'enfoncement où il dormait sur
une natte et autres détails parfaitement conservés, parce
que la terre calcaire et les débris de pierres fossiles qui
remplissaient ces souterrains les ont préservés de toute
humidité. On n'a eu qu'à déblayer, et ce travail dure
encore, amenant chaque jour de nouvelles découvertes. —
C'est un *Pompéi* carlovingien.

En sortant de Saint-Médard, je me suis un peu égaré
sur les bords de l'Aisne, qui coule entre les oseraies rougeâtres et les peupliers dépouillés de feuilles. Il faisait
beau, les gazons étaient verts, et, au bout de deux kilomètres, je me suis trouvé dans un village nommé Cuffy,
d'où l'on découvrait parfaitement les tours dentelées de
la ville et ses toits flamands bordés d'escaliers de pierre.

On se rafraîchit dans ce village avec un petit vin blanc
mousseux qui ressemble beaucoup à la tisane de Champagne.

En effet, le terrain est presque le même qu'à Épernay. C'est un filon de la Champagne voisine qui, sur ce coteau exposé au midi, produit des vins rouges et blancs qui ont encore assez de feu. Toutes les maisons sont bâties en pierres meulières trouées comme des éponges par les vrilles et les limaçons marins. L'église est vieille, mais rustique. Une verrerie est établie sur la hauteur.

Il n'était plus possible de ne pas retrouver Soissons. J'y suis retourné pour continuer mes recherches, en visitant la bibliothèque et les archives. — A la bibliothèque, je n'ai rien trouvé que l'on ne pût avoir à Paris. Les archives sont à la sous-préfecture et doivent être curieuses, à cause de l'antiquité de la ville. Le secrétaire m'a dit : — Monsieur, nos archives sont là-haut, — dans les greniers ; mais elles ne sont pas classées.

— Pourquoi ?

— Parce qu'il n'y a pas de fonds attribués à ce travail par la ville. La plupart des pièces sont en gothique et en latin... Il faudrait qu'on nous envoyât quelqu'un de Paris.

Il est évident que je ne pouvais espérer de trouver facilement là des renseignements sur les Bucquoy. Quant à la situation actuelle des archives de Soissons, je me borne à la dénoncer aux paléographes ; — si la France est assez riche pour payer l'examen des souvenirs de son histoire, je serai heureux d'avoir donné cette indication.

Je vous parlerais bien encore de la grande foire qui avait lieu en ce moment-là dans la ville, — du théâtre, où l'on jouait *Lucrèce Borgia*, des mœurs locales, assez bien conservées dans ce pays situé hors du mouvement des chemins de fer, — et même de la contrariété qu'éprouvent les habitants par suite de cette situation. Ils ont espéré quelque temps être rattachés à la ligne du Nord, ce qui eût produit de fortes économies... Un personnage puissant aurait obtenu de faire passer la ligne de Strasbourg par ces bois, auxquels elle offre des débouchés, — mais ce sont là de ces exigences locales et de ces suppositions intéressées qui peuvent ne pas être de toute justice.

Le but de ma tournée est atteint maintenant. La diligence de Soissons à Reims m'a conduit à Braine. Une heure après, j'ai pu gagner Longueval, le berceau des Bucquoy. Voilà donc le séjour de la belle Angélique et le *château-chef* de son père, qui paraît en avoir eu autant que son aïeul, le grand-comte de Bucquoy, a pu en conquérir dans les guerres de Bohême. — Les tours sont rasées, comme à Dammartin. Cependant les souterrains existent encore. L'emplacement, qui domine le village, situé dans une gorge allongée, a été couvert de constructions depuis sept ou huit ans, époque où les ruines ont été vendues. Empreint suffisamment de ces souvenirs de localité qui peuvent donner de l'attrait à une composition romanesque, — et qui ne sont pas inutiles au point de vue positif de l'histoire, j'ai gagné Château-Thierry, où l'on aime à saluer la statue rêveuse du bon La Fontaine, placée au bord de la Marne et en vue du chemin de fer de Strasbourg.

RÉFLEXIONS

« Et puis... » (C'est ainsi que Diderot commençait un conte, me dira-t-on.)

— Allez toujours!

— Vous avez imité Diderot lui-même.

— Qui avait imité Sterne...

— Lequel avait imité Swift.

— Qui avait imité Rabelais.

— Lequel avait imité Merlin Coccaïe...

— Qui avait imité Pétrone...

— Lequel avait imité Lucien. Et Lucien en avait imité bien d'autres... Quand ce ne serait que l'auteur de l'*Odyssée*, qui fait promener son héros pendant dix ans autour de la Méditerranée, pour l'amener enfin à cette fabuleuse Ithaque, dont la reine, entourée d'une cinquantaine de prétendants, défaisait chaque nuit ce qu'elle avait tissé le jour.

— Mais Ulysse a fini par retrouver Ithaque.

— Et j'ai retrouvé l'abbé de Bucquoy.

— Parlez-en.

— Je ne fais pas autre chose depuis un mois. Les lecteurs doivent être déjà fatigués — du comte de Bucquoy le ligueur, plus tard généralissime des armées d'Autriche; — de M. de Longueval de Bucquoy et de sa fille Angélique, — enlevée par La Corbinière; — du château de cette famille, dont je viens de fouler les ruines...

Et enfin de l'abbé comte de Bucquoy lui-même, dont j'ai rapporté une courte biographie, — et que M. d'Argenson, dans sa correspondance, appelle : *le prétendu* abbé de Bucquoy.

Le livre que je viens d'acheter à la vente Motteley

vaudrait beaucoup plus de soixante-neuf francs vingt centimes, s'il n'était cruellement rogné. La reliure, toute neuve, porte en lettres d'or ce titre attrayant : *Histoire du Sieur Abbé comte de Bucquoy*, etc. La valeur de l'in-12 vient peut-être de trois maigres brochures en vers et en prose, composées par l'auteur, et qui, étant d'un plus grand format, ont les marges coupées jusqu'au texte, qui, cependant, reste lisible.

Le livre a tous les titres cités déjà qui se trouvent énoncés dans Brunet, dans Quérard et dans la Biographie de Michaud. En regard du titre est une gravure représentant la Bastille avec ce titre au-dessus : *L'Enfer des vivants*, et cette citation : *Facilis descensus Averni*.

On peut lire l'histoire de l'abbé de Bucquoy dans mon livre intitulé : *Les Illuminés* (Paris, Victor Lecou). On peut consulter aussi l'ouvrage in-12 dont j'ai fait présent à la Bibliothèque impériale.

Je me suis peut-être trompé dans l'examen de l'écusson du fondateur de la chapelle de Châalis.

On m'a communiqué des notes sur les abbés de Châalis. « Robert de la Tourette, notamment, qui fut abbé là, de 1501 à 1522, fit de grandes restaurations... » On voit sa tombe devant le maître-autel.

« Ici arrivent les Médicis : Hippolyte d'Est, cardinal de Ferrare, 1554; — Aloys d'Est, 1586.

« Ensuite : Louis, cardinal de Guise, 1601; Charles-Louis de Lorraine, 1630. »

Il faut remarquer que les d'Est n'ont qu'un alérion au 2 et au 3, et que j'en ai vu trois au 1 et au 4 dans l'écusson écartelé.

« Charles II, cardinal de Bourbon (depuis, Charles X, — l'ancien), lieutenant général de l'Ile-de-France depuis 1551, eut un fils appelé Poullain. »

Je veux bien croire que ce cardinal-roi eut un fils naturel; mais je ne comprends pas les trois alérions posés 2 et 1. Ceux de Lorraine sont sur une bande. Pardon de ces détails, mais la connaissance du blason est la clef de l'histoire de France... Les pauvres auteurs n'y peuvent rien !

SYLVIE

SOUVENIRS DU VALOIS

I. — Nuit perdue

Je sortais d'un théâtre où tous les soirs je paraissais aux avant-scènes en grande tenue de soupirant. Quelquefois tout était plein, quelquefois tout était vide. Peu m'importait d'arrêter mes regards sur un parterre peuplé seulement d'une trentaine d'amateurs forcés, sur des loges garnies de bonnets ou de toilettes surannées, — ou bien de faire partie d'une salle animée et frémissante couronnée à tous ses étages de toilettes fleuries, de bijoux étincelants et de visages radieux. Indifférent au spectacle de la salle, celui du théâtre ne m'arrêtait guère — excepté lorsqu'à la seconde ou à la troisième scène d'un maussade chef-d'œuvre d'alors, une apparition bien connue illuminait l'espace vide, rendant la vie d'un souffle et d'un mot à ces vaines figures qui m'entouraient.

Je me sentais vivre en elle, et elle vivait pour moi seul. Son sourire me remplissait d'une béatitude infinie; la vibration de sa voix si douce et cependant fortement timbrée me faisait tressaillir de joie et d'amour. Elle avait pour moi toutes les perfections, elle répondait à tous mes enthousiasmes, à tous mes caprices, — belle comme le jour aux feux de la rampe qui l'éclairait d'en bas, pâle comme la nuit, quand la rampe baissée la laissait éclairée d'en haut sous les rayons du lustre et la montrait plus naturelle, brillant dans l'ombre de sa seule beauté, comme les Heures divines qui se découpent, avec une étoile au front, sur les fonds bruns des fresques d'Herculanum!

Depuis un an, je n'avais pas encore songé à m'informer de ce qu'elle pouvait être d'ailleurs ; je craignais de troubler le miroir magique qui me renvoyait son image, — et tout au plus avais-je prêté l'oreille à quelques propos concernant non plus l'actrice, mais la femme. Je m'en informais aussi peu que des bruits qui ont pu courir sur la princesse d'Élide ou sur la reine de Trébizonde, — un de mes oncles, qui avait vécu dans les avant-dernières années du XVIIIe siècle, comme il fallait y vivre pour le bien connaître, m'ayant prévenu de bonne heure que les actrices n'étaient pas des femmes, et que la nature avait oublié de leur faire un cœur. Il parlait de celles de ce temps-là sans doute ; mais il m'avait raconté tant d'histoires de ses illusions, de ses déceptions, et montré tant de portraits sur ivoire, médaillons charmants qu'il utilisait depuis à parer des tabatières, tant de billets jaunis, tant de faveurs fanées, en m'en faisant l'histoire et le compte définitif, que je m'étais habitué à penser mal de toutes sans tenir compte de l'ordre des temps.

Nous vivions alors dans une époque étrange, comme celles qui d'ordinaire succèdent aux révolutions ou aux abaissements des grands règnes. Ce n'était plus la galanterie héroïque comme sous la Fronde, le vice élégant et paré comme sous la Régence, le scepticisme et les folles orgies du Directoire ; c'était un mélange d'activité, d'hésitation et de paresse, d'utopies brillantes, d'aspirations philosophiques ou religieuses, d'enthousiasmes vagues, mêlés de certains instincts de renaissance ; d'ennuis des discordes passées, d'espoirs incertains, — quelque chose comme l'époque de Pérégrinus et d'Apulée. L'homme matériel aspirait au bouquet de roses qui devait le régénérer par les mains de la belle Isis ; la déesse éternellement jeune et pure nous apparaissait dans les nuits, et nous faisait honte de nos heures de jour perdues. L'ambition n'était cependant pas de notre âge, et l'avide curée qui se faisait alors des positions et des honneurs nous éloignait des sphères d'activité possibles. Il ne nous restait pour asile que cette tour d'ivoire des poètes, où nous montions toujours plus haut pour nous isoler de la foule. A ces points élevés où nous guidaient nos maîtres, nous respirions enfin l'air pur des solitudes, nous buvions l'oubli dans la coupe d'or des légendes, nous étions ivres de poésie et d'amour. Amour, hélas ! des formes vagues, des teintes roses et bleues, des fantômes métaphysiques ! Vue de près, la femme réelle révoltait notre ingénuité ; il fallait qu'elle apparût reine ou déesse, et surtout n'en pas approcher.

Quelques-uns d'entre nous néanmoins prisaient peu ces paradoxes platoniques, et à travers nos rêves renouvelés d'Alexandrie agitaient parfois la torche des dieux souterrains, qui éclaire l'ombre un instant de ses traînées d'étincelles. — C'est ainsi que, sortant du théâtre avec l'amère tristesse que laisse un songe évanoui, j'allais volontiers me joindre à la société d'un cercle où l'on soupait en grand nombre, et où toute mélancolie cédait devant la verve intarissable de quelques esprits éclatants, vifs, orageux, sublimes parfois, — tels qu'il s'en est trouvé toujours dans les époques de rénovation ou de décadence, et dont les discussions se haussaient à ce point que les plus timides d'entre nous allaient voir parfois aux fenêtres si les Huns, les Turcomans ou les Cosaques n'arrivaient pas enfin pour couper court à ces arguments de rhéteurs et de sophistes.

« Buvons, aimons, c'est la sagesse! » Telle était la seule opinion des plus jeunes. Un de ceux-là me dit : « Voici bien longtemps que je te rencontre dans le même théâtre, et chaque fois que j'y vais. Pour *laquelle* y viens-tu ? »

Pour laquelle ?... Il ne me semblait pas que l'on pût aller là pour une *autre*. Cependant j'avouai un nom. — « Eh bien! dit mon ami avec indulgence, tu vois là-bas l'homme heureux qui vient de la reconduire, et qui, fidèle aux lois de notre cercle, n'ira la retrouver peut-être qu'après la nuit. »

Sans trop d'émotion, je tournai les yeux vers le personnage indiqué. C'était un jeune homme correctement vêtu, d'une figure pâle et nerveuse, ayant des manières convenables et des yeux empreints de mélancolie et de douceur. Il jetait de l'or sur une table de whist et le perdait avec indifférence. — Que m'importe, dis-je, lui ou tout autre ? Il fallait qu'il y en eût un, et celui-là me paraît digne d'avoir été choisi. — Et toi ? — Moi ? C'est une image que je poursuis, rien de plus.

En sortant, je passai par la salle de lecture, et machinalement je regardai un journal. C'était, je crois, pour y voir le cours de la Bourse. Dans les débris de mon opulence se trouvait une somme assez forte en titres étrangers. Le bruit avait couru que, négligés longtemps, ils allaient être reconnus; — ce qui venait d'avoir lieu à la suite d'un changement de ministère. Les fonds se trouvaient déjà cotés très haut; je redevenais riche.

Une seule pensée résulta de ce changement de situation, celle que la femme aimée si longtemps était à moi si je voulais. — Je touchais du doigt mon idéal. N'était-ce pas une illusion encore, une faute d'impression railleuse ? Mais les autres feuilles parlaient de même. — La somme gagnée se dressa devant moi comme la statue d'or de Moloch. « Que dirait maintenant, pensais-je, le jeune homme de tout à l'heure si j'allais prendre sa place près de la femme qu'il a laissée seule ?... » Je frémis de cette pensée, et mon orgueil se révolta.

Non ! ce n'est pas ainsi, ce n'est pas à mon âge que l'on tue l'amour avec de l'or : je ne serais pas un corrupteur. D'ailleurs ceci est une idée d'un autre temps. Qui me dit aussi que cette femme soit vénale ? — Mon regard parcourait vaguement le journal que je tenais encore, et j'y lus ces deux lignes : « *Fête du Bouquet provincial.* — Demain, les archers de Senlis doivent rendre le bouquet à ceux de Loisy. » Ces mots, fort simples, réveillèrent en moi toute une nouvelle série d'impressions : c'était un souvenir de la province depuis longtemps oublié, un écho lointain des fêtes naïves de la jeunesse. — Le cor et le tambour résonnaient au loin dans les hameaux et dans les bois ; les jeunes filles tressaient des guirlandes et assortissaient, en chantant, des bouquets ornés de rubans. — Un lourd chariot, traîné par des bœufs, recevait ces présents sur son passage, et nous, enfants de ces contrées, nous formions le cortège avec nos arcs et nos flèches, nous décorant du titre de chevaliers, — sans savoir alors que nous ne faisions que répéter d'âge en âge une fête druidique survivant aux monarchies et aux religions nouvelles.

II. — ADRIENNE

Je regagnai mon lit et je ne pus y trouver le repos. Plongé dans une demi-somnolence, toute ma jeunesse repassait en mes souvenirs. Cet état, où l'esprit résiste encore aux bizarres combinaisons du songe, permet souvent de voir se presser en quelques minutes les tableaux les plus saillants d'une longue période de la vie.

Je me représentais un château du temps de Henri IV avec ses toits pointus couverts d'ardoises et sa face rougeâtre aux encoignures dentelées de pierres jaunies, une grande place verte encadrée d'ormes et de tilleuls, dont le soleil couchant perçait le feuillage de ses traits enflammés. Des jeunes filles dansaient en rond sur la pelouse en chantant de vieux airs transmis par leurs mères, et d'un français si naturellement pur que l'on se sentait bien exister dans ce vieux pays du Valois, où, pendant plus de mille ans, a battu le cœur de la France.

J'étais le seul garçon dans cette ronde, où j'avais amené ma compagne toute jeune encore, Sylvie, une petite fille du hameau voisin, si vive et si fraîche, avec ses yeux noirs, son profil régulier et sa peau légèrement hâlée!... Je n'aimais qu'elle, je ne voyais qu'elle, — jusque-là! A peine avais-je remarqué, dans la ronde où nous dansions, une blonde, grande et belle, qu'on appelait Adrienne. Tout d'un coup, suivant les règles de la danse, Adrienne se trouva placée seule avec moi au milieu du cercle. Nos tailles étaient pareilles. On nous dit de nous embrasser, et la danse et le chœur tournaient plus vivement que jamais. En lui donnant ce baiser, je ne pus m'empêcher de lui presser la main. Les longs anneaux roulés de ses cheveux d'or effleuraient mes joues. De ce moment, un trouble inconnu s'empara de moi. — La belle devait chanter pour avoir le droit de rentrer dans la danse. On s'assit autour d'elle, et aussitôt, d'une voix fraîche et pénétrante, légèrement voilée, comme celle des filles de ce pays brumeux, elle chanta une de ces anciennes romances pleines de mélancolie et d'amour, qui racontent toujours les malheurs d'une princesse enfermée dans sa tour par la volonté d'un père qui la punit d'avoir aimé. La mélodie se terminait à chaque stance par ces trilles chevrotants que font valoir si bien les voix jeunes, quand elles imitent par un frisson modulé la voix tremblante des aïeules.

A mesure qu'elle chantait, l'ombre descendait des grands arbres, et le clair de lune naissant tombait sur elle seule, isolée de notre cercle attentif. — Elle se tut, et personne n'osa rompre le silence. La pelouse était couverte de faibles vapeurs condensées, qui déroulaient leurs blancs flocons sur les pointes des herbes. Nous pensions être en paradis. — Je me levai enfin, courant au parterre du château, où se trouvaient des lauriers, plantés dans de grands vases de faïence peints en camaïeu. Je rapportai deux branches, qui furent tressées en couronne et nouées d'un ruban. Je posai sur la tête d'Adrienne cet ornement, dont les feuilles lustrées éclataient sur ses cheveux blonds aux rayons pâles de la lune. Elle ressemblait à la Béatrice de Dante qui sourit au poète errant sur la lisière des saintes demeures.

Adrienne se leva. Développant sa taille élancée, elle nous fit un salut gracieux, et rentra en courant dans le château. — C'était, nous dit-on, la petite-fille de l'un des descendants d'une famille alliée aux anciens rois de France ; le sang des Valois coulait dans ses veines. Pour ce jour de fête, on lui avait permis de se mêler à nos jeux ; nous ne devions plus la revoir, car le lendemain elle repartit pour un couvent où elle était pensionnaire.

Quand je revins près de Sylvie, je m'aperçus qu'elle pleurait. La couronne donnée par mes mains à la belle chanteuse était le sujet de ses larmes. Je lui offris d'en aller cueillir une autre, mais elle dit qu'elle n'y tenait nullement, ne la méritant pas. Je voulus en vain me défendre, elle ne me dit plus un seul mot pendant que je la reconduisais chez ses parents.

Rappelé moi-même à Paris pour y reprendre mes études, j'emportai cette double image d'une amitié tendre tristement rompue, — puis d'un amour impossible et vague, source de pensées douloureuses que la philosophie de collège était impuissante à calmer.

La figure d'Adrienne resta seule triomphante, — mirage de la gloire et de la beauté, adoucissant ou partageant les heures des sévères études. Aux vacances de l'année suivante, j'appris que cette belle à peine entrevue était consacrée par sa famille à la vie religieuse.

III. — Résolution

Tout m'était expliqué par ce souvenir à demi rêvé. Cet amour vague et sans espoir, conçu pour une femme de théâtre, qui tous les soirs me prenait à l'heure du spectacle, pour ne me quitter qu'à l'heure du sommeil, avait son germe dans le souvenir d'Adrienne, fleur de la nuit éclose à la pâle clarté de la lune, fantôme rose et blond glissant sur l'herbe verte à demi baignée de blanches vapeurs. — La ressemblance d'une figure oubliée depuis des années se dessinait désormais avec une netteté singulière ; c'était un crayon estompé par le temps qui se faisait peinture, comme ces vieux croquis de maîtres admirés dans un musée, dont on retrouve ailleurs l'original éblouissant.

Aimer une religieuse sous la forme d'une actrice !... et si c'était la même ! — Il y a de quoi devenir fou ! c'est un entraînement fatal où l'inconnu vous attire comme le feu follet fuyant sur les joncs d'une eau morte... Reprenons pied sur le réel.

Et Sylvie que j'aimais tant, pourquoi l'ai-je oubliée depuis trois ans ?... C'était une bien jolie fille, et la plus belle de Loisy !

Elle existe, elle, bonne et pure de cœur sans doute. Je revois sa fenêtre où le pampre s'enlace au rosier, la cage de fauvettes suspendue à gauche ; j'entends le bruit de ses fuseaux sonores et sa chanson favorite :

> La belle était assise
> Près du ruisseau coulant...

Elle m'attend encore... Qui l'aurait épousée ? elle est si pauvre.

Dans son village et dans ceux qui l'entourent, de bons paysans en blouse, aux mains rudes, à la face amaigrie, au teint hâlé ! Elle m'aimait seul, moi le petit Parisien, quand j'allais voir près de Loisy mon pauvre oncle, mort aujourd'hui. Depuis trois ans, je dissipe en seigneur le bien modeste qu'il m'a laissé et qui pouvait suffire à ma vie. Avec Sylvie, je l'aurais conservé. Le hasard m'en rend une partie. Il est temps encore.

A cette heure, que fait-elle ? Elle dort... Non, elle ne dort pas ; c'est aujourd'hui la fête de l'arc, la seule de l'année où l'on danse toute la nuit. — Elle est à la fête...

Quelle heure est-il ?

Je n'avais pas de montre.

Au milieu de toutes les splendeurs de bric-à-brac qu'il était d'usage de réunir à cette époque pour restaurer dans sa couleur locale un appartement d'autrefois, brillait d'un éclat rafraîchi une de ces pendules d'écaille de la Renaissance, dont le dôme doré surmonté de la figure du Temps est supporté par des cariatides du style Médicis, reposant à leur tour sur des chevaux à demi cabrés. La Diane historique, accoudée sur son cerf, est en bas-relief sous le cadran, où s'étalent sur un fond niellé les chiffres émaillés des heures. Le mouvement, excellent sans doute, n'avait pas été remonté depuis deux siècles. — Ce n'était pas pour savoir l'heure que j'avais acheté cette pendule en Touraine.

Je descendis chez le concierge. Son coucou marquait une heure du matin. — En quatre heures, me dis-je, je puis arriver au bal de Loisy. Il y avait encore sur la place du Palais-Royal cinq ou six fiacres stationnant pour les

habitués des cercles et des maisons de jeu : — A Loisy!
dis-je au plus apparent. — Où cela est-il ? — Près de
Senlis, à huit lieues. — Je vais vous conduire à la poste,
dit le cocher, moins préoccupé que moi.

Quelle triste route, la nuit, que cette route de Flandre,
qui ne devient belle qu'en atteignant la zone des forêts!
Toujours ces deux files d'arbres monotones qui grimacent
des formes vagues; au-delà, des carrés de verdure et de
terres remuées, bornés à gauche par les collines bleuâtres
de Montmorency, d'Écouen, de Luzarches. Voici
Gonesse, le bourg vulgaire plein des souvenirs de la
Ligue et de la Fronde...

Plus loin que Louvres est un chemin bordé de pom-
miers dont j'ai vu bien des fois les fleurs éclater dans la
nuit comme des étoiles de la terre : c'était le plus court
pour gagner les hameaux. — Pendant que la voiture
monte les côtes, recomposons les souvenirs du temps où
j'y venais si souvent.

IV. — Un voyage a Cythère

Quelques années s'étaient écoulées : l'époque où j'avais
rencontré Adrienne devant le château n'était plus déjà
qu'un souvenir d'enfance. Je me retrouvai à Loisy au
moment de la fête patronale. J'allai de nouveau me
joindre aux chevaliers de l'arc, prenant place dans la compagnie dont j'avais fait partie déjà. Des jeunes gens appartenant aux vieilles familles qui possèdent encore là plusieurs de ces châteaux perdus dans les forêts, qui ont plus
souffert du temps que des révolutions, avaient organisé la
fête. De Chantilly, de Compiègne et de Senlis accouraient
de joyeuses cavalcades qui prenaient place dans le cortège
rustique des compagnies de l'arc. Après la longue promenade à travers les villages et les bourgs, après la messe à
l'église, les luttes d'adresse et la distribution des prix, les
vainqueurs avaient été conviés à un repas qui se donnait
dans une île ombragée de peupliers et de tilleuls, au
milieu de l'un des étangs alimentés par la Nonette et la
Thève. Des barques pavoisées nous conduisirent à l'île,
— dont le choix avait été déterminé par l'existence d'un
temple ovale à colonnes qui devait servir de salle pour le
festin. Là, comme à Ermenonville, le pays est semé de ces
édifices légers de la fin du XVIIIe siècle, où des million-
naires philosophes se sont inspirés dans leurs plans du

goût dominant d'alors. Je crois bien que ce temple avait
dû être primitivement dédié à Uranie. Trois colonnes
avaient succombé emportant dans leur chute une partie de
l'architrave; mais on avait déblayé l'intérieur de la salle,
suspendu des guirlandes entre les colonnes, on avait
rajeuni cette ruine moderne, — qui appartenait au paganisme de Boufflers ou de Chaulieu plutôt qu'à celui
d'Horace.

La traversée du lac avait été imaginée peut-être pour
rappeler le *Voyage à Cythère* de Watteau. Nos costumes
modernes dérangeaient seuls l'illusion. L'immense bouquet de la fête, enlevé du char qui le portait, avait été
placé sur une grande barque; le cortège des jeunes filles
vêtues de blanc qui l'accompagnent selon l'usage avait
pris place sur les bancs, et cette gracieuse *théorie* renouvelée des jours antiques se reflétait dans les eaux calmes
de l'étang qui la séparait du bord de l'île si vermeil aux
rayons du soir avec ses halliers d'épine, sa colonnade et
ses clairs feuillages. Toutes les barques abordèrent en
peu de temps. La corbeille portée en cérémonie occupa
le centre de la table, et chacun prit place, les plus favo-
risés auprès des jeunes filles : il suffisait pour cela d'être
connu de leurs parents. Ce fut la cause qui fit que je me
retrouvai près de Sylvie. Son frère m'avait déjà rejoint
dans la fête, il me fit la guerre de n'avoir pas depuis
longtemps rendu visite à sa famille. Je m'excusai sur mes
études, qui me retenaient à Paris, et l'assurai que j'étais
venu dans cette intention. « Non, c'est moi qu'il a oubliée,
dit Sylvie. Nous sommes des gens de village, et Paris est
si au-dessus! » Je voulus l'embrasser pour lui fermer la
bouche; mais elle me boudait encore, et il fallut que son
frère intervînt pour qu'elle m'offrît sa joue d'un air indifférent. Je n'eus aucune joie de ce baiser dont bien d'autres
obtenaient la faveur, car dans ce pays patriarcal où l'on
salue tout homme qui passe un baiser n'est autre chose
qu'une politesse entre bonnes gens.

Une surprise avait été arrangée par les ordonnateurs
de la fête. A la fin du repas, on vit s'envoler du fond de
la vaste corbeille un cygne sauvage, jusque-là captif sous
les fleurs, qui, de ses fortes ailes, soulevant des lacis de
guirlandes et de couronnes, finit par les disperser de
tous côtés. Pendant qu'il s'élançait joyeux vers les dernières lueurs du soleil, nous rattrapions au hasard les
couronnes dont chacun parait aussitôt le front de sa
voisine. J'eus le bonheur de saisir une des plus belles,

et Sylvie souriante se laissa embrasser cette fois plus
tendrement que l'autre. Je compris que j'effaçais ainsi
le souvenir d'un autre temps. Je l'admirai cette fois sans
partage, elle était devenue si belle! Ce n'était plus cette
petite fille de village que j'avais dédaignée pour une plus
grande et plus faite aux grâces du monde. Tout en elle
avait gagné : le charme de ses yeux noirs, si séduisants
dès son enfance, était devenu irrésistible; sous l'orbite
arquée de ses sourcils, son sourire, éclairant tout à coup
des traits réguliers et placides, avait quelque chose
d'athénien. J'admirais cette physionomie digne de l'art
antique au milieu des minois chiffonnés de ses compagnes.
Ses mains délicatement allongées, ses bras qui avaient
blanchi en s'arrondissant, sa taille dégagée, la faisaient
tout autre que je ne l'avais vue. Je ne pus m'empêcher
de lui dire combien je la trouvais différente d'elle-même,
espérant couvrir ainsi mon ancienne et rapide infidélité.

Tout me favorisait d'ailleurs, l'amitié de son frère,
l'impression charmante de cette fête, l'heure du soir et
le lieu même où, par une fantaisie pleine de goût, on
avait reproduit une image des galantes solennités d'autrefois. Tant que nous pouvions, nous échappions à la
danse pour causer de nos souvenirs d'enfance et pour
admirer en rêvant à deux les reflets du ciel sur les
ombrages et sur les eaux. Il fallut que le frère de Sylvie
nous arrachât à cette contemplation en disant qu'il était
temps de retourner au village assez éloigné qu'habitaient
ses parents.

V. — LE VILLAGE

C'était à Loisy, dans l'ancienne maison du garde. Je
les conduisis jusque-là, puis je retournai à Montagny, où
je demeurais chez mon oncle. En quittant le chemin
pour traverser un petit bois qui sépare Loisy de Saint-S...,
je ne tardai pas à m'engager dans une *sente* profonde qui
longe la forêt d'Ermenonville; je m'attendais ensuite à
rencontrer les murs d'un couvent qu'il fallait suivre pendant un quart de lieue. La lune se cachait de temps à
autre sous les nuages, éclairant à peine les roches de grès
sombre et les bruyères qui se multipliaient sous mes pas.
A droite et à gauche, des lisières de forêts sans routes
tracées, et toujours devant moi ces roches druidiques de
la contrée qui gardent le souvenir des fils d'Armen exter-
minés par les Romains! Du haut de ces entassements

sublimes, je voyais les étangs lointains se découper comme des miroirs sur la plaine brumeuse, sans pouvoir distinguer celui même où s'était passée la fête.

L'air était tiède et embaumé; je résolus de ne pas aller plus loin et d'attendre le matin, en me couchant sur des touffes de bruyères. — En me réveillant, je reconnus peu à peu les points voisins du lieu où je m'étais égaré dans la nuit. A ma gauche, je vis se dessiner la longue ligne des murs du couvent de Saint-S..., puis de l'autre côté de la vallée, la butte aux Gens-d'Armes, avec les ruines ébréchées de l'antique résidence carlovingienne. Près de là, au-dessus des touffes de bois, les hautes masures de l'abbaye de Thiers découpaient sur l'horizon leurs pans de muraille percés de trèfles et d'ogives. Au-delà, le manoir gothique de Pontarmé, entouré d'eau comme autrefois, refléta bientôt les premiers feux du jour, tandis qu'on voyait se dresser au midi le haut donjon de la Tournelle et les quatre tours de Bertrand-Fosse sur les premiers coteaux de Montméliant.

Cette nuit m'avait été douce, et je ne songeais qu'à Sylvie; cependant l'aspect du couvent me donna un instant l'idée que c'était celui peut-être qu'habitait Adrienne. Le tintement de la cloche du matin était encore dans mon oreille et m'avait sans doute réveillé. J'eus un instant l'idée de jeter un coup d'œil par-dessus les murs en gravissant la plus haute pointe des rochers; mais, en y réfléchissant, je m'en gardai comme d'une profanation. Le jour en grandissant chassa de ma pensée ce vain souvenir et n'y laissa plus que les traits rosés de Sylvie. « Allons la réveiller », me dis-je, et je repris le chemin de Loisy.

Voici le village au bout de la sente qui côtoie la forêt : vingt chaumières dont la vigne et les roses grimpantes festonnent les murs. Des fileuses matinales, coiffées de mouchoirs rouges, travaillent réunies devant une ferme. Sylvie n'est point avec elles. C'est presque une demoiselle depuis qu'elle exécute de fines dentelles, tandis que ses parents sont restés de bons villageois. — Je suis monté à sa chambre sans étonner personne; déjà levée depuis longtemps, elle agitait les fuseaux de sa dentelle, qui claquaient avec un doux bruit sur le carreau vert que soutenaient ses genoux. « Vous voilà, paresseux, dit-elle avec son sourire divin, je suis sûre que vous sortez seulement de votre lit! » Je lui racontai ma nuit passée sans sommeil, mes courses égarées à travers les bois et les

roches. Elle voulut bien me plaindre un instant. « Si
vous n'êtes pas fatigué, je vais vous faire courir encore.
Nous irons voir ma grand'tante à Othys. » J'avais à
peine répondu qu'elle se leva joyeusement, arrangea ses
cheveux devant un miroir et se coiffa d'un chapeau de
paille rustique. L'innocence et la joie éclataient dans ses
yeux. Nous partîmes en suivant les bords de la Thève, à
travers les prés semés de marguerites et de boutons d'or,
puis le long des bois de Saint-Laurent, franchissant parfois les ruisseaux et les halliers pour abréger la route. Les
merles sifflaient dans les arbres, et les mésanges s'échap-
paient joyeusement des buissons frôlés par notre marche.

Parfois nous rencontrions sous nos pas les pervenches
si chères à Rousseau, ouvrant leurs corolles bleues parmi
ces longs rameaux de feuilles accouplées, lianes modestes
qui arrêtaient les pieds furtifs de ma compagne. Indifférente aux souvenirs du philosophe genevois, elle cher-
chait çà et là les fraises parfumées, et moi, je lui parlais
de la Nouvelle Héloïse, dont je récitais par cœur quelques
passages. « Est-ce que c'est joli ? dit-elle. — C'est sublime.
— Est-ce mieux qu'Auguste Lafontaine ? — C'est plus
tendre. — Oh! bien, dit-elle, il faut que je lise cela. Je
dirai à mon frère de me l'apporter la première fois qu'il
ira à Senlis. » Et je continuais à réciter des fragments de
l'Héloïse pendant que Sylvie cueillait des fraises.

VI. — OTHYS

Au sortir du bois, nous rencontrâmes de grandes
touffes de digitale pourprée; elle en fit un énorme bouquet en me disant : « C'est pour ma tante; elle sera si
heureuse d'avoir ces belles fleurs dans sa chambre. » Nous
n'avions plus qu'un bout de plaine à traverser pour
gagner Othys. Le clocher du village pointait sur les
coteaux bleuâtres qui vont de Montméliant à Dammartin. La Thève bruissait de nouveau parmi les grès et les
cailloux, s'amincissant au voisinage de sa source, où elle
se repose dans les prés, formant un petit lac au milieu
des glaïeuls et des iris. Bientôt nous gagnâmes les premières maisons. La tante de Sylvie habitait une petite
chaumière bâtie en pierres de grès inégales que revêtaient
des treillages de houblon et de vigne vierge; elle vivait
seule de quelques carrés de terre que les gens du village
cultivaient pour elle depuis la mort de son mari. Sa

nièce arrivant, c'était le feu dans la maison. « Bonjour, la tante! Voici vos enfants! dit Sylvie; nous avons bien faim! » Elle l'embrassa tendrement, lui mit dans les bras la botte de fleurs, puis songea enfin à me présenter, en disant : « C'est mon amoureux! »

J'embrassai à mon tour la tante qui dit : « Il est gentil.... C'est donc un blond!... — Il a de jolis cheveux fins, dit Sylvie. — Cela ne dure pas, dit la tante; mais vous avez du temps devant vous, et toi qui es brune, cela t'assortit bien. — Il faut le faire déjeuner, la tante », dit Sylvie. Et elle alla cherchant dans les armoires, dans la huche, trouvant du lait, du pain bis, du sucre, étalant sans trop de soin sur la table les assiettes et les plats de faïence émaillés de larges fleurs et de coqs au vif plumage. Une jatte en porcelaine de Creil, pleine de lait où nageaient les fraises, devint le centre du service, et après avoir dépouillé le jardin de quelques poignées de cerises et de groseilles, elle disposa deux vases de fleurs aux deux bouts de la nappe. Mais la tante avait dit ces belles paroles : « Tout cela, ce n'est que du dessert. Il faut me laisser faire à présent. » Et elle avait décroché la poêle et jeté un fagot dans la haute cheminée. « Je ne veux pas que tu touches à cela! dit-elle à Sylvie, qui voulait l'aider; abîmer tes jolis doigts qui font de la dentelle plus belle qu'à Chantilly! tu m'en as donné, et je m'y connais. — Ah! oui, la tante!... Dites donc, si vous en avez des morceaux de l'ancienne, cela me fera des modèles. — Eh bien! va voir là-haut, dit la tante, il y en a peut-être dans ma commode. — Donnez-moi les clefs, reprit Sylvie. — Bah! dit la tante, les tiroirs sont ouverts. — Ce n'est pas vrai, il y en a un qui est toujours fermé. » Et pendant que la bonne femme nettoyait la poêle après l'avoir passée au feu, Sylvie dénouait des pendants de sa ceinture une petite clef d'un acier ouvragé qu'elle me fit voir avec triomphe.

Je la suivis, montant rapidement l'escalier de bois qui conduisait à la chambre. — O jeunesse, ô vieillesse saintes! — qui donc eût songé à ternir la pureté d'un premier amour dans ce sanctuaire des souvenirs fidèles? Le portrait d'un jeune homme du bon vieux temps souriait avec ses yeux noirs et sa bouche rose, dans un ovale au cadre doré, suspendu à la tête du lit rustique. Il portait l'uniforme des gardes-chasse de la maison de Condé; son attitude à demi martiale, sa figure rose et bienveillante, son front pur sous ses cheveux poudrés,

relevaient ce pastel, médiocre peut-être, des grâces de
la jeunesse et de la simplicité. Quelque artiste modeste
invité aux chasses princières s'était appliqué à le pour-
traire de son mieux, ainsi que sa jeune épouse, qu'on
voyait dans un autre médaillon, attrayante, maligne,
élancée dans son corsage ouvert à échelle de rubans,
agaçant de sa mine retroussée un oiseau posé sur son
doigt. C'était pourtant la même bonne vieille qui cui-
sinait en ce moment, courbée sur le feu de l'âtre. Cela
me fit penser aux fées des Funambules qui cachent,
sous leur masque ridé, un visage attrayant, qu'elles
révèlent au dénouement, lorsque apparaît le temple de
l'Amour et son soleil tournant qui rayonne de feux
magiques. « O bonne tante, m'écriai-je, que vous étiez
jolie! — Et moi donc ? » dit Sylvie, qui était parvenue à
ouvrir le fameux tiroir. Elle y avait trouvé une grande
robe en taffetas flambé, qui criait du froissement de ses
plis. « Je veux essayer si cela m'ira, dit-elle. Ah! je vais
avoir l'air d'une vieille fée! »

« La fée des légendes éternellement jeune!... » dis-je
en moi-même. — Et déjà Sylvie avait dégrafé sa robe
d'indienne et la laissait tomber à ses pieds. La robe
étoffée de la vieille tante s'ajusta parfaitement sur la
taille mince de Sylvie, qui me dit de l'agrafer. « Oh! les
manches plates, que c'est ridicule! » dit-elle. Et cependant les sabots garnis de dentelles découvraient admirablement ses bras nus, la gorge s'encadrait dans le pur
corsage aux tulles jaunis, aux rubans passés, qui n'avait
serré que bien peu les charmes évanouis de la tante. « Mais
finissez-en! Vous ne savez donc pas agrafer une robe ? »
me disait Sylvie. Elle avait l'air de l'accordée de village
de Greuze. « Il faudrait de la poudre, dis-je. — Nous
allons en trouver. » Elle fureta de nouveau dans les
tiroirs. Oh! que de richesses! que cela sentait bon,
comme cela brillait, comme cela chatoyait de vives couleurs et de modeste clinquant! deux éventails de nacre
un peu cassés, des boîtes de pâte à sujets chinois, un
collier d'ambre et mille fanfreluches, parmi lesquelles
éclataient deux petits souliers de droguet blanc avec des
boucles incrustées de diamants d'Irlande! « Oh! je veux
les mettre, dit Sylvie, si je trouve les bas brodés! »

Un instant après, nous déroulions des bas de soie rose
tendre à coins verts; mais la voix de la tante, accompagnée
du frémissement de la poêle, nous rappela soudain à la
réalité. « Descendez vite! » dit Sylvie, et quoi que je

pusse dire, elle ne me permit pas de l'aider à se chausser.
Cependant la tante venait de verser dans un plat le
contenu de la poêle, une tranche de lard frite avec des
œufs. La voix de Sylvie me rappela bientôt. « Habillez-
vous vite! » dit-elle, et entièrement vêtue elle-même, elle
me montra les habits de noces du garde-chasse réunis
sur la commode. En un instant, je me transformai en
marié de l'autre siècle. Sylvie m'attendait sur l'escalier,
et nous descendîmes tous deux en nous tenant par la
main. La tante poussa un cri en se retournant : « Ô mes
enfants! » dit-elle, et elle se mit à pleurer, puis sourit à
travers ses larmes. — C'était l'image de sa jeunesse, —
cruelle et charmante apparition! Nous nous assîmes auprès
d'elle, attendris et presque graves, puis la gaieté nous
revint bientôt, car, le premier moment passé, la bonne
vieille ne songea plus qu'à se rappeler les fêtes pompeuses
de sa noce. Elle retrouva même dans sa mémoire les
chants alternés, d'usage alors, qui se répondaient d'un
bout à l'autre de la table nuptiale, et le naïf épithalame
qui accompagnait les mariés rentrant après la danse. Nous
répétions ces strophes si simplement rythmées, avec les
hiatus et les assonances du temps; amoureuses et fleuries
comme le cantique de l'Ecclésiaste; — nous étions
l'époux et l'épouse pour tout un beau matin d'été.

VII. — CHAALIS

Il est quatre heures du matin; la route plonge dans
un pli de terrain; elle remonte. La voiture va passer à
Orry, puis à La Chapelle. A gauche, il y a une route
qui longe le bois d'Hallate. C'est par là qu'un soir le
frère de Sylvie m'a conduit dans sa carriole à une solen-
nité du pays. C'était, je crois, le soir de la Saint-Barthélemy. A travers les bois, par des routes peu frayées, son
petit cheval volait comme au sabbat. Nous rattrapâmes
le pavé à Mont-l'Evêque, et quelques minutes plus tard
nous nous arrêtions à la maison du garde, à l'ancienne
abbaye de Châalis. — Châalis, encore un souvenir!
Cette vieille retraite des empereurs n'offre plus à l'admiration que les ruines de son cloître aux arcades byzantines, dont la dernière rangée se découpe encore sur les
étangs, — reste oublié des fondations pieuses comprises
parmi ces domaines qu'on appelait autrefois les métairies
de Charlemagne. La religion, dans ce pays isolé du mou-

vement des routes et des villes, a conservé des traces
particulières du long séjour qu'y ont fait les cardinaux
de la maison d'Este à l'époque des Médicis : ses attributs et ses usages ont encore quelque chose de galant
et de poétique, et l'on respire un parfum de la Renaissance
sous les arcs des chapelles à fines nervures, décorées par
les artistes de l'Italie. Les figures des saints et des anges
se profilent en rose sur les voûtes peintes d'un bleu
tendre, avec des airs d'allégorie païenne qui font songer
aux sentimentalités de Pétrarque et au mysticisme fabuleux de Francesco Colonna.

Nous étions des intrus, le frère de Sylvie et moi, dans
la fête particulière qui avait lieu cette nuit-là. Une personne de très illustre naissance, qui possédait alors ce
domaine, avait eu l'idée d'inviter quelques familles du
pays à une sorte de représentation allégorique où devaient
figurer quelques pensionnaires d'un couvent voisin. Ce
n'était pas une réminiscence des tragédies de Saint-Cyr,
cela remontait aux premiers essais lyriques importés en
France du temps des Valois. Ce que je vis jouer était
comme un mystère des anciens temps. Les costumes,
composés de longues robes, n'étaient variés que par les
couleurs de l'azur, de l'hyacinthe ou de l'aurore. La
scène se passait entre les anges, sur les débris du monde
détruit. Chaque voix chantait une des splendeurs de ce
globe éteint, et l'ange de la mort définissait les causes de
sa destruction. Un esprit montait de l'abîme, tenant en
main l'épée flamboyante, et convoquait les autres à venir
admirer la gloire du Christ vainqueur des enfers. Cet
esprit, c'était Adrienne transfigurée par son costume,
comme elle l'était déjà par sa vocation. Le nimbe de
carton doré qui ceignait sa tête angélique nous paraissait
bien naturellement un cercle de lumière; sa voix avait
gagné en force et en étendue, et les fioritures infinies du
chant italien brodaient de leurs gazouillements d'oiseau
les phrases sévères d'un récitatif pompeux.

En me retraçant ces détails, j'en suis à me demander
s'ils sont réels, ou bien si je les ai rêvés. Le frère de Sylvie
était un peu gris ce soir-là. Nous nous étions arrêtés
quelques instants dans la maison du garde, — où, ce
qui m'a frappé beaucoup, il y avait un cygne éployé sur
la porte, puis au-dedans de hautes armoires en noyer
sculpté, une grande horloge dans sa gaine, et des trophées
d'arcs et de flèches d'honneur au-dessus d'une carte de
tir rouge et verte. Un nain bizarre, coiffé d'un bonnet

chinois, tenant d'une main une bouteille et de l'autre
une bague, semblait inviter les tireurs à viser juste. Ce
nain, je le crois bien, était en tôle découpée. Mais l'apparition d'Adrienne est-elle aussi vraie que ces détails et
que l'existence incontestable de l'abbaye de Châalis ?
Pourtant c'est bien le fils du garde qui nous avait introduits dans la salle où avait lieu la représentation; nous
étions près de la porte, derrière une nombreuse compagnie assise et gravement émue. C'était le jour de la
Saint-Barthélemy, — singulièrement lié au souvenir des
Médicis, dont les armes accolées à celles de la maison
d'Este décoraient ces vieilles murailles... Ce souvenir est
une obsession peut-être ! — Heureusement voici la voiture qui s'arrête sur la route du Plessis; j'échappe au
monde des rêveries, et je n'ai plus qu'un quart d'heure
de marche pour gagner Loisy par des routes bien peu
frayées.

VIII. — LE BAL DE LOISY

Je suis entré au bal de Loisy à cette heure mélancolique et douce encore où les lumières pâlissent et tremblent
aux approches du jour. Les tilleuls, assombris par en
bas, prenaient à leurs cimes une teinte bleuâtre. La flûte
champêtre ne luttait plus si vivement avec les trilles du
rossignol. Tout le monde était pâle, et dans les groupes
dégarnis j'eus peine à rencontrer des figures connues.
Enfin j'aperçus la grande Lise, une amie de Sylvie. Elle
m'embrassa. « Il y a longtemps qu'on ne t'a vu, Parisien !
dit-elle. — Oh ! oui, longtemps. — Et tu arrives à cette
heure-ci ? — Par la poste. — Et pas trop vite ! — Je
voulais voir Sylvie; est-elle encore au bal ? — Elle ne
sort qu'au matin; elle aime tant à danser. »

En un instant, j'étais à ses côtés. Sa figure était fatiguée; cependant son œil noir brillait toujours du sourire
athénien d'autrefois. Un jeune homme se tenait près
d'elle. Elle lui fit signe qu'elle renonçait à la contredanse
suivante. Il se retira en saluant.

Le jour commençait à se faire. Nous sortîmes du bal,
nous tenant par la main. Les fleurs de la chevelure de Sylvie se penchaient dans ses cheveux dénoués; le bouquet
de son corsage s'effeuillait aussi sur les dentelles fripées,
savant ouvrage de sa main. Je lui offris de l'accompagner chez elle. Il faisait grand jour, mais le temps était
sombre. La Thève bruissait à notre gauche, laissant à

ses coudes des remous d'eau stagnante où s'épanouis-
saient les nénuphars jaunes et blancs, où éclatait comme
des pâquerettes la frêle broderie des étoiles d'eau. Les
plaines étaient couvertes de javelles et de meules de foin,
dont l'odeur me portait à la tête sans m'enivrer, comme
faisait autrefois la fraîche senteur des bois et des halliers
d'épines fleuries.

Nous n'eûmes pas l'idée de les traverser de nouveau.
— Sylvie, lui dis-je, vous ne m'aimez plus! — Elle soupira. — Mon ami, me dit-elle, il faut se faire une raison;
les choses ne vont pas comme nous voulons dans la vie.
Vous m'avez parlé autrefois de *la Nouvelle Héloïse*, je
l'ai lue, et j'ai frémi en tombant d'abord sur cette phrase :
« Toute jeune fille qui lira ce livre est perdue. » Cependant j'ai passé outre, me fiant sur ma raison. Vous souvenez-vous du jour où nous avons revêtu les habits de
noces de la tante ?... Les gravures du livre présentaient
aussi les amoureux sous de vieux costumes du temps
passé, de sorte que pour moi vous étiez Saint-Preux, et
je me retrouvais dans Julie. Ah! que n'êtes-vous revenu
alors! Mais vous étiez, disait-on, en Italie. Vous en avez
vu là de bien plus jolies que moi! — Aucune, Sylvie, qui
ait votre regard et les traits purs de votre visage. Vous
êtes une nymphe antique que vous ignorez. D'ailleurs,
les bois de cette contrée sont aussi beaux que ceux de la
campagne romaine. Il y a là-bas des masses de granit non
moins sublimes, et une cascade qui tombe du haut des
rochers comme celle de Terni. Je n'ai rien vu là-bas que
je puisse regretter ici. — Et à Paris ? dit-elle. — A Paris...
Je secouai la tête sans répondre.

Tout à coup je pensai à l'image vaine qui m'avait
égaré si longtemps.

— Sylvie, dis-je, arrêtons-nous ici, le voulez-vous ?

Je me jetai à ses pieds; je confessai en pleurant à
chaudes larmes mes irrésolutions, mes caprices; j'évoquai
le spectre funeste qui traversait ma vie.

— Sauvez-moi! ajoutai-je, je reviens à vous pour
toujours.

Elle tourna vers moi ses regards attendris...

En ce moment, notre entretien fut interrompu par de
violents éclats de rire. C'était le frère de Sylvie qui nous
rejoignait avec cette bonne gaieté rustique, suite obligée
d'une nuit de fête, que des rafraîchissements nombreux
avaient développée outre mesure. Il appelait le galant du
bal, perdu au loin dans les buissons d'épines et qui ne

tarda pas à nous rejoindre. Ce garçon n'était guère plus
solide sur ses pieds que son compagnon, il paraissait
plus embarrassé encore de la présence d'un Parisien que
de celle de Sylvie. Sa figure candide, sa déférence mêlée
d'embarras m'empêchaient de lui en vouloir d'avoir été
le danseur pour lequel on était resté si tard à la fête. Je
le jugeais peu dangereux.

— Il faut rentrer à la maison, dit Sylvie à son frère. A
tantôt! me dit-elle en me tendant la joue.

L'amoureux ne s'offensa pas.

IX. — ERMENONVILLE

Je n'avais nulle envie de dormir. J'allai à Montagny
pour revoir la maison de mon oncle. Une grande tristesse
me gagna dès que j'en entrevis la façade jaune et les
contrevents verts. Tout semblait dans le même état
qu'autrefois; seulement il fallut aller chez le fermier
pour avoir la clef de la porte. Une fois les volets ouverts,
je revis avec attendrissement les vieux meubles conservés
dans le même état et qu'on frottait de temps en temps,
la haute armoire de noyer, deux tableaux flamands qu'on
disait l'ouvrage d'un ancien peintre, notre aïeul; de
grandes estampes d'après Boucher, et toute une série
encadrée de gravures de *l'Émile* et de *la Nouvelle Héloïse*,
par Moreau; sur la table, un chien empaillé que j'avais
connu vivant, ancien compagnon de mes courses dans les
bois, le dernier carlin peut-être, car il appartenait à cette
race perdue.

— Quant au perroquet, me dit le fermier, il vit toujours; je l'ai retiré chez moi.

Le jardin présentait un magnifique tableau de végétation sauvage. J'y reconnus, dans un angle, un jardin
d'enfant que j'avais tracé jadis. J'entrai tout frémissant
dans le cabinet, où se voyait encore la petite bibliothèque
pleine de livres choisis, vieux amis de celui qui n'était
plus, et sur le bureau quelques débris antiques trouvés
dans son jardin, des vases, des médailles romaines,
collection locale qui le rendait heureux.

— Allons voir le perroquet, dis-je au fermier. — Le
perroquet demandait à déjeuner comme en ses plus beaux
jours, et me regarda de cet œil rond, bordé d'une peau
chargée de rides, qui fait penser au regard expérimenté
des vieillards.

Plein des idées tristes qu'amenait ce retour tardif en
des lieux si aimés, je sentis le besoin de revoir Sylvie,
seule figure vivante et jeune encore qui me rattachât
à ce pays. Je repris la route de Loisy. C'était au milieu
du jour; tout le monde dormait, fatigué de la fête. Il me
vint l'idée de me distraire par une promenade à Ermenonville, distant d'une lieue par le chemin de la forêt.
C'était par un beau temps d'été. Je pris plaisir d'abord à
la fraîcheur de cette route qui semble l'allée d'un parc.
Les grands chênes d'un vert uniforme n'étaient variés que
par les troncs blancs des bouleaux au feuillage frissonnant.
Les oiseaux se taisaient, et j'entendais seulement le bruit
que fait le pivert en frappant les arbres pour y creuser
son nid. Un instant, je risquai de me perdre, car les
poteaux dont les palettes annoncent diverses routes
n'offrent plus, par endroits, que des caractères effacés.
Enfin, laissant le *Désert* à gauche, j'arrivai au rond-point
de la danse, où subsiste encore le banc des vieillards.
Tous les souvenirs de l'antiquité philosophique, ressus-
cités par l'ancien possesseur du domaine, me revenaient
en foule devant cette réalisation pittoresque de l'*Ana-
charsis* et de l'*Émile*.

Lorsque je vis briller les eaux du lac à travers les
branches des saules et des coudriers, je reconnus tout à
fait un lieu où mon oncle, dans ses promenades, m'avait
conduit bien des fois : c'est le *Temple de la philosophie*,
que son fondateur n'a pas eu le bonheur de terminer. Il
a la forme du temple de la sibylle Tiburtine, et, debout
encore, sous l'abri d'un bouquet de pins, il étale tous ces
grands noms de la pensée qui commencent par Mon-
taigne et Descartes, et qui s'arrêtent à Rousseau. Cet
édifice inachevé n'est déjà plus qu'une ruine, le lierre le
festonne avec grâce, la ronce envahit les marches dis-
jointes. Là, tout enfant, j'ai vu des fêtes où les jeunes
filles vêtues de blanc venaient recevoir des prix d'étude
et de sagesse. Où sont les buissons de roses qui entouraient la colline ? L'églantier et le framboisier en cachent
les derniers plants, qui retournent à l'état sauvage. —
Quant aux lauriers, les a-t-on coupés, comme le dit la
chanson des jeunes filles qui ne veulent plus aller au bois ?
Non, ces arbustes de la douce Italie ont péri sous notre
ciel brumeux. Heureusement le troène de Virgile fleurit
encore, comme pour appuyer la parole du maître ins-
crite au-dessus de la porte : *Rerum cognoscere causas!* —
Oui, ce temple tombe comme tant d'autres, les hommes

oublieux ou fatigués se détourneront de ses abords, la nature indifférente reprendra le terrain que l'art lui disputait ; mais la soif de connaître restera éternelle, mobile de toute force et de toute activité !

Voici les peupliers de l'île, et la tombe de Rousseau, vide de ses cendres. O sage ! tu nous avais donné le lait des forts, et nous étions trop faibles pour qu'il pût nous profiter. Nous avons oublié tes leçons que savaient nos pères, et nous avons perdu le sens de ta parole, dernier écho des sagesses antiques. Pourtant ne désespérons pas, et, comme tu fis à ton suprême instant, tournons nos yeux vers le soleil !

J'ai revu le château, les eaux paisibles qui le bordent, la cascade qui gémit dans les roches, et cette chaussée réunissant les deux parties du village, dont quatre colombiers marquent les angles, la pelouse qui s'étend au-delà comme une savane, dominée par des coteaux ombreux ; la tour de Gabrielle se reflète de loin sur les eaux d'un lac factice étoilé de fleurs éphémères ; l'écume bouillonne, l'insecte bruit... Il faut échapper à l'air perfide qui s'exhale en gagnant les grès poudreux du désert et les landes où la bruyère rose relève le vert des fougères. Que tout cela est solitaire et triste ! Le regard enchanté de Sylvie, ses courses folles, ses cris joyeux, donnaient autrefois tant de charme aux lieux que je viens de parcourir ! C'était encore une enfant sauvage, ses pieds étaient nus, sa peau hâlée, malgré son chapeau de paille, dont le large ruban flottait pêle-mêle avec ses tresses de cheveux noirs. Nous allions boire du lait à la ferme suisse, et l'on me disait : « Qu'elle est jolie, ton amoureuse, petit Parisien ! » Oh ! ce n'est pas alors qu'un paysan aurait dansé avec elle ! Elle ne dansait qu'avec moi, une fois par an, à la fête de l'arc.

X. — Le grand frisé

J'ai repris le chemin de Loisy ; tout le monde était réveillé. Sylvie avait une toilette de demoiselle, presque dans le goût de la ville. Elle me fit monter à sa chambre avec toute l'ingénuité d'autrefois. Son œil étincelait toujours dans un sourire plein de charme, mais l'arc prononcé de ses sourcils lui donnait par instants un air sérieux. La chambre était décorée avec simplicité, pourtant les meubles étaient modernes, une glace à bordure dorée avait remplacé l'antique trumeau, où se voyait un berger

d'idylle offrant un nid à une bergère bleue et rose. Le lit
à colonnes chastement drapé de vieille perse à ramage
était remplacé par une couchette de noyer garnie du
rideau à flèche; à la fenêtre, dans la cage où jadis étaient
les fauvettes, il y avait des canaris. J'étais pressé de sortir de cette chambre où je ne trouvais rien du passé. —
Vous ne travaillerez point à votre dentelle aujourd'hui ?...
dis-je à Sylvie. — Oh! je ne fais plus de dentelle, on n'en
demande plus dans le pays; même à Chantilly, la fabrique
est fermée. — Que faites-vous donc ? — Elle alla chercher dans un coin de la chambre un instrument en fer qui
ressemblait à une longue pince. — Qu'est-ce que c'est
que cela ? — C'est ce qu'on appelle la mécanique; c'est
pour maintenir la peau des gants afin de les coudre. —
Ah! vous êtes gantière, Sylvie ? — Oui, nous travaillons
ici pour Dammartin, cela donne beaucoup dans ce
moment; mais je ne fais rien aujourd'hui; allons où vous
voudrez. Je tournais les yeux vers la route d'Othys : elle
secoua la tête; je compris que la vieille tante n'existait
plus. Sylvie appela un petit garçon et lui fit seller un âne.
— Je suis encore fatiguée d'hier, dit-elle, mais la promenade me fera du bien; allons à Châalis. » Et nous voilà
traversant la forêt, suivis du petit garçon armé d'une
branche. Bientôt Sylvie voulut s'arrêter, et je l'embrassai
en l'engageant à s'asseoir. La conversation entre nous ne
pouvait plus être bien intime. Il fallut lui raconter ma vie
à Paris, mes voyages... — Comment peut-on aller si loin ?
dit-elle. — Je m'en étonne en vous revoyant. — Oh! cela
se dit! — Et convenez que vous étiez moins jolie autrefois. — Je n'en sais rien. — Vous souvenez-vous du
temps où nous étions enfants et vous la plus grande ? —
Et vous le plus sage! — Oh! Sylvie! — On nous mettait
sur l'âne chacun dans un panier. — Et nous ne nous disions
pas *vous*... Te rappelles-tu que tu m'apprenais à pêcher
des écrevisses sous les ponts de la Thève et de la Nonette ?
— Et toi, te souviens-tu de ton frère de lait, qui t'a un
jour retiré *de l'ieau*. — Le *grand frisé !* c'est lui qui m'avait
dit qu'on pouvait la passer... *l'ieau !*
     Je me hâtai de changer la conversation. Ce souvenir
m'avait vivement rappelé l'époque où je venais dans le
pays, vêtu d'un petit habit à l'anglaise qui faisait rire les
paysans. Sylvie seule me trouvait bien mis; mais je n'osais
lui rappeler cette opinion d'un temps si ancien. Je ne sais
pourquoi ma pensée se porta sur les habits de noces que
nous avions revêtus chez la vieille tante à Othys. Je

demandai ce qu'ils étaient devenus. — Ah! la bonne tante, dit Sylvie, elle m'avait prêté sa robe pour aller danser au carnaval de Dammartin, il y a de cela deux ans. L'année d'après, elle est morte, la pauvre tante!

Elle soupirait et pleurait si bien que je ne pus lui demander par quelle circonstance elle était allée à un bal masqué; mais, grâce à ses talents d'ouvrière, je comprenais assez que Sylvie n'était plus une paysanne. Ses parents seuls étaient restés dans leur condition, et elle vivait au milieu d'eux comme une fée industrieuse, répandant l'abondance autour d'elle.

XI. — RETOUR

La vue se découvrait au sortir du bois. Nous étions arrivés au bord des étangs de Châalis. Les galeries du cloître, la chapelle aux ogives élancées, la tour féodale et le petit château qui abrita les amours d'Henri IV et de Gabrielle se teignaient des rougeurs du soir sur le vert sombre de la forêt. — C'est un paysage de Walter Scott, n'est-ce pas? disait Sylvie. — Et qui vous a parlé de Walter Scott? lui dis-je. Vous avez donc bien lu depuis trois ans!... Moi, je tâche d'oublier les livres, et ce qui me charme, c'est de revoir avec vous cette vieille abbaye, où, tout petits enfants, nous nous cachions dans les ruines. Vous souvenez-vous, Sylvie, de la peur que vous aviez quand le gardien nous racontait l'histoire des moines rouges? — Oh! ne m'en parlez pas. — Alors chantez-moi la chanson de la belle fille enlevée au jardin de son père, sous le rosier blanc. — On ne chante plus cela. — Seriez-vous devenue musicienne? — Un peu. — Sylvie, Sylvie, je suis sûr que vous chantez des airs d'opéra! — Pourquoi vous plaindre? — Parce que j'aimais les vieux airs, et que vous ne saurez plus les chanter.

Sylvie modula quelques sons d'un grand air d'opéra moderne... Elle *phrasait!*

Nous avions tourné les étangs voisins. Voici la verte pelouse, entourée de tilleuls et d'ormeaux, où nous avons dansé souvent! J'eus l'amour-propre de définir les vieux murs carlovingiens et de déchiffrer les armoiries de la maison d'Este. — Et vous! comme vous avez lu plus que moi! dit Sylvie. Vous êtes donc un savant?

J'étais piqué de son ton de reproche. J'avais jusque-là cherché l'endroit convenable pour renouveler le moment

d'expansion du matin ; mais que lui dire avec l'accompagnement d'un âne et d'un petit garçon très éveillé, qui
prenait plaisir à se rapprocher toujours pour entendre
parler un Parisien ? Alors j'eus le malheur de raconter
l'apparition de Châalis, restée dans mes souvenirs. Je menai
Sylvie dans la salle même du château où j'avais entendu
chanter Adrienne. — Oh ! que je vous entende ! lui dis-je ;
que votre voix chérie résonne sous ces voûtes et en chasse
l'esprit qui me tourmente, fût-il divin ou bien fatal !
Elle répéta les paroles et le chant après moi :

> Anges, descendez promptement
> Au fond du purgatoire !...

— C'est bien triste ! me dit-elle.
— C'est sublime... Je crois que c'est du Porpora, avec
des vers traduits au XVIe siècle.
— Je ne sais pas, répondit Sylvie.

Nous sommes revenus par la vallée, en suivant le chemin de Charlepont, que les paysans, peu étymologistes de
leur nature, s'obstinent à appeler Châllepont. Sylvie, fatiguée de l'âne, s'appuyait sur mon bras. La route était
déserte ; j'essayai de parler des choses que j'avais dans le
cœur, mais, je ne sais pourquoi, je ne trouvais que
des expressions vulgaires, ou bien tout à coup quelque
phrase pompeuse de roman, — que Sylvie pouvait avoir
lue. Je m'arrêtais alors avec un goût tout classique, et elle
s'étonnait parfois de ces effusions interrompues. Arrivés
aux murs de Saint-S..., il fallait prendre garde à notre
marche. On traverse des prairies humides où serpentent
les ruisseaux. — Qu'est devenue la religieuse ? dis-je
tout à coup.

— Ah ! vous êtes terrible avec votre religieuse... Eh
bien !... eh bien ! cela a mal tourné.

Sylvie ne voulut pas m'en dire un mot de plus.

Les femmes sentent-elles vraiment que telle ou telle
parole passe sur les lèvres sans sortir du cœur ? On ne le
croirait pas, à les voir si facilement abusées, à se rendre
compte des choix qu'elles font le plus souvent : il y a des
hommes qui jouent si bien la comédie de l'amour ! Je
n'ai jamais pu m'y faire, quoique sachant que certaines
acceptent sciemment d'être trompées. D'ailleurs un
amour qui remonte à l'enfance est quelque chose de
sacré... Sylvie, que j'avais vue grandir, était pour moi
comme une sœur. Je ne pouvais tenter une séduction...

Une tout autre idée vint traverser mon esprit. — A cette
heure-ci, me dis-je, je serais au théâtre... Qu'est-ce
qu'Aurélie (c'était le nom de l'actrice) doit donc jouer ce
soir ? Évidemment le rôle de la princesse dans le drame
nouveau. Oh! le troisième acte, qu'elle y est touchante!...
Et dans la scène d'amour du second! avec ce jeune premier tout ridé...

— Vous êtes dans vos réflexions ? dit Sylvie, et elle se
mit à chanter :

> A Dammartin l'y a trois belles filles :
> L'y en a z'une plus belle que le jour...

— Ah! méchante! m'écriai-je, vous voyez bien que vous
en savez encore des vieilles chansons.

— Si vous veniez plus souvent ici, j'en retrouverais,
dit-elle, mais il faut songer au solide. Vous avez vos
affaires de Paris, j'ai mon travail; ne rentrons pas trop
tard : il faut que demain je sois levée avec le soleil.

XII. — LE PÈRE DODU

J'allais répondre, j'allais tomber à ses pieds, j'allais
offrir la maison de mon oncle, qu'il m'était possible encore
de racheter, car nous étions plusieurs héritiers, et cette
petite propriété était restée indivise; mais en ce moment
nous arrivions à Loisy. On nous attendait pour souper.
La soupe à l'oignon répandait au loin son parfum patriarcal. Il y avait des voisins invités pour ce lendemain de
fête. Je reconnus tout de suite un vieux bûcheron, le père
Dodu, qui racontait jadis aux veillées des histoires si
comiques, ou si terribles. Tour à tour berger, messager,
garde-chasse, pêcheur, braconnier même, le père Dodu
fabriquait à ses moments perdus des coucous et des tour-
nebroches. Pendant longtemps il s'était consacré à promener les Anglais dans Ermenonville, en les conduisant
aux lieux de méditation de Rousseau et en leur racontant
ses derniers moments. C'était lui qui avait été le petit
garçon que le philosophe employait à classer ses herbes,
et à qui il donna l'ordre de cueillir les ciguës dont il
exprima le suc dans sa tasse de café au lait. L'aubergiste
de *la Croix d'Or* lui contestait ce détail; de là des haines
prolongées. On avait longtemps reproché au père Dodu la
possession de quelques secrets bien innocents, comme de

guérir les vaches avec un verset dit à rebours et le signe
de croix figuré du pied gauche, mais il avait de bonne
heure renoncé à ces superstitions, — grâce au souvenir,
disait-il, des conversations de Jean-Jacques.

— Te voilà! petit Parisien, me dit le père Dodu. Tu
viens pour débaucher nos filles ? — Moi, père Dodu ?
— Tu les emmènes dans les bois pendant que le loup n'y
est pas ? — Père Dodu, c'est vous qui êtes le loup. — Je
l'ai été tant que j'ai trouvé des brebis; à présent je ne
rencontre plus que des chèvres, et qu'elles savent bien se
défendre! Mais vous autres, vous êtes des malins à Paris.
Jean-Jacques avait bien raison de dire : « L'homme se
corrompt dans l'air empoisonné des villes. » — Père
Dodu, vous savez trop bien que l'homme se corrompt
partout.

Le père Dodu se mit à entonner un air à boire; on
voulut en vain l'arrêter à un certain couplet scabreux que
tout le monde savait par cœur. Sylvie ne voulut pas chanter, malgré nos prières, disant qu'on ne chantait plus à
table. J'avais remarqué déjà que l'amoureux de la veille
était assis à sa gauche. Il y avait je ne sais quoi dans sa
figure ronde, dans ses cheveux ébouriffés, qui ne m'était
pas inconnu. Il se leva et vint derrière ma chaise en disant :
« Tu ne me reconnais donc pas, Parisien ? » Une bonne
femme, qui venait de rentrer au dessert, après nous avoir
servis, me dit à l'oreille : « Vous ne reconnaissez pas votre
frère de lait ? » Sans cet avertissement, j'allais être ridicule. « Ah! c'est toi, *grand frisé!* dis-je, c'est toi, le même
qui m'a retiré de *l'ieau!* » Sylvie riait aux éclats de cette
reconnaissance. « Sans compter, disait ce garçon en m'em-
brassant, que tu avais une belle montre en argent, et qu'en
revenant tu étais bien plus inquiet de ta montre que de toi-
même, parce qu'elle ne marchait plus; tu disais : « *La
bête* est *nayée*, ça ne fait plus tic tac; qu'est-ce que mon
oncle va dire ?... »

— Une bête dans une montre! dit le père Dodu, voilà
ce qu'on leur fait croire à Paris, aux enfants!

Sylvie avait sommeil, je jugeai que j'étais perdu dans
son esprit. Elle remonta à sa chambre, et pendant que
je l'embrassais, elle dit : « A demain, venez nous voir! »

Le père Dodu était resté à table avec Sylvain et mon
frère de lait; nous causâmes longtemps autour d'un flacon
de *ratafiat* de Louvres. « Les hommes sont égaux, dit le
père Dodu entre deux couplets, je bois avec un pâtissier
comme je ferais avec un prince. — Où est le pâtissier ?

dis-je. — Regarde à côté de toi! un jeune homme qui a l'ambition de s'établir. »

Mon frère de lait parut embarrassé. J'avais tout compris. — C'est une fatalité qui m'était réservée d'avoir un frère de lait dans un pays illustré par Rousseau, — qui voulait supprimer les nourrices! — Le père Dodu m'apprit qu'il était fort question du mariage de Sylvie avec le *grand frisé*, qui voulait aller former un établissement de pâtisserie à Dammartin. Je n'en demandai pas plus. La voiture de Nanteuil-le-Haudoin me ramena le lendemain à Paris.

XIII. — Aurélie

A Paris! — La voiture met cinq heures. Je n'étais pressé que d'arriver pour le soir. Vers huit heures, j'étais assis dans ma stalle accoutumée; Aurélie répandit son inspiration et son charme sur des vers faiblement inspirés de Schiller, que l'on devait à un talent de l'époque. Dans la scène du jardin, elle devint sublime. Pendant le quatrième acte, où elle ne paraissait pas, j'allai acheter un bouquet chez madame Prévost. J'y insérai une lettre fort tendre signée : *Un inconnu*. Je me dis : Voilà quelque chose de fixé pour l'avenir, — et le lendemain j'étais sur la route d'Allemagne.

Qu'allais-je y faire ? Essayer de remettre de l'ordre dans mes sentiments. — Si j'écrivais un roman, jamais je ne pourrais faire accepter l'histoire d'un cœur épris de deux amours simultanées. Sylvie m'échappait par ma faute; mais la revoir un jour avait suffi pour relever mon âme : je la plaçais désormais comme une statue souriante dans le temple de la Sagesse. Son regard m'avait arrêté au bord de l'abîme. — Je repoussais avec plus de force encore l'idée d'aller me présenter à Aurélie, pour lutter un instant avec tant d'amoureux vulgaires qui brillaient un instant près d'elle et retombaient brisés. — Nous verrons quelque jour, me dis-je, si cette femme a un cœur.

Un matin, je lus dans un journal qu'Aurélie était malade. Je lui écrivis des montagnes de Salzbourg. La lettre était si empreinte de mysticisme germanique que je n'en devais pas attendre un grand succès, mais aussi je ne demandais pas de réponse. Je comptais un peu sur le hasard et sur — l'*inconnu*.

Des mois se passent. A travers mes courses et mes loisirs, j'avais entrepris de fixer dans une action poétique

les amours du peintre Colonna pour la belle Laura, que
ses parents firent religieuse, et qu'il aima jusqu'à la mort.
Quelque chose dans ce sujet se rapportait à mes préoccu-
pations constantes. Le dernier vers du drame écrit, je ne
songeai plus qu'à revenir en France.

Que dire maintenant qui ne soit l'histoire de tant
d'autres ? J'ai passé par tous les cercles de ces lieux
d'épreuves qu'on appelle théâtres. « J'ai mangé du tambour et bu de la cymbale », comme dit la phrase dénuée
de sens apparent des initiés d'Éleusis. — Elle signifie
sans doute qu'il faut au besoin passer les bornes du non-
sens et de l'absurdité : la raison pour moi, c'était de
conquérir et de fixer mon idéal.

Aurélie avait accepté le rôle principal dans le drame
que je rapportais d'Allemagne. Je n'oublierai jamais le
jour où elle me permit de lui lire la pièce. Les scènes
d'amour étaient préparées à son intention. Je crois bien
que je les dis avec âme, mais surtout avec enthousiasme.
Dans la conversation qui suivit, je me révélai comme
l'*inconnu* des deux lettres. Elle me dit : — Vous êtes bien
fou ; mais revenez me voir... Je n'ai jamais pu trouver
quelqu'un qui sût m'aimer.

O femme ! tu cherches l'amour... Et moi, donc ?

Les jours suivants, j'écrivis les lettres les plus tendres,
les plus belles que sans doute elle eût jamais reçues. J'en
recevais d'elle qui étaient pleines de raison. Un instant
elle fut touchée, m'appela près d'elle, et m'avoua qu'il
lui était difficile de rompre un attachement plus ancien.
— Si c'est bien *pour moi* que vous m'aimez, dit-elle, vous
comprendrez que je ne puis être qu'à un seul.

Deux mois plus tard, je reçus une lettre pleine d'effusion. Je courus chez elle. — Quelqu'un me donna dans
l'intervalle un détail précieux. Le beau jeune homme que
j'avais rencontré une nuit au cercle venait de prendre un
engagement dans les spahis.

L'été suivant, il y avait des courses à Chantilly. La
troupe du théâtre où jouait Aurélie donnait là une représentation. Une fois dans le pays, la troupe était pour trois
jours aux ordres du régisseur. — Je m'étais fait l'ami de
ce brave homme, ancien Dorante des comédies de Mari-
vaux, longtemps jeune premier de drame, et dont le dernier succès avait été le rôle d'amoureux dans la pièce
imitée de Schiller, où mon binocle me l'avait montré si
ridé. De près, il paraissait plus jeune, et, resté maigre, il
produisait encore de l'effet dans les provinces. Il avait du

feu. J'accompagnais la troupe en qualité de *seigneur poète ;* je persuadai au régisseur d'aller donner des représentations à Senlis et à Dammartin. Il penchait d'abord pour Compiègne ; mais Aurélie fut de mon avis. Le lendemain, pendant que l'on allait traiter avec les propriétaires des salles et les autorités, je louai des chevaux, et nous prîmes la route des étangs de Commelle pour aller déjeuner au château de la reine Blanche. Aurélie, en amazone avec ses cheveux blonds flottants, traversait la forêt comme une reine d'autrefois, et les paysans s'arrêtaient éblouis. — Madame de F... était la seule qu'ils eussent vue si imposante et si gracieuse dans ses saluts. — Après le déjeuner, nous descendîmes dans des villages rappelant ceux de la Suisse, où l'eau de la Nonette fait mouvoir des scieries. Ces aspects chers à mes souvenirs l'intéressaient sans l'arrêter. J'avais projeté de conduire Aurélie au château, près d'Orry, sur la même place verte où pour la première fois j'avais vu Adrienne. — Nulle émotion ne parut en elle. Alors je lui racontai tout ; je lui dis la source de cet amour entrevu dans les nuits, rêvé plus tard, réalisé en elle. Elle m'écoutait sérieusement et me dit : — Vous ne m'aimez pas ! Vous attendez que je vous dise : La comédienne est la même que la religieuse ; vous cherchez un drame, voilà tout, et le dénouement vous échappe. Allez, je ne vous crois plus !

Cette parole fut un éclair. Ces enthousiasmes bizarres que j'avais ressentis si longtemps, ces rêves, ces pleurs, ces désespoirs et ces tendresses..., ce n'était donc pas l'amour ? Mais où donc est-il ?

Aurélie joua le soir à Senlis. Je crus m'apercevoir qu'elle avait un faible pour le régisseur, — le jeune premier ridé. Cet homme était d'un caractère excellent et lui avait rendu des services.

Aurélie m'a dit un jour : — Celui qui m'aime, le voilà !

XIV. — DERNIER FEUILLET

Telles sont les chimères qui charment et égarent au matin de la vie. J'ai essayé de les fixer sans beaucoup d'ordre, mais bien des cœurs me comprendront. Les illusions tombent l'une après l'autre, comme les écorces d'un fruit, et le fruit, c'est l'expérience. Sa saveur est amère ; elle a pourtant quelque chose d'âcre qui fortifie, — qu'on me pardonne ce style vieilli. Rousseau dit que le spectacle de la nature console de tout. Je cherche parfois à retrouver mes bosquets de Clarens perdus au nord de Paris, dans les brumes. Tout cela est bien changé!

Ermenonville! pays où fleurissait encore l'idylle antique, — traduite une seconde fois d'après Gessner! tu as perdu ta seule étoile, qui chatoyait pour moi d'un double éclat. Tour à tour bleue et rose comme l'astre trompeur d'Aldebaran, c'était Adrienne ou Sylvie, — c'étaient les deux moitiés d'un seul amour. L'une était l'idéal sublime, l'autre la douce réalité. Que me font maintenant tes ombrages et tes lacs, et même ton désert ? Othys, Montagny, Loisy, pauvres hameaux voisins, Châalis, — que l'on restaure, — vous n'avez rien gardé de tout ce passé! Quelquefois j'ai besoin de revoir ces lieux de solitude et de rêverie. J'y relève tristement en moi-même les traces fugitives d'une époque où le naturel était affecté; je souris parfois en lisant sur le flanc des granits certains vers de Roucher, qui m'avaient paru sublimes, — ou des maximes de bienfaisance au-dessus d'une fontaine ou d'une grotte consacrée à Pan. Les étangs, creusés à si grands frais, étalent en vain leur eau morte que le cygne dédaigne. Il n'est plus, le temps où les chasses de Condé passaient avec leurs amazones fières, où les cors se répondaient de loin, multipliés par les échos!... Pour se rendre à Ermenonville, on ne trouve plus aujourd'hui de route directe. Quelquefois j'y vais par Creil et Senlis, d'autres fois par Dammartin.

A Dammartin, l'on n'arrive jamais que le soir. Je vais coucher alors à l'*Image Saint-Jean*. On me donne d'ordinaire une chambre assez propre tendue en vieille tapisserie avec un trumeau au-dessus de la glace. Cette chambre est un dernier retour vers le bric-à-brac, auquel j'ai depuis longtemps renoncé. On y dort chaudement sous l'édredon, qui est d'usage dans ce pays. Le matin, quand j'ouvre la fenêtre, encadrée de vigne et de roses, je découvre avec ravissement un horizon vert de dix lieues, où les peupliers s'alignent comme des armées. Quelques villages s'abritent çà et là sous leurs clochers aigus, construits, comme on dit là, en pointes d'ossements. On distingue d'abord Othys, — puis Ève, puis Ver; on distinguerait Ermenonville à travers le bois s'il avait un clocher, — mais dans ce lieu philosophique on a bien négligé l'église. Après avoir rempli mes poumons de l'air si pur qu'on respire sur ces plateaux, je descends gaiement et je vais faire un tour chez le pâtissier. « Te voilà, grand

frisé! — Te voilà, petit Parisien! » Nous nous donnons
les coups de poing amicaux de l'enfance, puis je gravis un
certain escalier où les joyeux cris de deux enfants
accueillent ma venue. Le sourire athénien de Sylvie illu-
mine ses traits charmés. Je me dis : « Là était le bonheur
peut-être; cependant... »

Je l'appelle quelquefois Lolotte, et elle me trouve un
peu de ressemblance avec Werther, moins les pistolets,
qui ne sont plus de mode. Pendant que le *grand frisé*
s'occupe du déjeuner, nous allons promener les enfants
dans les allées de tilleuls qui ceignent les débris des
vieilles tours de brique du château. Tandis que ces petits
s'exercent, au tir des compagnons de l'arc, à ficher dans
la paille les flèches paternelles, nous lisons quelques
poésies ou quelques pages de ces livres si courts qu'on
ne fait plus guère.

J'oubliais de dire que le jour où la troupe dont faisait
partie Aurélie a donné une représentation à Dammartin,
j'ai conduit Sylvie au spectacle, et je lui ai demandé si
elle ne trouvait pas que l'actrice ressemblait à une personne qu'elle avait connue déjà. — A qui donc ? — Vous
souvenez-vous d'Adrienne ?

Elle partit d'un grand éclat de rire en disant : « Quelle
idée! » Puis, comme se le reprochant, elle reprit en soupirant : « Pauvre Adrienne! elle est morte au couvent de
Saint-S..., vers 1832. »

CHANSONS
ET
LÉGENDES DU VALOIS

Chaque fois que ma pensée se reporte aux souvenirs de cette province du Valois, je me rappelle avec ravissement les chants et les récits qui ont bercé mon enfance. La maison de mon oncle était toute pleine de voix mélodieuses, et celles des servantes qui nous avaient suivis à Paris chantaient tout le jour les ballades joyeuses de leur jeunesse, dont malheureusement je ne puis citer les airs. J'en ai donné plus haut quelques fragments. Aujourd'hui, je ne puis arriver à les compléter, car tout cela est profondément oublié; le secret en est demeuré dans la tombe des aïeules. On publie aujourd'hui les chansons patoises de Bretagne ou d'Aquitaine, mais aucun chant des vieilles provinces où s'est toujours parlé la vraie langue française ne nous sera conservé. C'est qu'on n'a jamais voulu admettre dans les livres des vers composés sans souci de la rime, de la prosodie et de la syntaxe; la langue du berger, du marinier, du charretier qui passe, est bien la nôtre, à quelques élisions près, avec des tournures douteuses, des mots hasardés, des terminaisons et des liaisons de fantaisie, mais elle porte un cachet d'ignorance qui révolte l'homme du monde, bien plus que ne fait le patois. Pourtant ce langage a ses règles, ou du moins ses habitudes régulières, et il est fâcheux que des couplets tels que ceux de la célèbre romance : *Si j'étais hirondelle*, soient abandonnés, pour deux ou trois consonnes singulièrement placées, au répertoire chantant des concierges et des cuisinières.

Quoi de plus gracieux et de plus poétique pourtant :

Si j'étais hirondelle! — Que je puisse voler, — Sur votre sein, la belle, — J'irais me reposer!

Il faut continuer, il est vrai, par : *J'ai z'un coquin de frère*..., ou risquer un hiatus terrible; mais pourquoi aussi la langue a-t-elle repoussé ce *z* si commode, si liant, si séduisant qui faisait tout le charme du langage de l'ancien Arlequin, et que la jeunesse dorée du Directoire a tenté en vain de faire passer dans le langage des salons ?

Ce ne serait rien encore, et de légères corrections rendraient à notre poésie légère, si pauvre, si peu inspirée, ces charmantes et naïves productions de poètes modestes; mais la rime, cette sévère rime française, comment s'arrangerait-elle du couplet suivant :

La fleur de l'olivier — Que vous avez aimé, — Charmante beauté! — Et vos beaux yeux charmants, — Que mon cœur aime tant, — Les faudra-t-il quitter ?

Observez que la musique se prête admirablement à ces hardiesses ingénues, et trouve dans les assonances, ménagées suffisamment d'ailleurs, toutes les ressources que la poésie doit lui offrir. Voilà deux charmantes chansons, qui ont comme un parfum de la Bible, dont la plupart des couplets sont perdus, parce que personne n'a jamais osé les écrire ou les imprimer. Nous en dirons autant de celle où se trouve la strophe suivante :

Enfin vous voilà donc, — Ma belle mariée, — Enfin vous voilà donc — A votre époux liée, — Avec un long fil d'or — Qui ne rompt qu'à la mort.

Quoi de plus pur d'ailleurs comme langue et comme pensée; mais l'auteur de cet épithalame ne savait pas écrire, et l'imprimerie nous conserve les gravelures de Collé, de Piis et de Panard!

Les richesses poétiques n'ont jamais manqué au marin, ni au soldat français qui ne rêvent dans leurs chants que filles de roi, sultanes, et même présidentes, comme dans la ballade trop connue :

C'est dans la ville de Bordeaux — Qu'il est arrivé trois vaisseaux, etc.

Mais le tambour des gardes-françaises, où s'arrêtera-t-il, celui-là ?

Un joli tambour s'en allait à la guerre, etc.

La fille du roi est à sa fenêtre, le tambour la demande en mariage : — Joli tambour, dit le roi, tu n'es pas assez riche! — Moi ? dit le tambour sans se déconcerter,

J'ai trois vaisseaux sur la mer gentille, — L'un chargé d'or, l'autre de perles fines, — Et le troisième pour promener ma mie!

— Touche là, tambour, lui dit le roi, tu n'auras pas ma fille! — Tant pis! dit le tambour, j'en trouverai de plus gentilles!...

Après tant de richesses dévolues à la verve un peu gasconne du militaire et du marin, envierons-nous le sort du simple berger ? Le voilà qui chante et qui rêve :

Au jardin de mon père, — Vole, mon cœur vole! — Il y a z'un pommier doux, — Tout doux!
Trois belles princesses, — Vole, mon cœur vole! — Trois belles princesses — Sont couchées dessous, etc.

Est-ce donc la vraie poésie, est-ce la soif mélancolique de l'idéal qui manque à ce peuple pour comprendre et produire des chants dignes d'être comparés à ceux de l'Allemagne et de l'Angleterre ? Non, certes; mais il est arrivé qu'en France la littérature n'est jamais descendue au niveau de la grande foule; les poètes académiques du XVIIe et du XVIIIe siècle n'auraient pas plus compris de telles inspirations que les paysans n'eussent admiré leurs odes, leurs épîtres et leurs poésies fugitives, si incolores, si gourmées. Pourtant comparons encore la chanson que je vais citer à tous ces bouquets à Chloris qui faisaient vers ce temps l'admiration des belles compagnies.

Quand Jean Renaud de la guerre revint, — Il en revint triste et chagrin; — « Bonjour, ma mère. — Bonjour, mon fils! — Ta femme est accouchée d'un petit. »

« Allez, ma mère, allez devant, — Faites-moi dresser un beau lit blanc; — Mais faites-le dresser si bas — Que ma femme ne l'entende pas! »

Et quand ce fut vers le minuit, — Jean Renaud a rendu l'esprit.

Ici la scène de la ballade change et se transporte dans la chambre de l'accouchée :

« Ah! dites, ma mère, ma mie, — Ce que j'entends pleurer ici ? — Ma fille, ce sont les enfants — Qui se plaignent
du mal de dents. »

« Ah! dites, ma mère, ma mie, — Ce que j'entends clouer
ici ? — Ma fille, c'est le charpentier, — Qui raccommode
le plancher! »

« Ah! dites, ma mère, ma mie, — Ce que j'entends
chanter ici ? — Ma fille, c'est la procession — Qui fait le
tour de la maison! »

« Mais dites, ma mère, ma mie, — Pourquoi donc pleu-
rez-vous ainsi ? — Hélas! je ne puis le cacher; — C'est
Jean Renaud qui est décédé.

« Ma mère! dites au fossoyeux — Qu'il fasse la fosse
pour deux, — Et que l'espace y soit si grand, — Qu'on
y renferme aussi l'enfant! »

Ceci ne le cède en rien aux plus touchantes ballades
allemandes, il n'y manque qu'une certaine exécution de
détail qui manquait aussi à la légende primitive de Léo-
nore et à celle du roi des Aulnes, avant Gœthe et Bürger.
Mais quel parti encore un poète eût tiré de la complainte
de saint Nicolas, que nous allons citer en partie.

Il était trois petits enfants — Qui s'en allaient glaner aux
champs.

S'en vont au soir chez un boucher. — « Boucher, voudrais-tu nous loger ? — Entrez, entrez, petits enfants, —
Il y a de la place assurément. »

Ils n'étaient pas sitôt entrés, — Que le boucher les a
tués, — Les a coupés en petits morceaux, — Mis au saloir
comme pourceaux.

Saint Nicolas au bout d'sept ans, — Saint Nicolas
vint dans ce champ. — Il s'en alla chez le boucher : —
« Boucher, voudrais-tu me loger ? »

« Entrez, entrez, saint Nicolas, — Il y a d'la place, il
n'en manque pas. » — Il n'était pas sitôt entré, — Qu'il a
demandé à souper.

« Voulez-vous un morceau d'jambon ? — Je n'en veux
pas, il n'est pas bon. — Voulez-vous un morceau de veau ?
— Je n'en veux pas, il n'est pas beau!

Du p'tit salé je veux avoir, — Qu'il y a sept ans qu'est
dans l'saloir! — Quand le boucher entendit cela, — Hors
de sa porte il s'enfuya.

« Boucher, boucher, ne t'enfuis pas. — Repens-toi, Dieu
te pardonn'ra. » — Saint Nicolas posa trois doigts — Dessus le bord de ce saloir :

Le premier dit : « J'ai bien dormi! » — Le second dit : « Et moi aussi! » — Et le troisième répondit : — « Je croyais être en paradis! »

N'est-ce pas là une ballade d'Uhland, moins les beaux vers ? Mais il ne faut pas croire que l'exécution manque toujours à ces naïves inspirations populaires.

La chanson que nous avons citée plus haut : *Le roi Loys est sur son pont*, a été composée sur un des plus beaux airs qui existent; c'est comme un chant d'église croisé par un chant de guerre; on n'a pas conservé la seconde partie de la ballade, dont pourtant nous connaissons vaguement le sujet. Le beau Lautrec, l'amant de cette noble fille, revient de la Palestine au moment où on la portait en terre. Il rencontre l'escorte sur le chemin de Saint-Denis. Sa colère met en fuite prêtres et archers, et le cercueil reste en son pouvoir. « Donnez-moi, dit-il à sa suite, donnez-moi mon couteau d'or fin, que je découse ce drap de lin! » Aussitôt délivrée de son linceul, la belle revient à la vie. Son amant l'enlève et l'emmène dans son château au fond des forêts. Vous croyez *qu'ils vécurent heureux* et que tout se termina là; mais une fois plongé dans les douceurs de la vie conjugale, le beau Lautrec n'est plus qu'un mari vulgaire, il passe tout son temps à pêcher au bord de son lac, si bien qu'un jour sa fière épouse vient doucement derrière lui et le pousse résolument dans l'eau noire, en lui criant :

Va-t'en, vilain pêche-poissons, — Quand ils seront bons — Nous en mangerons.

Propos mystérieux, digne d'Arcabonne ou de Mélusine. — En expirant, le pauvre châtelain a la force de détacher ses clefs de sa ceinture et de les jeter à la fille du roi, en lui disant qu'elle est désormais maîtresse et souveraine, et qu'il se trouve heureux de mourir par sa volonté!... Il y a dans cette conclusion bizarre quelque chose qui frappe involontairement l'esprit, et qui laisse douter si le poëte a voulu finir par un trait de satire, ou si cette belle morte que Lautrec a tirée du linceul n'était pas une sorte de femme vampire, comme les légendes nous en présentent souvent.

Du reste, les variantes et les interpolations sont fréquentes dans ces chansons; chaque province possédait une version différente. On a recueilli comme une légende du

Bourbonnais, *la jeune fille de la Garde*, qui commence
ainsi :

> Au château de la Garde, — Il y a trois belles filles, — Il
> y en a une plus belle que le jour, — Hâte-toi, capitaine,
> — Le duc va l'épouser.

C'est celle que nous avons citée, qui commence ainsi :

> Dessous le rosier blanc — La belle se promène.

Voilà le début, simple et charmant; où cela se passe-
t-il ? Peu importe! Ce serait si l'on voulait la fille d'un
sultan rêvant sous les bosquets de Schiraz. Trois cavaliers
passent au clair de la lune : — Montez, dit le plus jeune,
sur mon beau cheval gris. N'est-ce pas là la course de
Lénore, et n'y a-t-il pas une attraction fatale dans ces
cavaliers inconnus!

Ils arrivent à la ville, s'arrêtent à une hôtellerie éclairée
et bruyante. La pauvre fille tremble de tout son corps :

> Aussitôt arrivée, — L'hôtesse la regarde. — « Êtes-vous
> ici par force — ou pour votre plaisir ? — Au jardin de
> mon père — Trois cavaliers m'ont pris. »

Sur ce propos le souper se prépare : « Soupez, la belle,
et soyez heureuse;

> Avec trois capitaines, — Vous passerez la nuit. »

Mais le souper fini, — La belle tomba morte. — Elle
tomba morte — Pour ne plus revenir!

« Hélas! ma mie est morte! s'écria le plus jeune cavalier, qu'en allons-nous faire?... » Et ils conviennent de la
reporter au château de son père, sous le rosier blanc.

> Et au bout de trois jours — La belle ressuscite : —
> « Ouvrez, ouvrez, mon père, — Ouvrez sans plus tarder!
> — Trois jours j'ai fait la morte — Pour mon honneur
> garder. »

La vertu des filles du peuple attaquée par des seigneurs
félons a fourni encore de nombreux sujets de romances.
Il y a, par exemple, la fille d'un pâtissier, que son père
envoie porter des gâteaux chez un galant châtelain.
Celui-ci la retient jusqu'à la nuit close, et ne veut plus la

laisser partir. Pressée de son déshonneur, elle feint de céder, et demande au comte son poignard pour couper une agrafe de son corset. Elle se perce le cœur, et les pâtissiers instituent une fête pour cette martyre boutiquière.

Il y a des chansons de *causes célèbres* qui offrent un intérêt moins romanesque, mais souvent plein de terreur et d'énergie. Imaginez un homme qui revient de la chasse et qui répond à un autre qui l'interroge :

« J'ai tant tué de petits lapins blancs — Que mes souliers sont pleins de sang. — T'en as menti, faux traître! — Je te ferai connaître. — Je vois, je vois à tes pâles couleurs — Que tu viens de tuer ma sœur! »

Quelle poésie sombre en ces lignes qui sont à peine des vers! Dans une autre, un déserteur rencontre la maréchaussée, cette terrible Némésis au chapeau bordé d'argent.

On lui a demandé — « Où est votre congé ? — Le congé, que j'ai pris, il est sous mes souliers. »

Il y a toujours une amante éplorée mêlée à ces tristes récits.

La belle s'en va trouver son capitaine. — Son colonel et aussi son sergent...

Le refrain est une mauvaise phrase latine, sur un ton de plain-chant, qui prédit suffisamment le sort du malheureux soldat.

Quoi de plus charmant que la chanson de Biron, si regretté dans ces contrées :

— Quand Biron voulut danser, — Quand Biron voulut danser, — Ses souliers fit apporter, — Ses souliers fit apporter; — Sa chemise — De Venise, — Son pourpoint — Fait au point, — Son chapeau tout rond; — Vous danserez, Biron!

Nous avons cité deux vers de la suivante :

La belle était assise — Près du ruisseau coulant, — Et dans l'eau qui frétille, — Baignait ses beaux pieds blancs : — Allons, ma mie, légèrement! — Légèrement!

C'est une jeune fille des champs qu'un seigneur surprend au bain comme Percival surprit Grisélidis. Un enfant sera le résultat de leur rencontre. Le seigneur dit :

« En ferons-nous un prêtre, — Ou bien un président ?

— Non, répond la belle, ce ne sera qu'un paysan :

— On lui mettra la hotte — Et trois oignons dedans...
— Il s'en ira criant : — Qui veut mes oignons blancs ?...
— Allons, ma mie, légèrement, etc. »

Voici un conte de veillée que je me souviens d'avoir entendu réciter par les vanniers :

LA REINE DES POISSONS

Il y avait dans la province du Valois, au milieu des bois de Villers-Cotterêts, un petit garçon et une petite fille qui se rencontraient de temps en temps sur les bords des petites rivières du pays, l'un obligé par un bûcheron nommé Tord-Chêne, qui était son oncle, à aller ramasser du bois mort, l'autre envoyée par ses parents pour saisir de petites anguilles que la baisse des eaux permet d'entrevoir dans la vase en certaines saisons. Elle devait encore, faute de mieux, atteindre entre les pierres les écrevisses, très nombreuses dans quelques endroits.

Mais la pauvre petite fille, toujours courbée et les pieds dans l'eau, était si compatissante pour les souffrances des animaux que, le plus souvent, voyant les contorsions des poissons qu'elle tirait de la rivière, elle les y remettait et ne rapportait guère que les écrevisses, qui souvent lui pinçaient les doigts jusqu'au sang, et pour lesquelles elle devenait alors moins indulgente.

Le petit garçon, de son côté, faisant des fagots de bois mort et des bottes de bruyère, se voyait exposé souvent aux reproches de Tord-Chêne, soit parce qu'il n'en avait pas assez rapporté, soit parce qu'il s'était trop occupé à causer avec la petite pêcheuse.

Il y avait un certain jour dans la semaine où ces deux enfants ne se rencontraient jamais... Quel était ce jour ? Le même sans doute où la fée Mélusine se changeait en poisson, et où les princesses de l'Edda se transformaient en cygnes.

Le lendemain d'un de ces jours-là, le petit bûcheron dit à la pêcheuse : « Te souviens-tu qu'hier je t'ai vue passer là-bas dans les eaux de Challepont avec tous les poissons qui te faisaient cortège... jusqu'aux carpes et aux brochets; et tu étais toi-même un beau poisson rouge avec les côtés tout reluisants d'écailles en or. »

— Je m'en souviens bien, dit la petite fille, puisque je t'ai vu, toi qui étais sur le bord de l'eau, et que tu ressemblais à un beau *chêne vert*, dont les branches d'en haut étaient d'or..., et que tous les arbres du bois se courbaient jusqu'à terre en te saluant.

— C'est vrai, dit le petit garçon, j'ai rêvé cela.

— Et moi aussi j'ai rêvé ce que tu m'as dit : mais comment nous sommes-nous rencontrés deux dans le rêve ?...

En ce moment, l'entretien fut interrompu par l'apparition de Tord-Chêne, qui frappa le petit avec un gros gourdin, en lui reprochant de n'avoir pas seulement lié encore un fagot.

— Et puis, ajouta-t-il, est-ce que je ne t'ai pas recommandé de tordre les branches qui cèdent facilement, et de les ajouter à tes fagots ?

— C'est que, dit le petit, le garde me mettrait en prison, s'il trouvait dans mes fagots du bois vivant... Et puis, quand j'ai voulu le faire, comme vous me l'aviez dit, j'entendais l'arbre qui se plaignait.

— C'est comme moi, dit la petite fille, quand j'emporte des poissons dans mon panier, je les entends qui chantent si tristement que je les rejette dans l'eau... Alors on me bat chez nous !

— Tais-toi, petite masque ! dit Tord-Chêne, qui paraissait animé par la boisson, tu déranges mon neveu de son travail. Je te connais bien, avec tes dents pointues couleur de perle... Tu es la reine des poissons... Mais je saurai bien te prendre à un certain jour de la semaine, et tu périras dans l'osier... dans l'osier !

Les menaces que Tord-Chêne avait faites dans son ivresse ne tardèrent pas à s'accomplir. La petite fille se trouva prise sous la forme de poisson rouge, que le destin l'obligeait à prendre à de certains jours. Heureusement, lorsque Tord-Chêne voulut, en se faisant aider de son neveu, tirer de l'eau la nasse d'osier, ce dernier reconnut le beau poisson rouge à écailles d'or qu'il avait vu en rêve, comme étant la transformation accidentelle de la petite pêcheuse.

Il osa la défendre contre Tord-Chêne et le frappa même de sa galoche. Ce dernier, furieux, le prit par les cheveux, cherchant à le renverser ; mais il s'étonna de trouver une grande résistance : c'est que l'enfant tenait des pieds à la terre avec tant de force que son oncle ne pouvait venir à bout de le renverser ou de l'emporter, et le faisait en vain virer dans tous les sens.

Au moment où la résistance de l'enfant allait se trouver vaincue, les arbres de la forêt frémirent d'un bruit sourd, les branches agitées laissèrent siffler les vents, et la tempête fit reculer Tord-Chêne, qui se retira dans sa cabane de bûcheron.

Il en sortit bientôt, menaçant, terrible et transfiguré comme un fils d'Odin ; dans sa main brillait cette hache scandinave qui menace les arbres, pareille au marteau de Thor brisant les rochers.

Le jeune roi des forêts, victime de Tord-Chêne, — son oncle, usurpateur, — savait déjà quel était son rang, qu'on voulait lui cacher. Les arbres le protégeaient, mais seulement par leur masse et leur résistance passive...

En vain les broussailles et les surgeons s'entrelaçaient de tous côtés pour arrêter les pas de Tord-Chêne, celui-ci a appelé ses bûcherons et se trace un chemin à travers ces obstacles. Déjà plusieurs arbres, autrefois sacrés du temps des vieux druides, sont tombés sous les haches et les cognées.

Heureusement, la reine des poissons n'avait pas perdu de temps. Elle était allée se jeter aux pieds de la *Marne*, de l'*Oise* et de l'*Aisne*, — les trois grandes rivières voisines, leur représentant que si l'on n'arrêtait pas les projets de Tord-Chêne et de ses compagnons, les forêts trop éclaircies n'arrêteraient plus les vapeurs qui produisent les pluies et qui fournissent l'eau aux ruisseaux, aux rivières et aux étangs ; que les sources elles-mêmes seraient taries et ne feraient plus jaillir l'eau nécessaire à alimenter les rivières ; sans compter que tous les poissons se verraient détruits en peu de temps, ainsi que les bêtes sauvages et les oiseaux.

Les trois grandes rivières prirent là-dessus de tels arrangements que le sol où Tord-Chêne, avec ses terribles bûcherons, travaillait à la destruction des arbres, — sans toutefois avoir pu atteindre encore le jeune prince des forêts, — fut entièrement noyé par une immense inondation, qui ne se retira qu'après la destruction entière des agresseurs.

Ce fut alors que le roi des forêts et la reine des poissons purent de nouveau reprendre leurs innocents entretiens.

Ce n'étaient plus un petit bûcheron et une petite pêcheuse, — mais un Sylphe et une Ondine, lesquels, plus tard, furent unis légitimement.

Nous nous arrêtons dans ces citations si incomplètes, si difficiles à faire comprendre sans la musique et sans la poésie des lieux et des hasards, qui font que tel ou tel de ces chants populaires se grave ineffaçablement dans l'esprit. Ici ce sont des compagnons qui passent avec leurs longs bâtons ornés de rubans; là des mariniers qui descendent un fleuve; des buveurs d'autrefois (ceux d'aujourd'hui ne chantent plus guère), des lavandières, des faneuses, qui jettent au vent quelques lambeaux des chants de leurs aïeules. Malheureusement on les entend répéter plus souvent aujourd'hui les romances à la mode, platement spirituelles, ou même franchement incolores, variées sur trois à quatre thèmes éternels. Il serait à désirer que de bons poètes modernes missent à profit l'inspiration naïve de nos pères, et nous rendissent, comme l'ont fait les poètes d'autres pays, une foule de petits chefs-d'œuvre qui se perdent de jour en jour avec la mémoire et la vie des bonnes gens du temps passé.

JEMMY

I

COMMENT JACQUES TOFFEL ET JEMMY O'DOUGHERTY TIRÈRENT A LA FOIS DEUX ÉPIS ROUGES DE MAÏS.

A moins de cent milles de distance du confluent de l'Alleghany et du Monongehala, est situé un vallon délicieux, ou ce qu'on appelle dans la langue du pays un *bottom*, véritable paradis borné de tous côtés par des montagnes et par le cours de l'Ohio, que les Français ont surnommé *Belle Rivière*. Le versant et la cime des hauteurs qui s'étagent doucement vers l'horizon sont revêtus d'une riche végétation de sycomores centenaires, d'aunes et d'acacias, tous unis par le tissu de la vigne sauvage, et sous lesquels on respire une douce fraîcheur. Sur le premier plan, les deux rivières réunies dans l'Ohio roulent paisiblement leurs eaux jumelles, offrant çà et là une barque qui glisse sur les eaux tranquilles, ou parfois quelque bateau à vapeur, volant comme une flèche qui fait surgir des bandes effarouchées de canards et d'oies sauvages établis sous l'ombre des sycomores et des saules pleureurs. Un seul sentier conduit à la partie supérieure du canton, à ce qu'on appelle le haut pays, où, depuis soixante ans, des Anglais, des Irlandais, des Allemands, et autres races européennes, se sont établis, alliés et fondus ensemble complètement. Ce n'est pas à dire pourtant que cette grande famille républicaine ne manifeste plus par aucun signe sa diversité d'origine. Le descendant allemand, par exemple, tient encore fortement à sa *sauerkraut* *; il préfère encore son *blockhaus*, simple

---

* Choucroute. *Blockhaus*, maison construite en troncs d'arbres équarris. *Franchouse*, maison de charpente revêtue de pierres et de plâtre.

et rustique comme lui, à l'élégante *franchouse* de ses
voisins; la couleur favorite de son habit à larges pans
est toujours bleue; ses bas sont de cette couleur; ses
gros souliers ronds portent le dimanche d'épaisses
boucles d'argent, et, comme ses aïeux encore, il affec-
tionne les *inexpressibles* en peau nouées au-dessous du
genou avec des courroies.

La mode tyrannique, ou, comme on l'appelle là-bas,
la *fashion*, n'a encore trouvé que peu d'occasions d'étendre
son empire, et un chapeau très simple en paille et en
soie, une robe encore plus simple d'une étoffe fabriquée
dans le pays, forment toute la parure dont les familles
permettent aux jeunes demoiselles d'augmenter le pouvoir de leurs charmes.

Malgré cette résistance obstinée des têtes allemandes,
les différents partis vivent dans la plus parfaite union :
peut-être même ces nuances contribuent-elles à l'agré-
ment de leurs réunions et fêtes assez fréquentes, connues
en général sous le nom de *frohlics*. On appelle ainsi en
effet les assemblées qui ont lieu chez l'un ou chez l'autre
pour écosser en commun les épis de maïs. Il faut voir
les couples joyeux accourant par une belle soirée d'automne des quatre points cardinaux, franchissant les haies,
se frayant une route à travers les broussailles, sortant
enfin des bois avec des joues rouges comme l'écarlate, et
se secouant les mains en arrivant à faire craquer leurs os.
Puis ils s'asseyent en demi-cercle devant la maison du
rendez-vous, ayant en face une montagne de tiges de
maïs, et derrière eux le vieux Bambo, destiné à couronner
la fête par son talent musical, mais qui, couché en attendant sur le banc du poêle, s'abandonne provisoirement à
un sommeil tant soit peu bruyant.

Il y a environ quarante ans qu'il y eut une de ces réunions dans la colonie, chez Jacques Blocksberger. Parmi
les jeunes gens qui y accoururent de plus de cinq milles
à la ronde, il s'en trouva surtout deux qu'on salua avec
un empressement particulier. C'était d'abord une fraîche
miss irlandaise, portant le nom sonore de Jemmy O'Dougherty, ronde et fraîche jeune fille, ayant une gracieuse
figure de lutin, des joues bien roses, un cou de cygne,
des yeux d'un bleu grisâtre, dont certains regards faisaient mal, enfin un petit nez tant soit peu aquilin qui
faisait supposer à celle à qui il appartenait une certaine
dose de sagacité et aussi d'assurance et d'inflexibilité
irlandaises, dont son futur époux devait attendre quelque

signification en bien ou en mal. Mais, si elle ne semblait pas aussi patiente que Job, elle était du moins aussi pauvre, ce qui ne l'empêchait pas de savoir arranger les choses de manière à paraître partout avec avantage, et dans une toilette irréprochable pour le pays.

Le second personnage dont nous avions à parler était mister Christophorus, ou, comme on l'appelait ordinairement, le riche Toffel (abréviation allemande de Christophe), garçon de six pieds six pouces américains, en apparence un peu lâche, mais nerveux et solidement constitué. Indépendamment de ces avantages, et ils n'étaient pas à dédaigner, Christophorus possédait encore une métairie de trois cents acres, tout le vallon de l'Ohio dont nous avons fait une description, une grange bâtie en pierre, une maison ornée de jalousies peintes en vert, et pourvue d'un toit en bardeaux également peints en rouge, et, à ce qu'on disait encore, deux bas de laine bleue que lui avait laissés son père, et qui étaient entièrement remplis de bons dollars espagnols. Aussi, lorsque Toffel passait devant quelque ferme sur son cheval gris, en sifflant un air allemand, le cœur de plus d'une blondine se mettait à battre plus vite.

Il arriva donc que Jemmy se trouva placée à côté de Toffel. Comment cela se fit, c'est ce que la chronique ne dit pas bien clairement; mais ce qui paraît certain, c'est que la volonté de ce dernier ne fut pour rien dans ce hasard. Toffel, comme nous l'avons dit, était un grand garçon à larges épaules, et, comme les bancs du local n'étaient rien moins que commodes, il s'assit sur le tronc d'un hickory; Jemmy choisit sa place tout à côté de lui, comme pour se séparer d'un certain groupe de jeunes gens plus bruyants et plus entreprenants que notre héros. En effet, celui-ci siégeait sans mauvaise pensée, paisible comme un citoyen sensé des Etats-Unis, écossant des épis de maïs, et pensant à son énorme cheval, à son bétail, et à ses bas bleus, ainsi qu'à mille autres choses, excepté à sa gentille voisine. Nous ne voulons pas dire que sa voisine pensât à lui; seulement, avec toute la complaisance d'une âme chrétienne, elle entassait d'une main leste un grand nombre de tiges devant son voisin, qui, long et maladroit qu'il était, n'avait plus qu'à étendre le bras pour les écosser commodément. Mais Toffel ne faisait nulle attention à cette main amicale, et continuait d'écosser jusqu'à ce que, le tas diminuant, il lui fallait se courber et s'étendre à sa grande gêne; mais alors ce fut

encore elle qui se courba gracieusement, et rassembla
quelques douzaines d'épis dans son tablier pour les poser
en petit tas devant lui, le tout avec une grâce si enchanteresse qu'il était presque impossible de lui résister. Mais
soyez assuré que toute cette attention eût encore échappé
aux regards de notre tête carrée d'Allemand si, précisément dans l'instant où elle tournait d'une manière si
attrayante devant lui, son œil n'eût rencontré par hasard
celui de Toffel, et cet œil, dirent quelques mauvaises
langues, avait alors une expression si irrésistible que
Toffel, pour la première fois, ouvrit grandement les
siens.

Sur quoi, il se remit à écosser son maïs, et à prendre de
temps en temps une gorgée de whiskey, sans un mot de
remerciement à sa gentille et complaisante voisine. Faut-il
s'étonner si elle se lassa d'aider à la paresse d'une bûche
si insensible ? Donc, quand le troisième tas fut écossé,
Jemmy ne s'occupa pas davantage de Toffel. Quoi qu'il
en soit, celui-ci commençait à se trouver assez bien, et
à prendre plus souvent sa gorgée de whiskey, quand le
sort jaloux le menaça de le priver de cette consolation.

Plusieurs heures s'étaient déjà envolées depuis que la
société s'était livrée au travail, quand le hasard voulut
que les deux voisins tirassent à la fois chacun deux épis
de grain rouge. Mais il faut savoir que, suivant un usage
respectable établi aux Etats-Unis, deux épis rouges qui
sont tirés et écossés en même temps par deux individus
qualifiés, comme Jemmy O'Dougherty et Jacques Toffel,
confèrent au plus fort des deux le droit de donner et
même au besoin de prendre un baiser à l'autre.

Toffel était donc en possession d'un titre aussi valable
qu'aucun autre au monde, mais peu s'en fallut qu'il ne
le perdît, en négligeant d'en user. En effet, déjà il avait
laissé tomber sa tige, quand Jemmy, brave fille! s'avisa
d'avoir des yeux pour lui. — Deux épis rouges! s'écria-
t-elle! dans une naïve ignorance de ce qu'elle faisait. —
Deux épis rouges! s'écrièrent aussitôt cinquante gosiers,
et toute la société se mit debout comme si la foudre était
tombée au milieu d'elle. Ici il fut impossible à notre Toffel
de ne pas comprendre la cause de cette émotion générale.
Aussi parut-il enfin jaloux du droit que le hasard lui
avait conféré; mais il fallait encore vaincre la résistance
de tout le corps féminin, qui forma autour de Jemmy un
carré qui aurait défié tout un bataillon de freluquets de
la ville. Cependant Toffel n'était pas homme à se laisser

arrêter par de vaines démonstrations; il s'avança vers les
conjurées, saisit commodément chacune de ses adver-
saires après l'autre, en jeta une demi-douzaine sur un
tas d'épis à sa droite, une demi-douzaine sur un autre tas
à sa gauche, et se fraya ainsi la route jusqu'à Jemmy,
qui, il faut le dire, lui résista bravement; mais la citadelle
la plus forte finit par se rendre, et ainsi céda enfin notre
Irlandaise, qui laissa Toffel imprimer paisiblement ses
lèvres larges d'un pouce sur les siennes, bien qu'elle eût
pu, à ce que prétendirent quelques compagnes jalouses,
éviter en partie ce terrible contact.

Il arriva que, peu de temps après, par un beau soir
de décembre, Toffel sella son étalon gris pommelé, et
monta au petit trot les sinuosités qui conduisent encore
aujourd'hui de Toffelsville au pays haut, à travers les
montagnes de l'Ohio.

C'était une chose réjouissante que de voir les belles
fermes au milieu desquelles il eut à passer dans sa course.
Plus d'une fille fraîche et gentille, et, ce qui veut dire
plus, mainte jeune fille ayant une bonne dot, vivait dans
ces habitations d'un extérieur grossier; plus d'une jolie
bouche cria à Toffel : — Hé! Toffel, encore en route si
tard ? Ne voulez-vous pas entrer ? Mais Toffel n'avait
ni yeux ni oreilles, et continuait son chemin; et les fermes
prirent un aspect toujours plus chétif, jusqu'à ce qu'enfin
il arrivât à une pièce de terre, couverte de châtaigniers,
où sa patience semblait sur le point de l'abandonner.
C'est qu'il ne pouvait jamais voir sans humeur cette
espèce d'arbres, qu'il regardait avec raison comme le
signe le plus certain de l'infécondité du sol. — Et pourtant, Toffel, tu continues encore à trotter; es-tu donc tellement indifférent à ton repos que tu te laisses ensorceler
par les yeux de ce gentil lutin aux cheveux dorés, que le
malin esprit lui-même ne parviendrait pas à maîtriser,
qui, semblable au chat, sait à la fois égratigner et caresser,
rire et pleurer, le tout dans un seul et même instant ? Réflé-
chis, cher Toffel, suspends ton pèlerinage! L'eau et le
feu, le whiskey et le thé, des gâteaux de maïs, tout cela
irait-il ensemble ?... Mais le voici à l'extrémité du plant
de châtaigniers, et même devant un, comment le nom-
merons-nous ? devant une espèce d'édifice qui semble
dater des guerres des Indiens. Toffel secoua la tête d'un
air pensif : c'est la maison du vieux Davy O'Dougherty,
et c'est une maison d'un misérable aspect. Et sa grange ?
il n'en a pas; ses haies ? on a honte de les regarder.

Oui, sa ferme offre un triste tableau de l'industrie irlandaise; point de cheval, point de charrue; toute la fortune agricole de Davy se réduit à quelques pièces étroites de terre, semées de maïs et de pommes de terre.

Toffel fit une longue pause, indécis, pensif; mais justement le vieux Davy était assis près de sa porte, avec sa vénérable moitié aux cheveux roux, et une demi-douzaine de petits monstres de la même couleur. Jemmy seule... il serait peu galant de ne pas la dire franchement blonde, était la grâce et l'ornement de la triste cabane. Elle préparait le thé, et mettait sur la table des gâteaux de maïs. Toffel alla s'asseoir devant la cheminée sans avoir à peine desserré les lèvres, et n'eût point bougé de cette place, si, en sa qualité d'Allemand, l'odeur de la fumée du charbon de terre ne l'eût désagréablement affecté; il se leva brusquement pour chercher une atmosphère plus pure, pendant que Jemmy, le voyant à moitié aveuglé, s'enfuyait dans la cuisine avec un rire moqueur. Toffel hésita un instant entre les deux portes, mais involontairement il se trouva transporté devant le feu de la cuisine, qui, étant de bois, lui plut davantage que l'autre, et auquel Jemmy daigna bientôt prendre place à ses côtés.

Un quart d'heure s'était écoulé et pas une pensée immodeste ou quelconque n'avait traversé le cerveau de notre cavalier. La seule licence qu'il se permit de prendre consistait de transporter son chapeau d'un genou sur l'autre. Enfin cependant il prit courage, et regardant fixement sa voisine, il lui demanda en anglais si elle ne voulait pas le prendre pour mari.

— Que voulez-vous que je fasse d'un Allemand ? Telle fut la réponse un peu dure de la malicieuse Irlandaise, qui, en rabaissant la marchandise qu'elle convoitait, n'avait d'autre but que de se l'assurer à meilleur marché. Mais songez bien à ce qu'était une telle réponse adressée par une petite créature comme Jemmy à un homme comme Toffel, garçon de six pieds, possesseur de trois cents acres de terre et de deux bas bleus garnis.

Toffel n'était rien moins que fier, mais cependant il se leva fort déconcerté, tira son chapeau, et s'apprêtait à sortir en soupirant de la cuisine, lorsque la rusée jeune fille, se glissant entre lui et la porte, lui dit en lui prenant la main : — Et si je vous prends, me promettez-vous d'être bon enfant ? Le dialogue dès lors prit des formes plus précises, et Toffel ne tarda pas à aller rejoindre son

gris pommelé, après avoir rudement serré la main de
sa future.

Quelques jours après, le ministre protestant Gaspard
Ledermaul, ancien tailleur, bénissait le mariage de
Jacques Toffel et de Jemmy O'Dougherty, ce qui semblerait devoir mettre fin à notre histoire, si nous en vou-
lions abandonner légèrement les héros, et si l'on ne
savait d'ailleurs que les mariages n'offrent pas moins
de péripéties que les amours les plus traversées.

II

COMMENT JEMMY O'DOUGHERTY EUT TORT D'ALLER
A UN MEETING SUR UN TROP GRAND CHEVAL.

Jacques Toffel n'avait pas encore accompli sa vingt
et unième année, quand il entra dans la lune de miel, et
ici nous devons dire à sa louange qu'il sut jouir du bonheur
avec sa modération accoutumée. Nous n'avons pas laissé
voir qu'il fût dissipé; et, assurément, nulle tentation ne
lui vint d'introduire sa femme dans la haute société du
Saratoga, et de vider ainsi les deux bas bleus. Quant à mistress Toffel, ce n'était pas, certes, une méchante fille;
il y avait en elle toujours cette sorte de diablerie irlandaise qui ne lui permettait pas d'être en repos, tant que
son mari n'avait pas fait sa volonté. Pour tout dire en un
mot, c'était elle qui portait les culottes ou les *inexpressibles*,
selon la chaste locution anglaise. D'ailleurs notre couple
vivait heureux; un jeune Toffel ne tarda pas à faire son
apparition dans le monde, et surtout alors l'heureux fermier ne regretta pas d'avoir tiré son épi rouge.

Or, il advint qu'un missionnaire se présenta vers ce
temps dans la colonie, avec la prétention d'enseigner à
nos bonnes gens un chemin plus court que par le passé
pour gagner la porte du ciel. Afin de donner à son projet
l'impulsion nécessaire, il avait annoncé un meeting, après
s'être assuré préalablement de l'assentiment des dames.
Mistress Toffel, dont le respectable pasteur avait recher-
ché surtout le patronage, avait décidé, pour répondre à
cet égard flatteur, que son jeune fils serait baptisé en
cette occasion, et que le père le transporterait dans ses
bras au meeting.

Jusqu'ici, tout était bien, et Toffel n'y trouvait guère à redire; toutefois, en sellant ses deux chevaux, il éprouva une sorte de malaise, et comme un pressentiment fâcheux lorsqu'il s'occupa de son grand cheval gris. Mistress Toffel avait conçu pour cet animal une telle prédilection qu'elle avait déclaré n'en pas vouloir monter d'autre. A la vérité, comparés au grand cheval entier de Toffel, les autres n'étaient que des chats; mais Jemmy n'était pas une géante, et les petits chevaux lui eussent convenu mieux toujours qu'à son mari. Celui-ci était, depuis peu, devenu ambitieux, et aspirait aux emplois publics; et il fallait qu'il arrivât disgracieusement sur une de ces rosses, en s'exposant aux railleries et aux suppositions de la foule! En tirant les chevaux de l'écurie, il vit précisément sa femme sur le seuil de la maison; mais sur son front était écrite cette inflexible résolution à laquelle le pauvre homme n'avait guère l'usage de résister. Il la laissa donc monter sur un tronc d'arbre, d'où elle s'élança sur le gris pommelé, dont elle saisit la bride avec grâce et autorité.

La voilà sur cet animal immense, semblable à un malicieux babouin qui s'apprête à mettre à l'épreuve la mansuétude d'un patient dromadaire. Toffel la regardait la bouche ouverte et les yeux fixes.

— Ma chère! dit-il après un long combat intérieur, je vous en prie, prenez le petit cheval, et me laissez le plus grand.

— Toffel, s'écria sa moitié, sûrement vous n'êtes pas assez fou pour songer à cela précisément en ce moment.

— Si, je suis assez fou pour cela; et si je prends ce veau irlandais, je serai à la fois à pied et à cheval.

Ses paroles, ses regards étonnèrent la dame; ils indiquaient une sorte de révolte contre son pouvoir, et elle sentit que tout son règne dépendait de la résolution qu'elle prendrait en ce moment décisif, et c'est dans cette idée qu'elle donna un grand coup de fouet à son cheval, qui, en deux élans, l'emporta hors de la cour.

Toffel n'eut donc rien de mieux à faire que de monter sur la rosse, en soupirant et en murmurant quelques phrases de sa langue incomprise, comme *sapperment! verflucht!* et autres aménités germaniques dont il pouvait, au besoin, dissimuler le sens. Tout à coup il fut interrompu dans son monologue par un cri parti du haut de la montagne. Toffel jeta les yeux autour de lui, puis il regarda la hauteur, mais il n'aperçut rien; rien ne se faisait plus entendre, et pourtant la voix qui avait percé ses oreilles était la voix aiguë et sonore de sa femme, il en était certain. Elle l'avait devancé au galop de quelques centaines de pas, et bientôt les sinuosités de la route, à travers les montagnes, l'avaient dérobée à ses regards. — Le cheval gris l'a certainement jetée à bas, se dit le loyal garçon ; et à peine cette idée s'était-elle présentée à son esprit qu'il vit, en effet, son coursier favori descendre à grands bonds la montagne. Toffel fut saisi de frayeur ; il se jeta, des deux jambes à la fois, à bas de sa rosse, et courut au-devant du cheval fougueux, qui, reconnaissant son maître, s'arrêta tranquillement jusqu'à ce qu'il l'eût débarrassé de la selle de Jemmy, et qu'il eût monté dessus avec son rejeton. Alors Toffel se dirigea au grandissime trot vers le haut de la montagne, et courut au secours de sa moitié, de laquelle bien d'autres ne se seraient guère plus inquiétés après la manière dont elle s'était comportée ; mais Toffel était d'une bonne pâte d'Allemand ; et il se hâta de tout son pouvoir d'arriver à l'endroit fatal où elle devait avoir établi sa couche. Une seconde fois il entendit crier, mais ce n'était pas sa voix ordinaire, c'était plutôt un cri de détresse. Ce cri se renouvela, et, trempé d'une sueur froide, Toffel alors lança son cheval ventre à terre du côté d'où semblait venir la voix de sa femme ; mais point de traces. Il regarda à droite, à gauche, puis à terre, et enfin il remarqua avec un horrible serrement de cœur des traces de pas d'hommes, et à côté les empreintes des pieds de sa femme. Des hommes étaient venus là, c'était évident ; mais dire ce qu'était devenue sa femme, c'était une chose bien difficile, les traces se perdaient dans la forêt. Il examina de nouveau ces traces, et il reconnut avec consternation la large empreinte des mocassins des Indiens. Un regard vers la forêt lui fit apercevoir quelque chose d'un gris noir, c'était une plume d'aigle : plus de doute, sa malheureuse Jemmy venait d'être surprise et enlevée par les Indiens.

Toffel aimait sincèrement sa femme ; cependant il n'eut point d'évanouissement, et toute la force de son amour ne put lui arracher une larme ; et, au lieu de perdre du temps en vaines lamentations, il courut au grand galop rejoindre le meeting, apprit à ses voisins que les Indiens avaient surpris et enlevé sa femme tandis qu'elle se rendait à l'assemblée, ajoutant qu'il fallait qu'il la recouvrât à tout prix, et que s'ils étaient bons voisins, et s'ils voulaient être des hommes libres, il fallait qu'ils vinssent courir en toute hâte avec lui sur les traces de ces

Peaux-Rouges pour leur reprendre sa Jemmy. Comme
ceux à qui il s'adressait étaient en effet des hommes de
cœur, Toffel, en peu d'heures, se vit à la tête de cinquante
jeunes gens, qui, tenant d'une main leurs carabines et de
l'autre la bride de leurs chevaux, juraient de venger
dignement l'enlèvement de la nouvelle Hélène.

Il n'était pas rare, en ce temps, que les colons des
Etats-Unis eussent à poursuivre des Indiens pour un
semblable motif; mais pendant que Toffel et ses vaillants
compagnons sont occupés à retrouver les traces des Peaux-
Rouges qui avaient enlevé Jemmy Bœrenhenter, nous
allons, nous conformant encore plus directement aux
usages chevaleresques, rejoindre notre dame, pour lui
prêter au besoin aide et secours.

Donc, Jemmy, l'entêtée Jemmy, avait été seule en
avant de quelques centaines de pas, ainsi que nous
l'avons déjà dit. C'était d'abord une chose qu'une femme
raisonnable n'aurait jamais faite : elle se serait tenue à
côté de son mari, d'un aussi bon mari surtout que l'était
incontestablement Toffel, notamment dans des temps
si critiques, où les sauvages parcouraient encore en
partisans tout l'Etat d'Ohio, et s'avançaient même jusqu'au fort Pitt, attendu que, précisément à cette époque,
les Etats-Unis étaient engagés avec eux dans une guerre
sanglante. Sans doute elle cria vaillamment, mais il
était trop tard; probablement les Indiens en avaient déjà
trop vu pour renoncer, en faveur de ses cris, à une si
belle proie. L'un monta sur le cheval gris et la prit en
croupe, pendant qu'un second obligeait la belle à enlacer
ses bras autour de son cavalier; un troisième, lui voyant
des dispositions à résister, établit entre son cou de cygne
et un coutelas qu'il tira de sa ceinture un voisinage
dangereux, si bien que la pauvre créature se résigna à
son sort, et ne songea plus qu'à ne pas se laisser tomber
de cheval pendant la longue course qui s'ensuivit.

Toutefois, elle ne pouvait s'empêcher de s'écrier par
instants : « Le grand cheval! le grand cheval! » mais sa
tenue modeste et résolue à la fois inspirait quelque
respect à ses ravisseurs, et surtout à Tomahawk leur
chef, qui, en arrivant à Miamy, quartier général des
Peaux-Rouges, la plaça sous la protection de sa mère, avec
le titre de dame d'honneur. Sans doute ce poste n'eût
pas été à dédaigner, si le fils de la princesse mère avait
eu à gouverner quelque chose qui en valût la peine;
mais le roi des Shawneeses, frère aîné de Tomahawk,

n'étendait guère son empire que sur un territoire de quelques centaines de milles carrés. Ses sujets étaient des sauvages non encore civilisés, qui, dans leur intelligence bornée, n'avaient aucune idée du droit divin de leur souverain, c'est-à-dire qu'ils ne voulaient pas travailler pour lui, disant qu'il avait, comme eux, reçu du grand Esprit deux bras propres au travail.

Nos bienveillants lecteurs comprendront qu'au milieu d'une réunion d'hommes si déraisonnables mistress Toffel ne pouvait compter sur de grands avantages, malgré la place honorable qu'elle occupait. Du reste, elle vit bien que des pleurs et des jérémiades ne pouvaient qu'empirer sa position, et qu'il valait mieux l'accepter bravement et chercher à se rendre utile. Aussi, avec une mine où l'on ne pouvait méconnaître un trait d'ironie, elle saisit le lendemain matin la marmite remplie de gibier, et se mit à préparer elle-même le repas des Indiens. Ceux-ci s'assirent bientôt à l'entour en croisant les jambes : — Whoo! s'écria le souverain, qu'avons-nous là ? De sa vie, il n'avait fait un aussi délicieux déjeuner *à la fourchette*, dirions-nous, si les sauvages avaient des fourchettes. La princesse mère indiqua de sa main, et en souriant gracieusement, sa dame d'honneur, qui, pour sa récompense, reçut une côtelette. Jemmy avait une contenance fière, comme si elle se fût trouvée assise sur le grand cheval. Peu de temps après, les sauvages entreprirent une nouvelle excursion, de laquelle ils rentrèrent au bout de quinze jours chargés de butin de toute espèce : des robes de femmes, des spencers, des chapeaux, des corsets, etc. Une garde-robe complète était échue en partage à Tomahawk. Le lendemain, il parut vêtu d'une robe de *linsey-woolsey* couleur rouge, et la tête ornée d'un chapeau en soie verte, par-dessus lequel il lui avait paru de bon goût de mettre le bonnet d'une femme en couches : le chef lui-même se montra dans une petite robe *à l'enfant*, avec un spencer coquelicot par-dessus, et un capuchon du temps de Louis XV. A peine Jemmy avait-elle jeté les yeux sur ses maîtres métamorphosés qu'elle fit signe aux squaws de la suivre dans la forêt, où se trouvaient beaucoup de plantes de lin sauvage. Elle en fit cueillir une certaine quantité, qu'elle fit rapporter au camp par ses compagnes. Elle obligea ensuite celles-ci à préparer le lin pour le filage, qu'elle leur enseigna, et en peu de semaines, des habits de chasse, ornés de rubans de soie et de calicot, rem-

placèrent les robes de femmes sur les corps de ses
ravisseurs. Une quinzaine de jours après, les hommes
firent une nouvelle expédition, dans laquelle le souverain
fut tué et son frère Tomahawk blessé. Jemmy, à l'instar
d'autres sujets loyaux, prit le deuil, pansa les plaies du
survivant, et, quand le jeune chef fut rétabli, elle lui
présenta un costume neuf qu'elle avait confectionné
pour lui pendant sa maladie. Elle y mit tant de grâce,
selon l'avis de l'Indien, que, dès ce moment, il devint
son admirateur et son fidèle paladin. Quand, le lendemain, il se fut vêtu de son costume neuf, il se trouva
si agréablement surpris et tourné qu'il mit pour la
première fois de côté ces habitudes de respect qu'il
avait contractées vis-à-vis de mistress Toffel, et qui
l'avaient empêché jusque-là de déclarer un peu plus
ouvertement l'affection qu'il ressentait pour elle. Il alla
lui rendre une visite. Toute la résidence fut en révolution; les dames rouges étaient au désespoir. Elles comprirent que ce n'était pas en leur honneur que le nouveau
souverain s'était revêtu d'une si brillante toilette, et que
ses attentions s'adressaient à la fière Américaine, qui,
dans leur opinion, ne pouvait naturellement résister à ce
somptueux accoutrement. Et vraiment ni Londres, ni
Paris, ni New-York n'auraient pu se vanter d'avoir vu,
sur une seule et même personne, une prodigalité d'objets
de luxe comme il plut ce jour-là à Tomahawk d'en étaler
aux yeux de sa fidèle sujette. Mais aussi il était lui-même
resté trois heures, jambes croisées et miroir en main, à
admirer avec des yeux brillants de joie ses charmes
irrésistibles. Trois larges paillettes d'argent entouraient
artistement son nez, auquel était encore suspendu un
dollar espagnol; deux autres dollars pendaient à ses
oreilles, et, par une spirituelle inspiration, l'Indien avait
orné sa lèvre inférieure d'une sixième pièce de monnaie.
Ses cheveux étaient richement entremêlés d'aiguilles de
porcs-épics, et du sommet de sa tête descendaient
majestueusement trois queues de buffles. Un collier de
pas moins de cinquante dents d'alligators ornait son
cou, autour duquel serpentait encore un collier plus
petit de grandes perles de cristal, trophée qu'il avait
conquis dans un combat avec les Chikasaws. Il n'avait
pas moins soigné l'habillement des parties inférieures de
son corps : ses jambes étaient jusqu'à la cheville entou-
rées de petits cercles de cuivre et de fer-blanc qui résonnaient prodigieusement à chacun de ses pas; le reste de

sa toilette consistait en un chapeau anglais à trois cornes. Lorsque, avec la conscience de ses perfections, il approcha de la résidence de madame mère, il leva haut les jambes et en fit deux fois le tour en dansant, pour se régaler de la musique dont il était le créateur; arrivé à la porte, il jeta un dernier coup d'œil sur son miroir de poche en se regardant de la tête aux pieds; puis il entra.

Nous sommes malheureusement sans information aucune sur le succès de tant d'efforts et de combinaisons de bon goût; tout ce qui est devenu notoire, c'est que le haut prétendant fut bien moins satisfait de lui-même, quand il quitta la résidence de sa mère, qu'il ne l'avait été en y entrant. La chronique ajoute que, dès ce moment, Jemmy eut sur le souverain indien un empire pour le moins aussi illimité que celui qu'elle avait déjà exercé sur Toffel; et il paraît qu'elle ne tarda pas à en faire usage, sans doute par de bonnes raisons, attendu qu'elle eut à repousser des tentations assez vives. Mais, dit encore notre document, elle résista héroïquement. Comment en effet pouvait-elle agir autrement, elle dont la pensée tendait à un autre but ? Oui, son regard était sans cesse fixé sur le soleil couchant, sur cette partie du monde où vivait son cher Toffel. Depuis cinq années entières, elle avait supporté sa captivité avec un courage, avec une fermeté héroïque et vraiment irlandais; mais présentement elle sentait chaque jour davantage l'amertume de sa position. Pendant la première année, elle avait été tenue en mouvement par la nouveauté de sa destinée; elle avait, en outre, été stimulée par le sentiment de la conservation. Durant les années suivantes, elle s'était peut-être sentie flattée des attentions de son adorateur indien; — mais faire la coquette avec un sauvage, ce n'était, après tout, qu'un pauvre passe-temps, et cela ne pouvait durer à la longue. Ainsi, le vif désir de revoir les lieux sur lesquels se concentraient ses souvenirs prenait chaque jour en elle plus de force. Songer à fuir, c'eût été de sa part une folie pendant la première année; on l'avait surveillée, durant l'été, avec des yeux d'argus, car son adresse en toute chose la rendait indispensable aux sauvages, et une fuite dans le cours de l'hiver n'était pas plus exécutable. Où aurait-elle trouvé des vivres, un lieu de repos ? Son voyage jusqu'au camp des sauvages avait duré vingt jours; elle devait donc être à une énorme distance de chez elle, et si, par malheur, on avait connu son projet, son sort eût été horrible.

III

Comment Jemmy revint chez Jacques Toffel.

Enfin, l'occasion favorable que Jemmy désirait si vivement vint se présenter à l'expiration du cinquième été après son enlèvement. Les hommes étaient partis pour la chasse d'automne; leurs femmes les avaient accompagnés; il n'était resté au camp que les plus faibles et les plus âgés. Par le contentement apparent qu'elle avait fait paraître pendant cinq ans, Jemmy était parvenue à calmer les méfiances des Indiens, dont la vigilance s'était affaiblie. Elle avait appris que, par suite de l'accroissement de la population, la colonie avait étendu ses limites, et qu'elle se trouvait dès lors à une moindre distance de celle des sauvages; elle espérait donc rencontrer de ses compatriotes, sinon au bout de la première semaine, du moins au bout de la seconde. Elle résolut sa fuite, et réalisa sur-le-champ son projet. Un petit sac rempli de vivres fut tout ce qu'elle emporta avec elle; elle avait quatre cents longs milles à faire depuis le grand Miami jusqu'à l'Ohio supérieur; mais son courage était à la hauteur de sa grande entreprise. Elle aimait son Toffel; elle l'aimait maintenant plus que jamais, ce garçon si bon, si patient, et pourtant si sensé. Son courage fut rudement mis à l'épreuve dans les marais de Franklin, elle courut un grand danger de se noyer dans le Sciota, et, en errant plusieurs jours dans les solitudes qui séparent Colombus, capitale de l'Etat de l'Ohio, de New-Lancaster, d'être dévorée par les ours et les panthères; mais elle se tira heureusement des marais, des rivières et des lieux déserts. Pendant les cinq premiers jours, elle vécut de sa provision de gibier fumé; puis elle se régala de papaws, de châtaignes et de raisins sauvages, et, au bout de dix jours de peines et de fatigues inexprimables, elle trouva, pour la première fois, un abri sûr dans un blockhaus. Même ici, son esprit irlandais indomptable ne l'abandonna pas, et elle aborda les *Hinterwœldler* * d'un air aussi assuré et aussi ouvert que si

---

* Mot allemand composé, qui veut dire habitants des bords des forêts.

elle se fût présentée à la tête des Shawneeses, et leur demanda des vivres. Ceux-ci ouvrirent d'assez grands yeux, comme on peut le présumer, mais ils donnèrent ce qu'ils avaient. Dès lors notre bonne Jemmy n'eut plus qu'à suivre les bords de l'Ohio, et ne tarda pas à voir les charmantes hauteurs qui cachaient son heureux *chez elle* sortir du bleu vaporeux qui les enveloppait. Elle double le pas; la voilà sur les premiers coteaux. Pour la première fois, son cœur battit plus fort; un instant arrêtée au souvenir du grand cheval, elle reprit sa course et s'élança dans les sinuosités boisées du coteau. Voilà bien devant elle le magnifique Ohio, poursuivant son cours en deux larges bras; puis les eaux de l'Alleghany, limpides comme la source qui jaillit d'un roc; puis enfin, tout à côté, celles du Monongehala, troubles et bourbeuses, et offrant assez bien l'image d'un mari grognon auquel est enchaînée une vive et douce compagne. La voilà arrivée à la dernière éminence, d'où l'on peut contempler toutes ses possessions : voici le magnifique vallon, le plus fertile des *bottoms*, enclavé parmi les promontoires de montagnes; voilà la grange bâtie en pierre, le toit et les persiennes reluisant de l'éclat d'une fraîche peinture. Là, à main gauche, le vieux verger; puis, à droite, le nouveau, à la plantation duquel elle avait aidé, et dont les arbres pliaient déjà sous le poids des fruits. Elle regardait, elle n'osait s'en fier à ses yeux, et elle voyait plus encore... Non, ce n'était pas une illusion, c'était son cher Toffel qui sortait justement de la maison, et, derrière lui, un petit bambin aux cheveux blonds, qui le tenait ferme aux basques de son habit. Oui, c'était bien Toffel dans sa culotte de peau, avec ses bas bleus à coins rouges et ses souliers ornés de boucles énormes. Elle n'y tint pas plus longtemps, descendit d'un pas ferme du coteau, et, ayant traversé rapidement le potager, elle se trouva tout à coup devant Toffel.

— Tous les bons esprits louent le Seigneur! s'écria celui-ci, usant, dans son anxiété, de la formule légale par laquelle, de temps immémorial, les honnêtes Allemands ont l'habitude de conjurer les spectres, les sorcières et les esprits malins.

Et, dans le fait, nous n'aurions pas trop le droit de blâmer Toffel si le Blocksberg * se présentait en ce moment à sa pensée. Cinq années d'absence et de séjour

* Montagne du sabbat.

parmi les sauvages habitants des bords du grand Miami,
jointes au voyage abominable que Jemmy venait de faire,
n'avaient pas précisément beaucoup contribué à relever
ses charmes, ni à rendre sa toilette assez élégante pour
lui prêter quelque attrait de plus. Même Toffel, de tous
les hommes le moins *fashionable*, put à peine comprendre
que ce pouvait être là sa Jemmy, l'oracle du bon goût
en toute chose. L'imprévu de son apparition répandait
sur sa personne, un peu décharnée, quelque chose de
surnaturel; de sorte que, nous le répétons, nous ne
sommes nullement surpris de ce que le cerveau de Toffel
se troubla subitement et de ce qu'il se souvint du
Blocksberg, dont feu son père lui avait raconté tant de
choses. Jemmy, à ce qu'il paraissait, ne fut pas très
flattée de sa surprise, de ses exclamations ni de son
effroi, et elle lui dit, du ton le plus doux qu'il lui fut
possible de prendre :

— Eh bien, quoi! Toffel, as-tu perdu la raison? ne
me connais-tu plus, moi, ta Jemmy?

Toffel ouvrit les yeux le plus qu'il pouvait, et,
peu à peu, reconnaissant le nez contourné, l'œil brillant
qui lançait, comme de coutume, des regards hardis et
étincelants, ne put, à ces signes, douter de la réalité :

— *Mein Gott! Mein Schatz!* s'écria-t-il dans son
plus doux allemand. Puis deux larmes coulèrent le long
de ses joues, et il embrassa Jemmy avec effusion.

Jemmy était réellement bien charmée de voir son
Toffel de si bonne humeur. Cependant, dit le proverbe,
trop ne vaut rien, et, suivant toutes les apparences, il
semblait à Jemmy que Toffel était inépuisable dans ses
manifestations de tendresse, et, en effet, elle commençait
déjà à perdre patience et à souhaiter de voir son fils,
comme aussi de savoir où en étaient les affaires du
ménage; de sorte que, tout en exprimant ce double désir,
elle se dégagea des bras de son mari pour se diriger
vers la porte. Toffel la saisit par sa robe, et, se plaçant
devant elle, l'empêcha de sortir.

— Ma bien-aimée, lui dit-il, arrête-toi quelques
moments, jusqu'à ce que je t'aie appris...

— Appris quoi? reprit-elle avec impatience; que
peux-tu avoir à me dire? Je désire voir mon garçon et
comment tu as conduit les affaires de la maison; j'espère
que tout est en ordre...

Son œil jeta un regard scrutateur sur le pauvre Toffel,
qui ne semblait nullement être à son aise.

— Mon cœur, ma femme! continua-t-il, aie seulement un peu de patience!

— Je ne veux pas avoir de patience, répliqua-t-elle; pourquoi ne veux-tu pas entrer dans la maison ? Et, en disant ces mots, elle s'approcha de la porte. Toffel, au dernier point embarrassé, lui barra de nouveau le chemin, en lui prenant les deux mains.

— Eh! *by Jasus* *, et de par toutes les autorités! s'écria-t-elle étonnée d'une conduite si singulière, je serais tentée de croire que tout n'est point ici en règle et que tu n'es pas bien aise de me voir!

— Moi, ne pas être bien aise de te voir! mon cœur, ma bien-aimée! Oui, oui, tu seras de nouveau ma femme! répondit le brave garçon.

— Je serai de nouveau, de nouveau ta femme! répéta-t-elle; et ses yeux étaient étincelants, et son petit nez se tordait. Etre de nouveau sa femme, se dit-elle encore à voix basse, en s'arrachant avec force de ses mains; puis, montant l'escalier avec la rapidité de l'éclair, elle se précipita sur la porte, pressa le loquet, ouvrit et vit, se berçant doucement dans un fauteuil, Marie Lind-thal, la plus jolie blondine de toute la colonie, jadis sa rivale, et maintenant l'heureuse usurpatrice de ses droits matrimoniaux.

IV

CE QU'IL ARRIVA DE JACQUES TOFFEL ET DE SES DEUX FEMMES.

Il faudrait une plume très familiarisée avec les peintures psychologiques pour décrire les symptômes des diverses passions qui se dessinaient d'une manière énergique sur le visage de notre héroïne. Le mépris, la fureur, la vengeance en étaient encore les plus faibles; il sortait de ses yeux des étincelles si vives que, pour nous servir d'une phrase à l'usage des *Yankees*, la chambre commençait à en être embrasée; ses poings se fermèrent convulsivement, ses dents grincèrent, et, semblable au chat qui voit son territoire occupé par l'ennemi mortel de sa race, elle s'apprêta à fondre sur le sien, ce qui aurait

---

* Exclamation irlandaise.

pu devenir d'autant plus fatal pour les jolis traits de
Marie Lindthal, que depuis un mois entier mistress Toffel n'avait pas rogné ses ongles.

Toffel, qui avait suivi Jemmy, vit avec un juste effroi
ces terribles préparatifs, et se jeta de toute sa longueur
entre les deux puissances belligérantes. Mais il n'était
pas sûr encore que sa médiation fût très efficace, lorsque
tout à coup la porte s'ouvrit pour donner entrée au
jeune Toffel, suivi de toute une bande d'héritiers d'un
autre lit. Cinq années s'étaient écoulées depuis que
Jemmy n'avait tenu son jeune fils dans ses bras; oubliant
son ennemie, elle sauta sur lui pour l'embrasser. Le
jeune garçon s'effraya, cria très haut, et courut à sa
belle-mère. La pauvre Jemmy resta immobile à sa place;
la fureur et le désir de la vengeance l'avaient abandonnée;
une douleur indicible pénétra son cœur; elle se dirigea
en tremblant vers la porte, saisit le loquet et fut sur le
point de tomber à terre. La pauvre femme souffrait
horriblement en cet instant; elle était devenue une
étrangère pour son fils, une étrangère pour sa maison,
une étrangère dans le monde entier! Elle se remit cependant. Des âmes comme la sienne ne sont pas facilement
abattues.

— Comment va mon père? demanda-t-elle briève-
ment.

— Mort, répondit Toffel.

— Et ma mère?

— Morte, fut encore la réponse.

— Et mes frères, mes sœurs?

— Dispersés dans le monde.

— Ainsi, je les ai tous perdus! dit-elle de manière
à pouvoir à peine être comprise.

— J'ai, reprit Toffel d'un son de voix plus doux, j'ai
attendu toute une année ton retour, en demandant de tes
nouvelles dans tous les journaux allemands et anglais, et,
comme tu ne vins pas, ajouta-t-il en hésitant, te croyant
morte, je pris Marie.

— Alors, garde-la, répliqua Jemmy d'un ton ferme,
en accompagnant ces paroles d'un regard où se peignait
le mépris le plus profond; puis elle s'élança encore une
fois sur son enfant, le saisit et l'embrassa avec exaltation,
puis elle ouvrit la porte...

— Arrête! arrête! pour l'amour de Dieu! s'écria Toffel
d'une voix qui faisait deviner ce qu'il avait souffert. Il
est vrai de dire qu'il l'aimait sincèrement, et n'avait rien

négligé pour la retrouver. On avait battu le pays à vingt lieues à la ronde, les annonces des journaux lui avaient aussi coûté maints dollars; malheureusement, ils circulaient plus particulièrement dans la partie orientale du pays, tandis que Jemmy figurait comme dame d'honneur dans la partie occidentale. Et, malheureusement encore, au bout d'une année, le révérend pasteur Gaspard fit un sermon sur ce beau texte : *Melius est nubere quam uri*, qu'il rendit très disertement en langue allemande à Toffel. Celui-ci crut agir en bon protestant, prit une femme bonne et jolie, mais à laquelle manquait cet esprit de contradiction, d'agacerie, ces boutades, ces propos piquants qui réveillaient jadis si à propos son caractère nonchalant.

Telle était la position de notre Toffel, le mari à deux femmes, entre lesquelles il semblait fortement balancer. Les garder toutes deux, comme le patriarche Lamech, quelle apparence ? Enfin, il s'écria : — Allons chez le squire et chez le docteur Gaspard; allons entendre ce que disent la loi humaine et la loi de Dieu.

En disant cela, Toffel agit en bon et loyal Allemand qui pensait qu'il valait mieux ne pas prendre un parti de son propre chef, et mettre toute la responsabilité de sa position sur l'autorité divine et humaine.

Jemmy tressaillit; le mot de loi, ou, ce qui en est la conséquence, un procès, résonnait désagréablement à ses oreilles, et elle hésitait, quand sa rivale, qui s'était retirée dans la chambre voisine, reparut tenant dans ses bras les deux lourds bas remplis de dollars de la communauté.

— Prends-les, dit-elle d'une voix douce à Jemmy, prends-les et Jeremias Hawthorn est encore garçon; sois heureuse, bonne Jemmy!

Il y avait quelque chose de touchant dans sa voix et dans sa proposition sincère. Tout autre cœur que celui de la femme irlandaise se serait ému; mais la vue de la femme heureuse sembla ranimer les transports de Jemmy. Jetant sur Marie un regard du plus profond mépris, elle s'approcha de Toffel, lui serra la main en lui disant adieu, et sortit précipitamment de la chambre.

— Cours, cours, cher Toffel, de toutes tes forces, s'écria Marie; cours, pour l'amour de Dieu! elle pourrait attenter à elle-même.

Toffel était resté immobile, privé, pour ainsi dire, de sentiment; on aurait pu croire que tout lui paraissait un songe : la voix de sa femme le rappela à la réalité. Il se mit à courir de toutes ses forces après la pauvre fugitive; mais celle-ci avait déjà gagné beaucoup d'espace sur lui. Redoublant ses longs pas, il était sur le point de l'atteindre, lorsqu'elle se retourna et lui ordonna de regagner sa maison. Elle proféra cet ordre d'un ton si ferme que Toffel, encore habitué à obéir à ses volontés, s'y conforma en reprenant lentement le chemin de chez lui. Après avoir fait quelques pas, il s'arrêta néanmoins, suivi d'un œil fixe la marche rapide de Jemmy jusqu'à ce qu'elle eût disparu dans les profondeurs du coteau; alors, il secoua la tête et pensa... quoi? C'est ce que nous ne saurions dire.

Jemmy poursuivait maintenant, comme un chevreuil qu'on a effrayé, sa course vers le haut de la montagne; la voilà arrivée encore à cette fatale saillie où son bonheur d'ici-bas avait, il faut bien le dire, par sa propre faute, reçu une si terrible atteinte. Là était la maison qui renfermait les deux Toffel; là paissaient ses vaches et ses génisses et une demi-douzaine des plus grands chevaux qu'elle eût jamais vus. Maintenant, elle en eût eu à choisir! Et il fallait renoncer à tout cela! Cette pensée lui fit verser des larmes amères. Et maintenant plus de famille, plus d'amis peut-être; que dirait-on de cette Jemmy si longtemps perdue, Jemmy la squaw indienne?... Insensiblement, ses sens se calmèrent; une nouvelle pensée sembla germer en elle, et, à chaque seconde, cette résolution semblait se raffermir. Enfin, comme pour échapper à la possibilité d'un changement d'idées, elle se redressa tout à coup avec force, courut à toutes jambes vers la forêt, et pénétra toujours plus avant dans ses profondeurs.

V

OU L'ON DÉMONTRE COMMENT LES DEUX ÉPIS ROUGES ÉTAIENT POURTANT UN PRÉSAGE.

Ce fut vers l'année 1826 que Jemmy recommença son long voyage pour retourner vers ceux qu'elle avait fuis naguère. Elle retrouva le même courage inflexible pour aborder les colons avancés, établis dans la partie nordouest des États-Unis (État actuel d'Ohio). Elle leur demanda l'hospitalité sans solliciter une compassion superflue; lorsqu'elle eut dépassé les dernières habitations, elle eut de nouveau recours aux papaws, au raisin et aux châtaignes sauvages, et acheva ainsi sa course de quatre cents milles jusqu'aux sources du grand Miami, où, deux mois après sa fuite, elle se présenta avec aussi peu de trouble et de crainte que si elle rentrait d'une visite du matin.

Jamais le quartier général des Squaws n'avait retenti de si grands cris d'allégresse que lorsque Jemmy entra dans la cabane de la mère de Tomahawk. Toute la population des Wigwams était en mouvement; Tomahawk ne se possédait plus de joie. Il avait été son admirateur fidèle pendant cinq années entières, et, ce qui n'est pas peu de chose de la part d'un sauvage, durant tout ce temps, il n'avait pas osé prendre la moindre liberté avec elle. Elle ne s'était pas acquis une légère influence sur ce petit peuple; elle était l'institutrice des femmes, le tailleur et la cuisinière des hommes, le factotum de tous, et, si les derniers (les hommes) ne ressemblaient plus à des orangs-outangs, c'était son ouvrage à elle. Tomahawk sautait et dansait de bonheur : — Hommes blancs, pas bons! disait-il; hommes rouges, bons! s'écriait-il. Et sa mère et tous les hommes s'unissaient à ces transports de joie.

Cependant, malgré la résolution ferme que Jemmy avait prise, sa prudence ne lui permettait pas de donner trop beau jeu au sauvage amoureux : non, elle réfléchit longtemps avant de lui permettre seulement l'espoir le plus éloigné. Depuis vingt jours déjà, elle se tenait renfermée auprès de la mère de Tomahawk, et, pendant ce temps, il n'avait pu la voir que deux fois. Enfin, le matin du vingt et unième jour, il fut mandé auprès de la souveraine de son cœur. Il s'y rendit peut-être plus bizarrement accoutré encore que lors de sa première demande, et, en balbutiant, il lui exprima de nouveau ses vœux. Jemmy l'écouta avec le sérieux d'un juge d'appel; quand il eut terminé, elle lui montra silencieusement la table sur laquelle était étalé un habillement américain complet. Tomahawk retourna à sa cabane en poussant des cris de joie, et, une demi-heure après, il parut un autre homme devant sa maîtresse. Il n'avait vraiment pas si mauvaise mine; c'était un garçon bien fait, d'une taille élancée; — Toffel n'était rien en comparaison; — de plus, c'était le chef de plusieurs centaines de familles, et l'on ne pouvait voir en lui un mari si fort à dédaigner. Elle voulut bien alors

tendre la main : il s'agissait encore d'une autre épreuve.
Deux chevaux amenés par ordre de madame mère se
trouvaient à la porte : Jemmy ordonna à Tomahawk de
les seller. Il obéit tout de suite en silence. Elle monta sur
l'un, en lui faisant signe d'en faire autant et de la suivre.
Le chef sauvage était surpris ; il la regarda fixement, mais
suivit néanmoins sa maîtresse, qui, quittant le canton de
Wigwam, dirigea leur course vers le sud; plusieurs fois,
il se hasarda à lui demander où ils allaient, mais elle lui
répondit par un geste, montrant d'un air significatif le
lointain, et il se taisait et suivait. La paix s'était rétablie
entre les Indiens et les colons pendant la captivité de Jemmy, et le dernier voyage de celle-ci lui avait été utile à
quelque chose. Elle avait appris qu'une colonie américaine s'était formée, dans la direction du sud, à environ
quarante milles de distance des sources du Miami, et
c'est sur cette nouvelle colonie qu'elle se dirigeait en ce
moment.

Dès qu'elle y fut arrivée, elle s'informa du juge de
paix. Le squire ne fut pas peu surpris quand il vit tout à
coup entrer chez lui une jeune et jolie femme (Jemmy
avait repris sa bonne mine pendant sa retraite de vingt
jours) et un jeune et beau sauvage, habillé comme un
gentleman. Du reste, Jemmy ne lui laissa guère le temps
de se livrer à son étonnement; mais, se tournant sans
longs détours vers son compagnon, elle lui dit : — Tomahawk! pendant les cinq années de notre connaissance, je
t'ai vu donner tant de preuves de bon sens que j'ai tout
lieu d'espérer de faire de toi un mari, et j'ai donc résolu
de te prendre pour tel.

Tomahawk ne savait s'il veillait ou non, et il en était
de même du squire; mais la demande formelle que lui
adressa Jemmy de la marier, elle, Jemmy O'Dougherty,
avec Tomahawk, le chef de la peuplade des Squaws, et
dix dollars reluisants qu'elle joignit à cette demande,
firent cesser tous les doutes du juge de paix, et, prononçant sur eux la formule matrimoniale, il unit leurs mains.
La chose était finie, le pauvre sauvage ne comprenait
point encore ce que signifiait cette cérémonie; mais quand
Jemmy lui prit la main, et lui fit connaître qu'elle était
maintenant sa femme et lui son mari, il était comme tombé
des nues.

Le lendemain, Tomahawk et sa femme s'en retour-
nèrent chez eux, et, à partir de leur retour, commencèrent
aussi les mois de miel du nouvel époux. Or, mis-

tress Tomahawk fut à peine installée dans sa nouvelle habitation qu'elle vint à reconnaître que cette misérable cabane était beaucoup trop étroite pour eux deux, et, de plus, trop malpropre; et, dans le fait, cette cabane était plutôt à comparer à l'antre d'un ours qu'à une habitation humaine. Tomahawk et ceux dont il disposait avaient donc maintenant des arbres à abattre, travail auquel les gens de Tomahawk ne se soumirent que contre de certains honoraires en bouteilles de whiskey, dont Jemmy avait fait provision au chef-lieu de la colonie. Elle avait en outre attiré quelques-uns de ses compatriotes, qui aidèrent à la construction de la maison neuve. Tomahawk, à la vérité, sauta encore quand il lui fallut pendant quinze jours manier la hache : seulement, ce n'était plus de joie; il fit même la grimace; mais ni sauts ni grimaces n'y purent : il fallut s'exécuter. Au bout de quatre semaines il se vit couché dans une habitation commode, aussi commode que celle de Toffel. Tomahawk eut alors du repos pendant quatre semaines entières; mais le printemps s'annonçait : le champ consacré à la culture du blé était évidemment trop petit; il était même dépourvu de haie, et les chevaux, ainsi que les porcs, y venaient dévorer les jeunes tiges longtemps avant qu'elles eussent seulement formé leurs épis. Les choses ne pouvaient pas rester en cet état, et il fallait donc que la sauvage moitié de mistress Tomahawk abattît encore quelques milliers d'arbres et qu'il fît des haies autour d'une demi-douzaine de champs. — Cette besogne faite, Tomahawk eut encore quelques semaines de repos. Cependant, de temps immémorial, on avait bien mal mené les choses quant aux peaux de renard, de cerf, de castor et d'ours. Tomahawk avait une grande réputation comme chasseur; mais le fruit de plusieurs semaines de chasse, il n'était pas rare qu'il le donnât pour quelques gallons de whiskey. A l'instar de beaucoup de ses frères rouges, son côté faible était le plaisir qu'il trouvait à prendre une et même un grand nombre de gorgées de whiskey, quand l'occasion s'en présentait. Toutefois il éprouvait à cet égard une telle crainte de sa compagne qu'adroitement il cachait les bouteilles d'eau-de-vie dans des creux d'arbres. Mais mistress Tomahawk eut bientôt découvert la fraude, et, afin de mettre dorénavant Tomahawk à l'abri de toute tentation, elle décida qu'à l'avenir toutes les peaux seraient apportées au camp et mises à sa disposition. Elle se chargea alors du commerce de pelleterie. Bien peu de temps

après, plusieurs vaches paissaient sur les bords du Miami,
et Tomahawk goûta pour la première fois du café et des
gâteaux de farine de maïs. Mais les choses allèrent de pire
en pire. Un jeune Tomahawk vit la lumière du monde,
et les vieux Squaws ne tardèrent pas à se présenter chez
sa mère, les mains remplies de fumier et de graisse d'ours,
pour admettre solennellement le nouveau chef de la peuplade dans la communauté religieuse et politique. Mais
Jemmy leur montra un visage renfrogné, et quand elle
vit que cela ne suffisait pas, elle se saisit si résolument de
son sceptre, c'est-à-dire d'un grand balai, que jeunes et
vieux se sauvèrent à toutes jambes, se croyant poursuivis
du malin esprit. Lorsqu'elle fut rétablie de ses couches,
elle ordonna encore à Tomahawk d'apprêter deux chevaux.

Cette fois-ci encore, leur course se dirigea vers la colonie, mais ils abordèrent non à la maison du juge de paix,
mais à celle du curé. Tomahawk accédait à tout tranquillement; mais lorsqu'il vit le curé répandre de l'eau sur
son fils, la patience lui échappa, il entra dans une sorte de
fureur et appela mistress Tomahawk sorcière, mauvais
génie, *médecin* (terme très fort chez les Peaux-Rouges).
Jemmy, sans perdre une parole, fronça les sourcils, releva
son nez, et le jeune Tomahawk fut baptisé comme
d'autres enfants chrétiens.

Le voyageur que son chemin conduira dans la direction du nord, à travers la bruyère située entre Columbus
et Dayton, remarquera, au-dessous et tout près des
sources du Miami, une grande habitation, construite en
madriers, flanquée de granges et d'écuries, environnée
de superbes champs de maïs et de prairies, sur lesquelles
paissent de magnifiques vaches, des chevaux et des pou-
lains, sans compter les vergers remplis d'arbres fruitiers.
Autour de la maison, on voit folâtrer une demi-douzaine
de jeunes garçons et de jeunes filles d'un teint rouge clair,
et vêtus comme s'ils sortaient du magasin de Stubls, à
Philadelphie. Le dimanche, ils lisent la Bible ou sellent
leurs chevaux pour aller accompagner mistress Tomahawk
à l'église; ils lisent et expliquent les gazettes au chef de la
tribu, qui s'accommode parfaitement de sa nouvelle
existence, et se demande avec orgueil s'il fera de ses fils
aînés des docteurs ou des avocats. Deux fois l'année, mistress Tomahawk se rend à Cincinnati sur une voiture à
six chevaux, qui, chargée de beurre, de sucre d'érable,
de farine et de fruits, forme un cortège aussi pompeux

que celui d'un gouverneur. Deux de ses fils à cheval lui servent toujours d'avant-coureurs, et elle est autant devenue l'effroi de tous les inspecteurs des marchés qu'elle s'est rendue l'oracle et la favorite de toutes les femmes... et de tous les hommes.

(Imité de l'allemand.)

OCTAVIE

Ce fut au printemps de l'année 1835 qu'un vif désir me prit de voir l'Italie. Tous les jours en m'éveillant j'aspirais d'avance l'âpre senteur des marronniers alpins ; le soir, la cascade de Terni, la source écumante du Téverone jaillissaient pour moi seul entre les portants éraillés des coulisses d'un petit théâtre... Une voix délicieuse, comme celle des sirènes, bruissait à mes oreilles, comme si les roseaux de Trasimène eussent tout à coup pris une voix... il fallut partir, laissant à Paris un amour contrarié, auquel je voulais échapper par la distraction.

C'est à Marseille que je m'arrêtai d'abord. Tous les matins, j'allais prendre les bains de mer au Château-Vert, et j'apercevais de loin en nageant les îles riantes du golfe. Tous les jours aussi, je me rencontrais dans la baie azurée avec une jeune fille anglaise, dont le corps délié fendait l'eau verte auprès de moi. Cette fille des eaux, qui se nommait Octavie, vint un jour à moi toute glorieuse d'une pêche étrange qu'elle avait faite. Elle tenait dans ses blanches mains un poisson qu'elle me donna.

Je ne pus m'empêcher de sourire d'un tel présent. Cependant le choléra régnait alors dans la ville, et pour éviter les quarantaines, je me résolus à prendre la route de terre. Je vis Nice, Gênes et Florence ; j'admirai le Dôme et le Baptistère, les chefs-d'œuvre de Michel-Ange, la tour penchée et le Campo-Santo de Pise. Puis, prenant la route de Spolete, je m'arrêtai dix jours à Rome. Le dôme de Saint-Pierre, le Vatican, le Colisée m'apparurent ainsi qu'un rêve. Je me hâtai de prendre la poste pour Civita-Vecchia, où je devais m'embarquer. — Pendant trois jours, la mer furieuse retarda l'arrivée du bateau à vapeur. Sur cette plage désolée où je me promenais pensif, je faillis un jour être dévoré par les chiens.

— La veille du jour où je partis, on donnait au théâtre un vaudeville français. Une tête blonde et sémillante attira mes regards. C'était la jeune Anglaise qui avait pris place dans une loge d'avant-scène. Elle accompagnait son père, qui paraissait infirme et à qui les médecins avaient recommandé le climat de Naples.

Le lendemain matin je prenais tout joyeux mon billet de passage. La jeune Anglaise était sur le pont, qu'elle parcourait à grands pas, et impatiente de la lenteur du navire, elle imprimait ses dents d'ivoire dans l'écorce d'un citron : — Pauvre fille, lui dis-je, vous souffrez de la poitrine, j'en suis sûr, et ce n'est pas ce qu'il faudrait. Elle me regarda fixement et me dit : — Qui l'a appris à vous ? — La sibylle de Tibur, lui dis-je sans me déconcerter. — Allez! me dit-elle, je ne crois pas un mot de vous.

Ce disant, elle me regardait tendrement et je ne pus m'empêcher de lui baiser la main. — Si j'étais plus forte, dit-elle, je vous apprendrais à mentir!... Et elle me menaçait, en riant, d'une badine à tête d'or, qu'elle tenait à la main.

Notre vaisseau touchait au port de Naples et nous traversions le golfe, entre Ischia et Nisida, inondées des feux de l'Orient. — Si vous m'aimez, reprit-elle, vous irez m'attendre demain à Portici. Je ne donne pas à tout le monde de tels rendez-vous.

Elle descendit sur la place du Môle et accompagna son père à l'hôtel de Rome, nouvellement construit sur la jetée. Pour moi, j'allai prendre mon logement derrière le théâtre des Florentins. Ma journée se passa à parcourir la rue de Tolède, la place du Môle, à visiter le Musée des études; puis j'allai le soir voir le ballet à San-Carlo. J'y fis rencontre du marquis Gargallo, que j'avais connu à Paris et qui me mena après le spectacle prendre le thé chez ses sœurs.

Jamais je n'oublierai la délicieuse soirée qui suivit. La marquise faisait les honneurs d'un vaste salon rempli d'étrangers. La conversation était un peu celle des Précieuses; je me croyais dans la chambre bleue de l'hôtel Rambouillet. Les sœurs de la marquise, belles comme les Grâces, renouvelaient pour moi les prestiges de l'ancienne Grèce. On discuta longtemps sur la forme de la pierre d'Eleusis, se demandant si sa forme était triangulaire ou carrée. La marquise aurait pu prononcer en toute assurance, car elle était belle et fière comme Vesta. Je sortis du palais la tête étourdie de cette discussion philosophique, et je ne pus parvenir à retrouver mon domicile. A force d'errer dans la ville, je devais y être enfin le héros de quelque aventure. La rencontre que je fis cette nuit-là est le sujet de la lettre suivante, que j'adressai plus tard à celle dont j'avais cru fuir l'amour fatal en m'éloignant de Paris.

« Je suis dans une inquiétude extrême. Depuis quatre jours, je ne vous vois pas ou je ne vous vois qu'avec tout le monde; j'ai comme un fatal pressentiment. Que vous ayez été sincère avec moi, je le crois; que vous soyez changée depuis quelques jours, je l'ignore, mais je le crains. Mon Dieu! prenez pitié de mes incertitudes, ou vous attirerez sur nous quelque malheur. Voyez, ce serait moi-même que j'accuserais pourtant. J'ai été timide et dévoué plus qu'un homme ne le devrait montrer. J'ai entouré mon amour de tant de réserve, j'ai craint si fort de vous offenser, vous qui m'en aviez tant puni une fois déjà, que j'ai peut-être été trop loin dans ma délicatesse, et que vous avez pu me croire refroidi. Eh bien, j'ai respecté un jour important pour vous, j'ai contenu des émotions à briser l'âme, et je me suis couvert d'un masque souriant, moi dont le cœur haletait et brûlait. D'autres n'auront pas eu tant de ménagement, mais aussi nul ne vous a peut-être prouvé tant d'affection vraie, et n'a si bien senti tout ce que vous valez.

« Parlons franchement : je sais qu'il est des liens qu'une femme ne peut briser qu'avec peine, des relations incommodes qu'on ne peut rompre que lentement. Vous ai-je demandé de trop pénibles sacrifices ? Dites-moi vos chagrins, je les comprendrai. Vos craintes, votre fantaisie, les nécessités de votre position, rien de tout cela ne peut ébranler l'immense affection que je vous porte, ni troubler même la pureté de mon amour. Mais nous verrons ensemble ce qu'on peut admettre ou combattre, et s'il était des nœuds qu'il fallût trancher et non dénouer, reposez-vous sur moi de ce soin. Manquer de franchise en ce moment serait de l'inhumanité peut-être; car, je vous l'ai dit, ma vie ne tient à rien qu'à votre volonté, et vous savez bien que ma plus grande envie ne peut être que de mourir pour vous!

« Mourir, grand Dieu! pourquoi cette idée me revient-elle à tout propos, comme s'il n'y avait que ma mort qui fût l'équivalent du bonheur que vous promettez ? La mort! ce mot ne répand cependant rien de sombre dans

ma pensée. Elle m'apparaît couronnée de roses pâles,
comme à la fin d'un festin; j'ai rêvé quelquefois qu'elle
m'attendait en souriant au chevet d'une femme adorée,
après le bonheur, après l'ivresse, et qu'elle me disait :
— Allons, jeune homme! tu as eu toute ta part de joie en
ce monde. A présent, viens dormir, viens te reposer dans
mes bras. Je ne suis pas belle, moi, mais je suis bonne et
secourable, et je ne donne pas le plaisir, mais le calme
éternel.

« Mais où donc cette image s'est-elle déjà offerte à
moi ? Ah! je vous l'ai dit, c'était à Naples, il y a trois ans.
J'avais fait rencontre dans la nuit, près de la Villa-Reale,
d'une jeune femme qui vous ressemblait, une très bonne
créature dont l'état était de faire des broderies d'or pour
les ornements d'église; elle semblait égarée d'esprit; je
la reconduisis chez elle, bien qu'elle me parlât d'un amant
qu'elle avait dans les gardes suisses, et qu'elle tremblait
de voir arriver. Pourtant, elle ne fit pas de difficulté de
m'avouer que je lui plaisais davantage... Que vous dirai-
je ? Il me prit fantaisie de m'étourdir pour tout un soir,
et de m'imaginer que cette femme, dont je comprenais à
peine le langage, était vous-même, descendue à moi par
enchantement. Pourquoi vous tairais-je toute cette aventure et la bizarre illusion que mon âme accepta sans peine,
surtout après quelques verres de lacryma-christi mousseux
qui me furent versés au souper ? La chambre où j'étais
entré avait quelque chose de mystique par le hasard ou
par le choix singulier des objets qu'elle renfermait. Une
madone noire couverte d'oripeaux, et dont mon hôtesse
était chargée de rajeunir l'antique parure, figurait sur
une commode près d'un lit aux rideaux de serge verte;
une figure de sainte Rosalie, couronnée de roses violettes,
semblait plus loin protéger le berceau d'un enfant endor-
mi; les murs, blanchis à la chaux, étaient décorés de vieux
tableaux des quatre éléments représentant des divinités
mythologiques. Ajoutez à cela un beau désordre d'étoffes
brillantes, de fleurs artificielles, de vases étrusques; des
miroirs entourés de clinquant qui reflétaient vivement la
lueur de l'unique lampe de cuivre, et sur une table un
Traité de la divination et des songes qui me fit penser
que ma compagne était un peu sorcière ou bohémienne
pour le moins.

« Une bonne vieille aux grands traits solennels allait,
venait, nous servant; je crois que ce devait être sa mère!
Et moi, tout pensif, je ne cessais de regarder sans dire

un mot celle qui me rappelait si exactement votre souvenir.

« Cette femme me répétait à tout moment : — Vous êtes triste » ? Et je lui dis : — Ne parlez pas, je puis à peine vous comprendre; l'italien me fatigue à écouter et à prononcer. — Oh! dit-elle, je sais encore parler autrement. — Et elle parla tout à coup dans une langue que je n'avais pas encore entendue. C'était des syllabes sonores, gutturales, des gazouillements pleins de charme, une langue primitive sans doute; de l'hébreu, du syriaque, je ne sais. Elle sourit de mon étonnement, et s'en alla à sa commode, d'où elle tira des ornements de fausses pierres, colliers, bracelets, couronne; s'étant parée ainsi, elle revint à table, puis resta sérieuse fort longtemps. La vieille, en rentrant, poussa de grands éclats de rire et me dit, je crois, que c'était ainsi qu'on la voyait aux fêtes. En ce moment, l'enfant se réveilla et se prit à crier. Les deux femmes coururent à son berceau, et bientôt la jeune revint près de moi tenant fièrement dans ses bras le *bambino* soudainement apaisé.

« Elle lui parlait dans cette langue que j'avais admirée, elle l'occupait avec des agaceries pleines de grâce; et moi, peu accoutumé à l'effet des vins brûlés du Vésuve, je sentais tourner les objets devant mes yeux : cette femme, aux manières étranges, royalement parée, fière et capricieuse, m'apparaissait comme une de ces magiciennes de Thessalie à qui l'on donnait son âme pour un rêve. Oh! pourquoi n'ai-je pas craint de vous faire ce récit ? C'est que vous savez bien que ce n'était aussi qu'un rêve, où seule vous avez régné.

« Je m'arrachai à ce fantôme qui me séduisait et m'effrayait à la fois; j'errai dans la ville déserte jusqu'au son des premières cloches; puis, sentant le matin, je pris par les petites rues derrière Chiaia, et je me mis à gravir le Pausilippe au-dessus de la grotte. Arrivé tout en haut, je me promenais en regardant la mer déjà bleue, la ville où l'on n'entendait encore que les bruits du matin, et les îles de la baie, où le soleil commençait à dorer le haut des villas. Je n'étais pas attristé le moins du monde; je marchais à grands pas, je courais, je descendais les pentes, je me roulais dans l'herbe humide; mais dans mon cœur il y avait l'idée de la mort.

« O dieux! je ne sais quelle profonde tristesse habitait mon âme, mais ce n'était autre chose que la pensée cruelle que je n'étais pas aimé. J'avais vu comme le fantôme

du bonheur, j'avais usé de tous les dons de Dieu, j'étais
sous le plus beau ciel du monde, en présence de la nature
la plus parfaite, du spectacle le plus immense qu'il soit
donné aux hommes de voir, mais à quatre cents lieues de
la seule femme qui existât pour moi, et qui ignorait
jusqu'à mon existence. N'être pas aimé et n'avoir pas
l'espoir de l'être jamais! C'est alors que je fus tenté
d'aller demander compte à Dieu de ma singulière existence. Il n'y avait qu'un pas à faire : à l'endroit où j'étais,
la montagne était coupée comme une falaise, la mer gron-
dait au bas, bleue et pure; ce n'était plus qu'un moment
à souffrir. Oh! l'étourdissement de cette pensée fut terrible. Deux fois je me suis élancé, et je ne sais quel
pouvoir me rejeta vivant sur la terre que j'embrassai.
Non, mon Dieu! vous ne m'avez pas créé pour mon
éternelle souffrance. Je ne veux pas vous outrager par
ma mort; mais donnez-moi la force, donnez-moi le pouvoir, donnez-moi surtout la résolution, qui fait que les uns
arrivent au trône, les autres à la gloire, les autres à
l'amour! »

Pendant cette nuit étrange, un phénomène assez rare
s'était accompli. Vers la fin de la nuit, toutes les ouver-
tures de la maison où je me trouvais s'étaient éclairées,
une poussière chaude et soufrée m'empêchait de respirer, et, laissant ma facile conquête endormie sur la
terrasse, je m'engageai dans les ruelles qui conduisent au
château Saint-Elme; — à mesure que je gravissais la
montagne, l'air pur du matin venait gonfler mes poumons; je me reposais délicieusement sous les treilles des
villas, et je contemplais sans terreur le Vésuve couvert
encore d'une coupole de fumée.

C'est en ce moment que je fus saisi de l'étourdissement dont j'ai parlé; la pensée du rendez-vous qui
m'avait été donné par la jeune Anglaise m'arracha aux
fatales idées que j'avais conçues. Après avoir rafraîchi
ma bouche avec une de ces énormes grappes de raisin
que vendent les femmes du marché, je me dirigeai vers
Portici et j'allai visiter les ruines d'Herculanum. Les rues
étaient toutes saupoudrées d'une cendre métallique.
Arrivé près des ruines, je descendis dans la ville souter-
raine et je me promenai longtemps d'édifice en édifice,
demandant à ces monuments le secret de leur passé. Le
temple de Vénus, celui de Mercure parlaient en vain à

mon imagination. Il fallait que cela fût peuplé de figures vivantes. — Je remontai à Portici et m'arrêtai pensif sous une treille en attendant mon inconnue.

Elle ne tarda pas à paraître, guidant la marche pénible de son père, et me serra la main avec force en me disant : « C'est bien. » Nous choisîmes un voiturin et nous allâmes visiter Pompéi. Avec quel bonheur je la guidai dans les rues silencieuses de l'antique colonie romaine. J'en avais d'avance étudié les plus secrets passages. Quand nous arrivâmes au petit temple d'Isis, j'eus le bonheur de lui expliquer fidèlement les détails du culte et des cérémonies que j'avais lues dans Apulée. Elle voulut jouer elle-même le personnage de la Déesse, et je me vis chargé du rôle d'Osiris dont j'expliquai les divins mystères.

En revenant, frappé de la grandeur des idées que nous venions de soulever, je n'osai lui parler d'amour... Elle me vit si froid qu'elle m'en fit reproche. Alors je lui avouai que je ne me sentais plus digne d'elle. Je lui contai le mystère de cette apparition qui avait réveillé un ancien amour dans mon cœur, et toute la tristesse qui avait succédé à cette nuit fatale où le fantôme du bonheur n'avait été que le reproche d'un parjure.

Hélas! que tout cela est loin de nous! Il y a dix ans, je repassais à Naples, venant d'Orient. J'allai descendre à l'hôtel de Rome, et j'y retrouvai la jeune Anglaise. Elle avait épousé un peintre célèbre qui, peu de temps après son mariage, avait été pris d'une paralysie complète; couché sur un lit de repos, il n'avait rien de mobile dans le visage que deux grands yeux noirs, et jeune encore il ne pouvait même espérer la guérison sous d'autres climats. La pauvre fille avait dévoué son existence à vivre tristement entre son époux et son père, et sa douceur, sa candeur de vierge ne pouvaient réussir à calmer l'atroce jalousie qui couvait dans l'âme du premier. Rien ne put jamais l'engager à laisser sa femme libre dans ses promenades, et il me rappelait ce géant noir qui veille éternellement dans la caverne des génies, et que sa femme est forcée de battre pour l'empêcher de se livrer au sommeil. O mystère de l'âme humaine! Faut-il voir dans un tel tableau les marques cruelles de la vengeance des dieux!

Je ne pus donner qu'un jour au spectacle de cette douleur. Le bateau qui me ramenait à Marseille emporta comme un rêve le souvenir de cette apparition chérie, et je me dis que peut-être j'avais laissé là le bonheur. Octavie en a gardé près d'elle le secret.

ISIS

I

Avant l'établissement du chemin de fer de Naples à Résina, une course à Pompéi était tout un voyage. Il fallait une journée pour visiter successivement Herculanum, le Vésuve, — et Pompéi, situé à deux milles plus loin; souvent même on restait sur les lieux jusqu'au lendemain, afin de parcourir Pompéi pendant la nuit, à la clarté de la lune, et de se faire ainsi une illusion complète. Chacun pouvait supposer en effet que, remontant le cours des siècles, il se voyait tout à coup admis à parcourir les rues et les places de la ville endormie; la lune paisible convenait mieux peut-être que l'éclat du soleil à ces ruines, qui n'excitent tout d'abord ni l'admiration ni la surprise, et où l'antiquité se montre pour ainsi dire dans un déshabillé modeste.

Un des ambassadeurs résidant à Naples donna, il y a quelques années, une fête assez ingénieuse. — Muni de toutes les autorisations nécessaires, il fit costumer à l'antique un grand nombre de personnes; les invités se conformèrent à cette disposition, et, pendant un jour et une nuit, l'on essaya diverses représentations des usages de l'antique colonie romaine. On comprend que la science avait dirigé la plupart des détails de la fête; des chars parcouraient les rues, des marchands peuplaient les boutiques; des collations réunissaient, à certaines heures, dans les principales maisons, les diverses compagnies des invités. Là, c'était l'édile Pansa, là Salluste, là Julia-Félix, l'opulente fille de Scaurus, qui recevaient les convives et les admettaient à leurs foyers. — La maison des Vestales avait ses habitantes voilées; celle des

Danseuses ne mentait pas aux promesses de ses gracieux attributs. Les deux théâtres offrirent des représentations comiques et tragiques, et sous les colonnades du Forum des citoyens oisifs échangeaient les nouvelles du jour, tandis que, dans la basilique ouverte sur la place, on entendait retentir l'aigre voix des avocats ou les imprécations des plaideurs. — Des toiles et des tentures complétaient, dans tous les lieux où de tels spectacles étaient offerts, l'effet de décoration, que le manque général des toitures aurait pu contrarier; mais on sait qu'à part ce détail la conservation de la plupart des édifices est assez complète pour que l'on ait pu prendre grand plaisir à cette tentative palingénésique. — Un des spectacles les plus curieux fut la cérémonie qui s'exécuta au coucher du soleil dans cet admirable petit temple d'Isis qui, par sa parfaite conservation, est peut-être la plus intéressante de toutes ces ruines.

Cette fête donna lieu aux recherches suivantes, touchant les formes qu'affecta le culte égyptien lorsqu'il en vint à lutter directement avec la religion naissante du Christ.

Si puissant et si séduisant que fût ce culte régénéré d'Isis pour les hommes énervés de cette époque, il agissait principalement sur les femmes. — Tout ce que les étranges cérémonies et mystères des Cabires et des dieux d'Éleusis, de la Grèce, tout ce que les bacchanales du *Liber Pater* et de l'*Hébon* de la Campanie avaient offert séparément à la passion du merveilleux et à la superstition même se trouvait, par un religieux artifice, rassemblé dans le culte secret de la déesse égyptienne, comme en un canal souterrain qui reçoit les eaux d'une foule d'affluents.

Outre les fêtes particulières mensuelles et les grandes solennités, il y avait deux fois par jour assemblée et office publics pour les croyants des deux sexes. Dès la première heure du jour, la déesse était sur pied, et celui qui voulait mériter ses grâces particulières devait se présenter à son lever pour la prière du matin. — Le temple était ouvert avec grande pompe. Le grand-prêtre sortait du sanctuaire accompagné de ses ministres. L'encens odorant fumait sur l'autel; de doux sons de flûte se faisaient entendre. — Cependant la communauté s'était partagée en deux rangs, dans le vestibule, jusqu'au premier degré du temple. — La voix du prêtre invite à la prière, une sorte de litanie est psalmodiée; puis on entend retentir dans les mains de quelques adorateurs les sons éclatants du sistre d'Isis. Souvent une partie de l'histoire de la déesse est représentée au moyen de pantomimes et de danses symboliques. Les éléments de son culte sont présentés avec des invocations au peuple agenouillé, qui chante ou qui murmure toutes sortes d'oraisons.

Mais si l'on avait, au lever du soleil, célébré les matines de la déesse, on ne devait pas négliger de lui offrir ses salutations du soir et de lui souhaiter une nuit heureuse, formule particulière qui constituait une des parties importantes de la liturgie. On commençait par annoncer à la déesse elle-même l'*heure du soir*.

Les anciens ne possédaient pas, il est vrai, la commodité de l'horloge sonnante ni même de l'horloge muette; mais ils suppléaient, autant qu'ils le pouvaient, à nos machines d'acier et de cuivre par des machines vivantes, par des esclaves chargés de crier l'heure d'après la clepsydre et le cadran solaire; — il y avait même des hommes qui, rien qu'à la longueur de leur ombre, qu'ils savaient estimer à vue d'œil, pouvaient dire l'heure exacte du jour ou du soir. — Cet usage de crier les déterminations du temps était également admis dans les temples. Il y avait des gens pieux à Rome qui remplissaient auprès de Jupiter capitolin ce singulier office de lui dire les heures. — Mais cette coutume était principalement observée aux matines et aux vêpres de la grande Isis, et c'est de cela que dépendait l'ordonnance de la liturgie quotidienne.

II

Cela se faisait dans l'après-midi, au moment de la fermeture solennelle du temple, vers quatre heures, selon la division moderne du temps, ou, selon la division antique, après la huitième heure du jour. — C'était ce que l'on pourrait proprement appeler le petit coucher de la déesse. De tous temps, les dieux durent se conformer aux us et coutumes des hommes. — Sur son Olympe, le *Zeus* d'Homère mène l'existence patriarcale, avec ses femmes, ses fils et ses filles, et vit absolument comme Priam et Arsinoüs aux pays troyen et phéacien. Il fallut également que les deux grandes divinités du Nil, Isis et Sérapis, du moment qu'elles s'établirent à Rome et sur les rivages d'Italie, s'accommodassent à la manière de

vivre des Romains. — Même du temps des derniers
empereurs, on se levait de bon matin à Rome, et, vers
la première ou la deuxième heure du jour, tout était en
mouvement sur les places, dans les cours de justice et sur
les marchés. — Mais ensuite, vers la huitième heure de
la journée ou la quatrième de l'après-midi, toute activité
avait cessé. Plus tard Isis était encore glorifiée dans un
office solennel du soir.

Les autres parties de la liturgie étaient la plupart de
celles qui s'exécutaient aux matines, avec cette différence
toutefois que les litanies et les hymnes étaient entonnées
et chantées, au bruit des sistres, des flûtes et des trom-
pettes, par un psalmiste ou préchantre qui, dans l'ordre
des prêtres, remplissait les fonctions d'hymnode. — Au
moment le plus solennel, le grand-prêtre, debout sur le
dernier degré, devant le tabernacle, accosté à droite et à
gauche de deux diacres ou pastophores, élevait le principal élément du culte, le symbole du Nil fertilisateur,
l'*eau bénite*, et la présentait à la fervente adoration des
fidèles. La cérémonie se terminait par la formule de
congé ordinaire.

Les idées superstitieuses attachées à de certains jours,
les ablutions, les jeûnes, les expiations, les macérations
et les mortifications de la chair étaient le prélude de la
consécration à la plus sainte des déesses de mille qua-
lités et vertus, auxquelles hommes et femmes, après
maintes épreuves et mille sacrifices, s'élevaient par trois
degrés. Toutefois l'introduction de ces mystères ouvrit
la porte à quelques déportements. — A la faveur des
préparations et des épreuves qui, souvent, duraient un
grand nombre de jours et qu'aucun époux n'osait refuser
à sa femme, aucun amant à sa maîtresse, dans la crainte
du fouet d'Osiris ou des vipères d'Isis, se donnaient dans
les sanctuaires des rendez-vous équivoques, recouverts
par les voiles impénétrables de l'initiation. — Mais ce
sont là des excès communs à tous les cultes dans leurs
époques de décadence. Les mêmes accusations furent
adressées aux pratiques mystérieuses et aux agapes des
premiers chrétiens. — L'idée d'une *terre sainte* où devait
se rattacher pour tous les peuples le souvenir des traditions premières et une sorte d'adoration filiale, —
d'une eau sainte propre aux consécrations et purifications
des fidèles, — présente des rapports plus nobles à étu-
dier entre ces deux cultes, dont l'un a pour ainsi dire
servi de transition vers l'autre.

Toute eau était douce pour l'Égyptien, mais surtout celle qui avait été puisée au fleuve, émanation d'Osiris. — A la fête annuelle d'Osiris retrouvé, où, après de longues lamentations, on criait : *Nous l'avons trouvé et nous nous réjouissons tous!* tout le monde se jetait à terre devant la cruche remplie d'eau du Nil nouvellement puisée que portait le grand-prêtre; on levait les mains vers le ciel, exaltant le miracle de la miséricorde divine.

La sainte eau du Nil, conservée dans la cruche sacrée, était aussi à la fête d'Isis le plus vivant symbole du père des vivants et des morts. Isis ne pouvait être honorée sans Osiris. — Le fidèle croyait même à la présence réelle d'Osiris dans l'eau du Nil, et, à chaque bénédiction du soir et du matin, le grand-prêtre montrait au peuple l'*Hydria*, la sainte cruche, et l'offrait à son adoration. — On ne négligeait rien pour pénétrer profondément l'esprit des spectateurs du caractère de cette divine transsubstantiation. — Le prophète lui-même, quelque grande que fût la sainteté de ce personnage, ne pouvait saisir avec ses mains nues le vase dans lequel s'opérait le divin mystère. — Il portait sur son étole, de la plus fine toile, une sorte de pèlerine (piviale) également de lin ou de mousseline, qui lui couvrait les épaules et les bras, et dans laquelle il enveloppait son bras et sa main. — Ainsi ajusté, il prenait le saint vase, qu'il portait ensuite, au rapport de saint Clément d'Alexandrie, serré contre son sein. — D'ailleurs, quelle était la vertu que le Nil ne possédât pas aux yeux du pieux Égyptien? On en parlait partout comme d'une source de guérisons et de miracles. — Il y avait des vases où son eau se conservait plusieurs années. « J'ai dans ma cave de l'eau du Nil de quatre ans », disait avec orgueil le marchand égyptien à l'habitant de Byzance ou de Naples qui lui vantait son vieux vin de Falerne ou de Chios. Même après la mort, sous ses bandelettes et dans sa condition de momie, l'Égyptien espérait qu'Osiris lui permettrait encore d'étancher sa soif avec son onde vénérée. — Osiris te donne de l'eau fraîche! disaient les épitaphes des morts. — C'est pour cela que les momies portaient une coupe peinte sur la poitrine.

III

Peut-être faut-il craindre, en voyage, de gâter par des
lectures faites d'avance l'impression première des lieux
célèbres. J'avais visité l'Orient avec les seuls souvenirs,
déjà vagues, de mon éducation classique. — Au retour
de l'Égypte, Naples était pour moi un lieu de repos et
d'étude, et les précieux dépôts de ses bibliothèques et
de ses musées me servaient à justifier ou à combattre
les hypothèses que mon esprit s'était formées à l'aspect
de tant de ruines inexpliquées ou muettes. — Peut-être
ai-je dû au souvenir éclatant d'Alexandrie, de Thèbes et
des Pyramides, l'impression presque religieuse que me
causa une seconde fois la vue du temple d'Isis de Pompéi.
J'avais laissé mes compagnons de voyage admirer dans
tous ses détails la maison de Diomède, et, me dérobant
à l'attention des gardiens, je m'étais jeté au hasard dans
les rues de la ville antique, évitant çà et là quelque invalide qui me demandait de loin où j'allais, et m'inquiétant
peu de savoir le nom que la science avait retrouvé pour
tel ou tel édifice, pour un temple, pour une maison, pour
une boutique. N'était-ce pas assez que les drogmans et
les Arabes m'eussent gâté les Pyramides, sans subir
encore la tyrannie des *ciceroni* napolitains ? J'étais entré
par la rue des Tombeaux; il était clair qu'en suivant
cette voie pavée de lave, où se dessine encore l'ornière
profonde des roues antiques, je retrouverais le temple
de la déesse égyptienne, situé à l'extrémité de la ville,
auprès du théâtre tragique. Je reconnus l'étroite cour
jadis fermée d'une grille, les colonnes encore debout,
les deux autels à droite et à gauche, dont le dernier est
d'une conservation parfaite, et au fond l'antique *cella*
s'élevant sur sept marches autrefois revêtues de marbre
de Paros.

Huit colonnes d'ordre dorique, sans base, soutiennent
les côtés, et dix autres le fronton; l'enceinte est décou-
verte, selon le genre d'architecture dit *hypœtron*, mais
un portique couvert régnait alentour. Le sanctuaire a la
forme d'un petit temple carré, voûté, couvert en tuiles,
et présente trois niches destinées aux images de la
Trinité égyptienne; — deux autels placés au fond du

sanctuaire portaient les tables isiaques, dont l'une a été conservée, et sur la base de la principale statue de la déesse, placée au centre de la nef intérieure, on a pu lire que *L. C. Phœbus* l'avait érigée dans ce lieu par décret des décurions.

Près de l'autel de gauche, dans la cour, était une petite loge destinée aux purifications; quelques bas-reliefs en décoraient les murailles. Deux vases contenant l'eau lustrale se trouvaient en outre placés à l'entrée de la porte intérieure, comme le sont nos bénitiers. Des peintures sur stuc décoraient l'intérieur du temple et représentaient des tableaux de la campagne, des plantes et des animaux de l'Égypte, — la terre sacrée.

J'avais admiré au Musée les richesses qu'on a retirées de ce temple, les lampes, les coupes, les encensoirs, les burettes, les goupillons, les mitres et les crosses brillantes des prêtres, les sistres, les clairons et les cymbales, une Vénus dorée, un Bacchus, des Hermès, des sièges d'argent et d'ivoire, des idoles de basalte et des pavés de mosaïque ornés d'inscriptions et d'emblèmes. La plupart de ces objets, dont la matière et le travail précieux indiquent la richesse du temple, ont été découverts dans le lieu saint le plus retiré, situé derrière le sanctuaire, et où l'on arrive en passant sous cinq arcades. Là, une petite cour oblongue conduit à une chambre qui contenait des ornements sacrés. L'habitation des ministres isiaques, située à gauche du temple, se composait de trois pièces, et l'on trouva dans l'enceinte plusieurs cadavres de ces prêtres à qui l'on suppose que leur religion fit un devoir de ne pas abandonner le sanctuaire.

Ce temple est la ruine la mieux conservée de Pompéi, parce qu'à l'époque où la ville fut ensevelie il en était le monument le plus nouveau. L'ancien temple avait été renversé quelques années auparavant par un tremblement de terre, et nous voyons là celui qu'on avait rebâti à sa place. — J'ignore si quelqu'une des trois statues d'Isis du Musée de Naples aura été retrouvée dans ce lieu même, mais je les avais admirées la veille, et rien ne m'empêchait, en y joignant le souvenir des deux tableaux, de reconstruire dans ma pensée toute la scène de la cérémonie du soir.

Justement le soleil commençait à s'abaisser vers Caprée, et la lune montait lentement du côté du Vésuve, couvert de son léger dais de fumée. — Je m'assis sur

une pierre, en contemplant ces deux astres qu'on avait
longtemps adorés dans ce temple sous les noms d'Osiris
et d'Isis, et sous des attributs mystiques faisant allusion
à leurs diverses phases, et je me sentis pris d'une vive
émotion. Enfant d'un siècle sceptique plutôt qu'incré-
dule, flottant entre deux éducations contraires, celle de
la révolution, qui niait tout, et celle de la réaction sociale,
qui prétend ramener l'ensemble des croyances chré-
tiennes, me verrais-je entraîné à tout croire, comme nos
pères les philosophes l'avaient été à tout nier ? — Je
songeais à ce magnifique préambule des *Ruines* de Volney,
qui fait apparaître le Génie du passé sur les ruines de
Palmyre, et qui n'emprunte à des inspirations si hautes
que la puissance de détruire pièce à pièce tout l'ensemble
des traditions religieuses du genre humain! Ainsi péris-
sait, sous l'effort de la raison moderne, le Christ lui-
même, ce dernier des révélateurs, qui, au nom d'une
raison plus haute, avait autrefois dépeuplé les cieux.
O nature! ô mère éternelle! était-ce là vraiment le sort
réservé au dernier de tes fils célestes ? Les mortels en
sont-ils venus à repousser toute espérance et tout prestige, et, levant ton voile sacré, déesse de Saïs! le plus
hardi de tes adeptes s'est-il donc trouvé face à face avec
l'image de la Mort ?

Si la chute successive des croyances conduisait à ce
résultat, ne serait-il pas plus consolant de tomber dans
l'excès contraire et d'essayer de se reprendre aux illusions du passé ?

IV

Il est évident que dans les derniers temps le paganisme
s'était retrempé dans son origine égyptienne, et tendait de
plus en plus à ramener au principe de l'unité les diverses
conceptions mythologiques. Cette éternelle Nature, que
Lucrèce, le matérialiste, invoquait lui-même sous le nom
de Vénus céleste, a été préférablement nommée Cybèle
par Julien, Uranie ou Cérès par Plotin, Proclus et
Porphyre; — Apulée, lui donnant tous ces noms,
l'appelle plus volontiers Isis; c'est le nom qui, pour lui,
résume tous les autres; c'est l'identité primitive de cette
reine du ciel, aux attributs divers, au masque changeant!
Aussi lui apparaît-elle vêtue à l'égyptienne, mais dégagée

des allures raides, des bandelettes et des formes naïves du premier temps.

Ses cheveux épais et longs, terminés en boucles, inondent en flottant ses divines épaules; une couronne multiforme pare sa tête, et la lune argentée brille sur son front; des deux côtés se tordent des serpents parmi de blonds épis, et sa robe aux reflets indécis passe, selon le mouvement de ses plis, de la blancheur la plus pure au jaune de safran, ou semble emprunter sa rougeur à la flamme; son manteau, d'un noir foncé, est semé d'étoiles et bordé d'une frange lumineuse; sa main droite tient le sistre, qui rend un son clair, sa main gauche un vase d'or en forme de gondole.

Telle, exhalant les plus délicieux parfums de l'Arabie-Heureuse, elle apparaît à Lucius, et lui dit : « Tes prières m'ont touchée; moi, la mère de la nature, la maîtresse des éléments, la source première des siècles, la plus grande des divinités, la reine des mânes; moi, qui confonds en moi-même et les dieux et les déesses; moi, dont l'univers a adoré sous mille formes l'unique et toute-puissante divinité. Ainsi, l'on me nomme en Phrygie, Cybèle; à Athènes, Minerve; en Chypre, Vénus paphienne; en Crète, Diane dictynne; en Sicile, Proserpine stygienne; à Éleusis, l'antique Cérès; ailleurs, Junon, Bellone, Hécate ou Némésis, tandis que l'Égyptien, qui dans les sciences précéda tous les autres peuples, me rend hommage sous mon vrai nom de la déesse Isis.

« Qu'il te souvienne, dit-elle à Lucius après lui avoir indiqué les moyens d'échapper à l'enchantement dont il est victime, que tu dois me consacrer le reste de ta vie, et, dès que tu auras franchi le sombre bord, tu ne cesseras encore de m'adorer, soit dans les ténèbres de l'Achéron ou dans les Champs-Élysées; et si, par l'observation de mon culte et par une inviolable chasteté, tu mérites bien de moi, tu sauras que je puis seule prolonger ta vie spirituelle au-delà des bornes marquées. » — Ayant prononcé ces adorables paroles, l'invincible déesse disparaît et se recueille *dans sa propre immensité*.

Certes, si le paganisme avait toujours manifesté une conception aussi pure de la divinité, les principes religieux issus de la vieille terre d'Égypte régneraient encore selon cette forme sur la civilisation moderne. — Mais n'est-il pas à remarquer que c'est aussi de l'Égypte que nous viennent les premiers fondements de la foi chrétienne ? Orphée et Moïse, initiés tous deux aux

mystères isiaques, ont simplement annoncé à des races
diverses des vérités sublimes, — que la différence des
mœurs, des langages et l'espace des temps ont ensuite
peu à peu altérées ou transformées entièrement. —
Aujourd'hui, il semble que le catholicisme lui-même ait
subi, selon les pays, une réaction analogue à celle qui
avait lieu dans les dernières années du polythéisme. En
Italie, en Pologne, en Grèce, en Espagne, chez tous les
peuples les plus sincèrement attachés à l'Église romaine,
la dévotion à la Vierge n'est-elle pas devenue une sorte
de culte exclusif ? N'est-ce pas toujours la Mère sainte,
tenant dans ses bras l'enfant sauveur et médiateur qui
domine les esprits, — et dont l'apparition produit encore
des conversions comparables à celle du héros d'Apulée ?
Isis n'a pas seulement ou l'enfant dans les bras, ou la
croix à la main comme la Vierge : le même signe zodiacal
leur est consacré, la lune est sous leurs pieds; le même
nimbe brille autour de leur tête; nous avons rapporté
plus haut mille détails analogues dans les cérémonies;
— même sentiment de chasteté dans le culte isiaque, tant
que la doctrine est restée pure; institutions pareilles
d'associations et de confréries. Je me garderai certes de
tirer de tous ces rapprochements les mêmes conclusions
que Volney et Dupuis. Au contraire, aux yeux du philosophe, sinon du théologien, — ne peut-il pas sembler
qu'il y ait eu, dans tous les cultes intelligents, une certaine part de révélation divine ? Le christianisme primitif
a invoqué la parole des sibylles et n'a point repoussé le
témoignage des derniers oracles de Delphes. Une évolu-
tion nouvelle des dogmes pourrait faire concorder sur
certains points les témoignages religieux des divers
temps. Il serait si beau d'absoudre et d'arracher aux
malédictions éternelles les héros et les sages de l'antiquité !
   Loin de moi, certes, la pensée d'avoir réuni les détails
qui précèdent en vue seulement de prouver que la religion chrétienne a fait de nombreux emprunts aux dernières formules du paganisme : ce point n'est nié de
personne. Toute religion qui succède à une autre respecte longtemps certaines pratiques et formes de culte,
qu'elle se borne à harmoniser avec ses propres dogmes.
Ainsi la vieille théogonie des Égyptiens et des Pélasges
s'était seulement modifiée et traduite chez les Grecs,
parée de noms et d'attributs nouveaux; — plus tard
encore, dans la phase religieuse que nous venons de
dépeindre, Sérapis, qui était déjà une transformation

d'Osiris, en devenait une de Jupiter; Isis, qui n'avait,
pour entrer dans le mythe grec, qu'à reprendre son nom
d'Io, fille d'Inachus, — le fondateur des mystères
d'Éleusis, — repoussait désormais le masque bestial,
symbole d'une époque de lutte et de servitude. Mais
voyez combien d'assimilations aisées le christianisme
allait trouver dans ces rapides transformations des
dogmes les plus divers! — Laissons de côté la *croix* de
Sérapis et le séjour aux enfers de ce dieu *qui juge les
âmes;* — le *Rédempteur* promis à la terre, et que pressen-
taient depuis longtemps les poètes et les oracles, est-ce
l'enfant Horus allaité par la mère divine, et qui sera le
Verbe (logos) des âges futurs ? — Est-ce l'Iacchus-Iésus
des mystères d'Éleusis, plus grand déjà, et s'élançant
des bras de Déméter, la déesse *panthée ?* ou plutôt n'est-il
pas vrai qu'il faut réunir tous ces modes divers d'une
même idée, et que ce fut toujours une admirable pensée
théogonique de présenter à l'adoration des hommes une
Mère céleste dont l'enfant est l'espoir du monde ?

Et maintenant pourquoi ces cris d'ivresse et de joie,
ces chants du ciel, ces palmes qu'on agite, ces gâteaux
sacrés qu'on se partage à de certains jours de l'année ?
C'est que l'enfant sauveur est né jadis en ce même
temps. — Pourquoi ces autres jours de pleurs et de
chants lugubres où l'on cherche le corps d'un dieu
meurtri et sanglant, — où les gémissements retentissent
des bords du Nil aux rives de la Phénicie, des hauteurs du
Liban aux plaines où fut Troie ? Pourquoi celui qu'on
cherche et qu'on pleure s'appelle-t-il ici Osiris, plus loin
Adonis, plus loin Atys ? et pourquoi une autre clameur
qui vient du fond de l'Asie cherche-t-elle aussi dans les
grottes mystérieuses les restes d'un dieu immolé ? —
Une femme divinisée, mère, épouse ou amante, baigne
de ses larmes ce corps saignant et défiguré, victime d'un
principe hostile qui triomphe par sa mort, mais qui sera
vaincu un jour! La victime céleste est présentée par le
marbre ou la cire, avec ses chairs ensanglantées, avec ses
plaies vives, que les fidèles viennent toucher et baiser
pieusement. Mais le troisième jour tout change : le corps
a disparu, l'immortel s'est révélé; la joie succède aux
pleurs, l'espérance renaît sur la terre; c'est la fête
renouvelée de la jeunesse et du printemps.

Voilà le culte oriental, primitif et postérieur à la fois
aux fables de la Grèce, qui avait fini par envahir et
absorber peu à peu le domaine des dieux d'Homère. Le

ciel mythologique rayonnait d'un trop pur éclat, il était d'une beauté trop précise et trop nette, il respirait trop le bonheur, l'abondance et la sérénité, il était, en un mot, trop bien conçu au point de vue des gens heureux, des peuples riches et vainqueurs, pour s'imposer longtemps au monde agité et souffrant. — Les Grecs l'avaient fait triompher par la victoire dans cette lutte presque cosmogonique qu'Homère a chantée, et depuis encore la force et la gloire des dieux s'étaient incarnées dans les destinées de Rome ; — mais la douleur et l'esprit de vengeance agissaient sur le reste du monde, qui ne voulait plus s'abandonner qu'aux religions du désespoir. — La philosophie accomplissait d'autre part un travail d'assimilation et d'unité morale ; la chose attendue dans les esprits se réalisa dans l'ordre des faits. Cette Mère divine, ce Sauveur, qu'une sorte de mirage prophétique avait annoncés çà et là d'un bout à l'autre du monde, apparurent enfin comme le grand jour qui succède aux vagues clartés de l'aurore.

CORILLA

FABIO. — MARCELLI. — MAZETTO, garçon de théâtre.
CORILLA, prima donna.

Le boulevard de Sainte-Lucie, près de l'Opéra, à Naples.

FABIO, MAZETTO.

FABIO. — Si tu me trompes, Mazetto, c'est un triste
métier que tu fais là...

MAZETTO. — Le métier n'en est pas meilleur; mais
je vous sers fidèlement. Elle viendra ce soir, vous dis-je;
elle a reçu vos lettres et vos bouquets.

FABIO. — Et la chaîne d'or, et l'agrafe de pierres fines ?

MAZETTO. — Vous ne devez pas douter qu'elles ne lui
soient parvenues aussi, et vous les reconnaîtrez peut-être
à son cou et à sa ceinture; seulement, la façon de ces
bijoux est si moderne qu'elle n'a trouvé encore aucun
rôle où elle pût les porter comme faisant partie de son
costume.

FABIO. — Mais, m'a-t-elle vu seulement ? m'a-t-elle
remarqué à la place où je suis assis tous les soirs pour
l'admirer et l'applaudir, et puis-je penser que mes présents ne seront pas la seule cause de sa démarche ?

MAZETTO. — Fi, monsieur! ce que vous avez donné
n'est rien pour une personne de cette volée; et, dès que
vous vous connaîtrez mieux, elle vous répondra par
quelque portrait entouré de perles qui vaudra le double.
Il en est de même des dix ducats que vous m'avez remis
déjà, et des vingt autres que vous m'avez promis dès
que vous aurez l'assurance de votre premier rendez-

vous; ce n'est qu'argent prêté, je vous l'ai dit, et ils vous
reviendront un jour avec de gros intérêts.

FABIO. — Va, je n'en attends rien.

MAZETTO. — Non, monsieur, il faut que vous sachiez
à quels gens vous avez affaire, et que, loin de vous
ruiner, vous êtes ici sur le vrai chemin de votre fortune;
veuillez donc me compter la somme convenue, car je suis
forcé de me rendre au théâtre pour y remplir mes fonctions de chaque soir.

FABIO. — Mais pourquoi n'a-t-elle pas fait de réponse,
et n'a-t-elle pas marqué de rendez-vous?

MAZETTO. — Parce que, ne vous ayant encore vu que
de loin, c'est-à-dire de la scène aux loges, comme vous ne
l'avez vue vous-même que des loges à la scène, elle veut
connaître avant tout votre tenue et vos manières, enten-
dez-vous? votre son de voix, que sais-je! Voudriez-vous
que la première cantatrice de San-Carlo acceptât les
hommages du premier venu sans plus d'informations?

FABIO. — Mais l'oserai-je aborder seulement? et
dois-je m'exposer, sur ta parole, à l'affront d'être rebuté,
ou d'avoir, à ses yeux, la mine d'un galant de carrefour?

MAZETTO. — Je vous répète que vous n'avez rien à
faire qu'à vous promener le long de ce quai, presque
désert à cette heure; elle passera, cachant son visage
baissé sous la frange de sa mantille; elle vous adressera
la parole elle-même, et vous indiquera un rendez-vous
pour ce soir, car l'endroit est peu propre à une conversation suivie. Serez-vous content?

FABIO. — O Mazetto! si tu dis vrai, tu me sauves la vie!

MAZETTO. — Et, par reconnaissance, vous me prêtez
les vingt louis convenus.

FABIO. — Tu les recevras quand je lui aurai parlé.

MAZETTO. — Vous êtes méfiant; mais votre amour
m'intéresse, et je l'aurais servi par pure amitié, si je
n'avais à nourrir ma famille. Tenez-vous là comme
rêvant en vous-même et composant quelque sonnet; je
vais rôder aux environs pour prévenir toute surprise.

(Il sort.)

FABIO, seul.

Je vais la voir! la voir pour la première fois à la lumière
du ciel, entendre, pour la première fois, des paroles qu'elle
aura pensées! Un mot d'elle va réaliser mon rêve, ou le

faire envoler pour toujours! Ah! j'ai peur de risquer ici plus que je ne puis gagner; ma passion était grande et pure, et rasait le monde sans le toucher, elle n'habitait que des palais radieux et des rives enchantées; la voici ramenée à la terre et contrainte à cheminer comme toutes les autres. Ainsi que Pygmalion, j'adorais la forme extérieure d'une femme; seulement la statue se mouvait tous les soirs sous mes yeux avec une grâce divine, et, de sa bouche, il ne tombait que des perles de mélodie. Et maintenant voici qu'elle descend à moi. Mais l'amour qui a fait ce miracle est un honteux valet de comédie, et le rayon qui fait vivre pour moi cette idole adorée est de ceux que Jupiter versait au sein de Danaé!... Elle vient, c'est bien elle; oh! le cœur me manque, et je serais tenté de m'enfuir si elle ne m'avait aperçu déjà!

FABIO, UNE DAME en mantille.

LA DAME, *passant près de lui.* — Seigneur cavalier, donnez-moi le bras, je vous prie, de peur qu'on ne nous observe, et marchons naturellement. Vous m'avez écrit...

FABIO. — Et je n'ai reçu de vous aucune réponse...

LA DAME. — Tiendriez-vous plus à mon écriture qu'à mes paroles?

FABIO. — Votre bouche ou votre main m'en voudrait si j'osais choisir.

LA DAME. — Que l'une soit le garant de l'autre; vos lettres m'ont touchée, et je consens à l'entrevue que vous me demandez. Vous savez pourquoi je ne puis vous recevoir chez moi?

FABIO. — On me l'a dit.

LA DAME. — Je suis très entourée, très gênée dans toutes mes démarches. Ce soir à cinq heures de la nuit, attendez-moi au rond-point de la Villa-Reale, j'y viendrai sous un déguisement, et nous pourrons avoir quelques instants d'entretien.

FABIO. — J'y serai.

LA DAME. — Maintenant, quittez mon bras, et ne me suivez pas, je me rends au théâtre. Ne paraissez pas dans la salle ce soir... Soyez discret et confiant. (*Elle sort.*)

FABIO, *seul.* — C'était bien elle!... En me quittant, elle s'est toute révélée dans un mouvement, comme la Vénus de Virgile. J'avais à peine reconnu son visage, et pour-

tant l'éclair de ses yeux me traversait le cœur, de même
qu'au théâtre, lorsque son regard vient croiser le mien
dans la foule. Sa voix ne perd pas de son charme en
prononçant de simples paroles ; et, cependant, je croyais
jusqu'ici qu'elle ne devait avoir que le chant, comme
les oiseaux ! Mais ce qu'elle m'a dit vaut tous les vers de
Métastase, et ce timbre si pur, et cet accent si doux
n'empruntent rien pour séduire aux mélodies de Paesiello
ou de Cimarosa. Ah ! toutes ces héroïnes que j'adorais
en elle, Sophonisbe, Alcime, Herminie, et même cette
blonde Molinara, qu'elle joue à ravir avec des habits
moins splendides, je les voyais toutes enfermées à la fois
sous cette mantille coquette, sous cette coiffe de satin.
Encore Mazetto !

FABIO, MAZETTO.

MAZETTO. — Eh bien ! seigneur, suis-je un fourbe,
un homme sans parole, un homme sans honneur ?

FABIO. — Tu es le plus vertueux des mortels ! Mais,
tiens, prends cette bourse, et laisse-moi seul.

MAZETTO. — Vous avez l'air contrarié.

FABIO. — C'est que le bonheur me rend triste ; il me
force à penser au malheur qui le suit toujours de près.

MAZETTO. — Peut-être avez-vous besoin de votre
argent pour jouer au lansquenet cette nuit ? Je puis
vous le rendre, et même vous en prêter d'autre.

FABIO. — Cela n'est point nécessaire. Adieu.

MAZETTO. — Prenez garde à la *jettatura*, seigneur
Fabio ! *(Il sort.)*

FABIO, seul.

Je suis fatigué de voir la tête de ce coquin faire ombre
sur mon amour ; mais, Dieu merci, ce messager va me
devenir inutile. Qu'a-t-il fait, d'ailleurs, que de remettre
adroitement mes billets et mes fleurs, qu'on avait
longtemps repoussés ? Allons, allons, l'affaire a été habile-
ment conduite et touche à son dénouement... Mais pourquoi suis-je donc si morose ce soir, moi qui devrais
nager dans la joie et frapper ces dalles d'un pied triomphant ? N'a-t-elle pas cédé un peu vite, et surtout depuis
l'envoi de mes présents ?... Bon, je vois les choses trop
en noir, et je ne devrais songer plutôt qu'à préparer ma

rhétorique amoureuse. Il est clair que nous ne nous contenterons pas de causer amoureusement sous les arbres, et que je parviendrai bien à l'emmener souper dans quelque hôtellerie de Chiaia, mais il faudra être brillant, passionné, fou d'amour, monter ma conversation au ton de mon style, réaliser l'idéal que lui ont présenté mes lettres et mes vers... et c'est à quoi je ne me sens nulle chaleur et nulle énergie... J'ai envie d'aller me remonter l'imagination avec quelques verres de vin d'Espagne.

FABIO, MARCELLI.

MARCELLI. — C'est un triste moyen, seigneur Fabio; le vin est le plus traître des compagnons; il vous prend dans un palais et vous laisse dans un ruisseau.

FABIO. — Ah! c'est vous, seigneur Marcelli; vous m'écoutiez?

MARCELLI. — Non, mais je vous entendais.

FABIO. — Ai-je rien dit qui vous ait déplu?

MARCELLI. — Au contraire; vous vous disiez triste et vous vouliez boire, c'est tout ce que j'ai surpris de votre monologue. Moi, je suis plus gai qu'on ne peut dire. Je marche le long de ce quai comme un oiseau; je pense à des choses folles, je ne puis demeurer en place, et j'ai peur de me fatiguer. Tenons-nous compagnie l'un à l'autre un instant; je vaux bien une bouteille pour l'ivresse, et cependant je ne suis rempli que de joie; j'ai besoin de m'épancher comme un flacon de sillery, et je veux jeter dans votre oreille un secret étourdissant.

FABIO. — De grâce, choisissez un confident moins préoccupé de ses propres affaires. J'ai la tête prise, mon cher; je ne suis bon à rien ce soir, et, eussiez-vous à me confier que le roi Midas a des oreilles d'âne, je vous jure que je serais incapable de m'en souvenir demain pour le répéter.

MARCELLI. — Et c'est ce qu'il me faut, vrai Dieu! un confident muet comme une tombe.

FABIO. — Bon! ne sais-je pas vos façons?... Vous voulez publier une bonne fortune, et vous m'avez choisi pour le héraut de votre gloire.

MARCELLI. — Au contraire, je veux prévenir une indiscrétion, en vous confiant bénévolement certaines choses que vous n'avez pas manqué de soupçonner.

FABIO. — Je ne sais ce que vous voulez dire.

MARCELLI. — On ne garde pas un secret surpris, au lieu qu'une confidence engage.

FABIO. — Mais je ne soupçonne rien qui vous puisse concerner.

MARCELLI. — Il convient alors que je vous dise tout.

FABIO. — Vous n'allez donc pas au théâtre ?

MARCELLI. — Non, pas ce soir; et vous ?

FABIO. — Moi, j'ai quelque affaire en tête, j'ai besoin de me promener seul.

MARCELLI. — Je gage que vous composez un opéra ?

FABIO. — Vous avez deviné.

MARCELLI. — Et qui s'y tromperait ? Vous ne manquez pas une seule des représentations de San-Carlo; vous arrivez dès l'ouverture, ce que ne fait aucune personne du bel air; vous ne vous retirez pas au milieu du dernier acte, et vous restez seul dans la salle avec le public du parquet. Il est clair que vous étudiez votre art avec soin et persévérance. Mais une seule chose m'inquiète : êtes-vous poète ou musicien ?

FABIO. — L'un et l'autre.

MARCELLI. — Pour moi, je ne suis qu'amateur et n'ai fait que des chansonnettes. Vous savez donc très bien que mon assiduité dans cette salle, où nous nous rencontrons continuellement depuis quelques semaines, ne peut avoir d'autre motif qu'une intrigue amoureuse...

FABIO. — Dont je n'ai nulle envie d'être informé.

MARCELLI. — Oh! vous ne m'échapperez point par ces faux-fuyants, et ce n'est que quand vous saurez tout que je me croirai certain du mystère dont mon amour a besoin.

FABIO. — Il s'agit donc de quelque actrice... de la Borsella ?

MARCELLI. — Non, de la nouvelle cantatrice espagnole, de la divine Corilla!... Par Bacchus! vous avez bien remarqué les furieux clins d'œil que nous nous lançons ?

FABIO, *avec humeur*. — Jamais!

MARCELLI. — Les signes convenus entre nous à de certains instants où l'attention du public se porte ailleurs ?

FABIO. — Je n'ai rien vu de pareil.

MARCELLI. — Quoi! vous êtes distrait à ce point ? J'ai donc eu tort de vous croire informé d'une partie de mon secret; mais la confidence étant commencée...

FABIO, *vivement*. — Oui, certes! vous me voyez maintenant curieux d'en connaître la fin.

MARCELLI. — Peut-être n'avez-vous jamais fait grande attention à la signora Corilla ? Vous êtes plus occupé,

n'est-ce pas, de sa voix que de sa figure ? Eh bien!
regardez-la, elle est charmante.

FABIO. — J'en conviens.

MARCELLI. — Une blonde d'Italie ou d'Espagne, c'est
toujours une espèce de beauté fort singulière et qui a du
prix par sa rareté.

FABIO. — C'est également mon avis.

MARCELLI. — Ne trouvez-vous pas qu'elle ressemble
à Judith de Caravagio, qui est dans le Musée royal ?

FABIO. — Eh! monsieur, finissez. En deux mots, vous
êtes son amant, n'est-ce pas ?

MARCELLI. — Pardon; je ne suis encore que son amoureux.

FABIO. — Vous m'étonnez.

MARCELLI. — Je dois vous dire qu'elle est fort sévère.

FABIO. — On le prétend.

MARCELLI. — Que c'est une tigresse, une Bradamante...

FABIO. — Une Alcimadure.

MARCELLI. — Sa porte demeurant fermée à mes bouquets, sa fenêtre à mes sérénades, j'en ai conclu qu'elle
avait des raisons pour être insensible... chez elle, mais que
sa vertu devait tenir pied moins solidement sur les planches
d'une scène d'opéra... Je sondai le terrain, j'appris qu'un
certain drôle nommé Mazetto avait accès près d'elle, en
raison de son service au théâtre...

FABIO. — Vous confiâtes vos fleurs et vos billets à ce
coquin.

MARCELLI. — Vous le saviez donc ?

FABIO. — Et aussi quelques présents qu'il vous
conseilla de faire.

MARCELLI. — Ne disais-je pas bien que vous étiez
informé de tout ?

FABIO. — Vous n'avez pas reçu de lettres d'elle ?

MARCELLI. — Aucune.

FABIO. — Il serait trop singulier que la dame elle-
même, passant près de vous dans la rue, vous eût, à
voix basse, indiqué un rendez-vous...

MARCELLI. — Vous êtes le diable, ou moi-même!

FABIO. — Pour demain ?

MARCELLI. — Non, pour aujourd'hui.

FABIO. — A cinq heures de la nuit ?

MARCELLI. — A cinq heures.

FABIO. — Alors, c'est au rond-point de la Villa-Reale ?

MARCELLI. — Non, devant les bains de Neptune.

FABIO. — Je n'y comprends plus rien.

MARCELLI. — Pardieu! vous voulez tout deviner, tout
savoir mieux que moi. C'est particulier. Maintenant que
j'ai tout dit, il est de votre honneur d'être discret.

FABIO. — Bien. Écoutez-moi, mon ami... nous sommes
joués l'un ou l'autre.

MARCELLI. — Que dites-vous ?

FABIO. — Ou l'un et l'autre, si vous voulez. Nous avons
rendez-vous de la même personne, à la même heure :
vous, devant les bains de Neptune; moi, à la Villa-Reale!

MARCELLI. — Je n'ai pas le temps d'être stupéfait;
mais je vous demande raison de cette lourde plaisanterie.

FABIO. — Si c'est la raison qui vous manque, je ne me
charge pas de vous en donner; si c'est un coup d'épée
qu'il vous faut, dégainez la vôtre.

MARCELLI. — Je fais une réflexion : vous avez sur moi
tout avantage en ce moment.

FABIO. — Vous en convenez ?

MARCELLI. — Pardieu! vous êtes un amant malheureux, c'est clair; vous alliez vous jeter du haut de cette
rampe, ou vous pendre aux branches de ces tilleuls, si je
ne vous eusse rencontré. Moi, au contraire, je suis reçu,
favorisé, presque vainqueur; je soupe ce soir avec l'objet
de mes vœux. Je vous rendrais service en vous tuant; mais,
si c'est moi qui suis tué, vous conviendrez qu'il serait
dommage que ce fût avant, et non après. Les choses ne
sont pas égales; remettons l'affaire à demain.

FABIO. — Je fais exactement la même réflexion que
vous, et pourrais vous répéter vos propres paroles. Ainsi,
je consens à ne vous punir que demain de votre folle van-
terie. Je ne vous croyais qu'indiscret.

MARCELLI. — Bon! séparons-nous sans un mot de plus.
Je ne veux point vous contraindre à des aveux humi-
liants, ni compromettre davantage une dame qui n'a pour
moi que des bontés. Je compte sur votre réserve et vous
donnerai demain matin des nouvelles de ma soirée.

FABIO. — Je vous en promets autant; mais ensuite
nous ferraillerons de bon cœur. A demain donc.

MARCELLI. — A demain, seigneur Fabio.

FABIO, seul.

Je ne sais quelle inquiétude m'a porté à le suivre de
loin, au lieu d'aller de mon côté. Retournons! (Il fait

quelques pas.) Il est impossible de porter plus loin l'assurance, mais aussi ne pouvait-il guère revenir sur sa prétention et me confesser son mensonge. Voilà de nos
jeunes fous à la mode; rien ne leur fait obstacle, ils sont
les vainqueurs et les préférés de toutes les femmes, et la liste
de don Juan ne leur coûterait que la peine de l'écrire.
Certainement, d'ailleurs, si cette beauté nous trompait
l'un pour l'autre, ce ne serait pas à la même heure. Allons,
je crois que l'instant approche, et que je ferais bien de me
diriger du côté de la Villa-Reale, qui doit être déjà débar-
rassée de ses promeneurs et rendue à la solitude. Mais en
vérité n'aperçois-je pas là-bas Marcelli qui donne le bras
à une femme?... Je suis fou véritablement; si c'est lui,
ce ne peut être elle... Que faire? Si je vais de leur côté,
je manque l'heure de mon rendez-vous... et, si je n'éclair-
cis pas le soupçon qui me vient, je risque, en me rendant
là-bas, de jouer le rôle d'un sot. C'est là une cruelle incer-
titude. L'heure se passe, je vais et reviens, et ma position
est la plus bizarre du monde. Pourquoi faut-il que j'aie
rencontré cet étourdi, qui s'est joué de moi peut-être?
Il aura su mon amour par Mazetto, et tout ce qu'il m'est
venu conter tient à quelque obscure fourberie que je
saurai bien démêler. — Décidément, je prends mon
parti, je cours à la Villa-Reale. *(Il revient.)* Sur mon âme,
ils approchent; c'est la même mantille garnie de longues
dentelles; c'est la même robe de soie grise... en deux pas
ils vont être ici. Oh! si c'est elle, si je suis trompé... je
n'attendrai pas à demain pour me venger de tous les
deux!... Que vais-je faire? un éclat ridicule... retirons-
nous derrière ce treillis pour mieux nous assurer que ce
sont bien eux-mêmes.

FABIO, caché; MARCELLI; la signora CORILLA lui donnant
le bras.

MARCELLI. — Oui, belle dame, vous voyez jusqu'où
va la suffisance de certaines gens. Il y a par la ville un cavalier qui se vante d'avoir aussi obtenu de vous une entrevue
pour ce soir. Et, si je n'étais sûr de vous avoir maintenant
à mon bras, fidèle à une douce promesse trop longtemps
différée...

CORILLA. — Allons, vous plaisantez, seigneur Marcelli. Et ce cavalier si avantageux... le connaissez-
vous?

MARCELLI. — C'est à moi justement qu'il a fait des
confidences...

FABIO, *se montrant*. — Vous vous trompez, seigneur,
c'est vous qui me faisiez les vôtres... Madame, il est inutile d'aller plus loin; je suis décidé à ne point supporter
un pareil manège de coquetterie. Le seigneur Marcelli
peut vous reconduire chez vous, puisque vous lui avez
donné le bras; mais ensuite, qu'il se souvienne bien que
je l'attends, moi.

MARCELLI. — Écoutez, mon cher, tâchez, dans cette
affaire-ci, de n'être que ridicule.

FABIO. — Ridicule, dites-vous ?

MARCELLI. — Je le dis. S'il vous plaît de faire du bruit,
attendez que le jour se lève; je ne me bats pas sous les
lanternes, et je ne me soucie point de me faire arrêter
par la garde de nuit.

CORILLA. — Cet homme est fou; ne le voyez-vous
pas ? Éloignons-nous.

FABIO. — Ah! madame! il suffit... ne brisez pas entièrement cette belle image que je portais pure et sainte
au fond de mon cœur. Hélas! content de vous aimer de
loin, de vous écrire... j'avais peu d'espérance, et je
demandais moins que vous ne m'avez promis!

CORILLA. — Vous m'avez écrit ? à moi!...

MARCELLI. — Eh! qu'importe ? ce n'est pas ici le lieu
d'une telle explication...

CORILLA. — Et que vous ai-je promis, monsieur ?... je
ne vous connais pas et ne vous ai jamais parlé.

MARCELLI. — Bon! quand vous lui auriez dit quelques
paroles en l'air, le grand mal! Pensez-vous que mon
amour s'en inquiète ?

CORILLA. — Mais quelle idée avez-vous aussi, seigneur ? Puisque les choses sont allées si loin, je veux que
tout s'explique à l'instant. Ce cavalier croit avoir à se
plaindre de moi; qu'il parle et qu'il se nomme avant tout;
car j'ignore ce qu'il est et ce qu'il veut.

FABIO. — Rassurez-vous, madame! j'ai honte d'avoir
fait cet éclat et d'avoir cédé à un premier mouvement de
surprise. Vous m'accusez d'imposture, et votre belle
bouche ne peut mentir. Vous l'avez dit, je suis fou, j'ai
rêvé. Ici même, il y a une heure, quelque chose comme
votre fantôme passait, m'adressait de douces paroles et
promettait de revenir... Il y avait de la magie, sans doute,
et cependant tous les détails restent présents à ma pensée.
J'étais là, je venais de voir le soleil se coucher derrière le

Pausilippe, en jetant sur Ischia le bord de son manteau
rougeâtre, la mer noircissait dans le golfe, et les voiles
blanches se hâtaient vers la terre comme des colombes
attardées... Vous voyez, je suis un triste rêveur, mes
lettres ont dû vous l'apprendre, mais vous n'entendrez
plus parler de moi, je le jure, et vous dis adieu.

CORILLA. — Vos lettres... Tenez, tout cela a l'air d'un
imbroglio de comédie, permettez-moi de ne m'y point
arrêter davantage; seigneur Marcelli, veuillez reprendre
mon bras et me reconduire en toute hâte chez moi.
(Fabio salue et s'éloigne.)

MARCELLI. — Chez vous, madame ?

CORILLA. — Oui, cette scène m'a bouleversée!... Vit-on
jamais rien de plus bizarre ? Si la place du Palais n'est
pas encore déserte, nous trouverons bien une chaise,
ou tout au moins un falot. Voici justement les valets du
théâtre qui sortent; appelez un d'entre eux...

MARCELLI. — Holà! quelqu'un! par ici... Mais, en
vérité, vous sentez-vous malade ?

CORILLA. — A ne pouvoir marcher plus loin...

FABIO, MAZETTO, les précédents.

FABIO, *entraînant Mazetto.* — Tenez, c'est le ciel qui
nous l'amène; voilà le traître qui s'est joué de moi.

MARCELLI. — C'est Mazetto! le plus grand fripon des
Deux-Siciles. Quoi! c'était aussi votre messager ?

MAZETTO. — Au diable! vous m'étouffez.

FABIO. — Tu vas nous expliquer...

MAZETTO. — Et que faites-vous ici, seigneur ? je vous
croyais en bonne fortune ?

FABIO. — C'est la tienne qui ne vaut rien. Tu vas mourir si tu ne confesses pas toute ta fourberie.

MARCELLI. — Attendez, seigneur Fabio, j'ai aussi des
droits à faire valoir sur ses épaules. A nous deux, maintenant.

MAZETTO. — Messieurs, si vous voulez que je com-
prenne, ne frappez pas tous les deux à la fois. De quoi
s'agit-il ?

FABIO. — Et de quoi peut-il être question, misérable ?
Mes lettres, qu'en as-tu fait ?

MARCELLI. — Et de quelle façon as-tu compromis
l'honneur de la signora Corilla ?

MAZETTO. — Messieurs, l'on pourrait nous entendre.

MARCELLI. — Il n'y a ici que la signora elle-même et nous deux, c'est-à-dire deux hommes qui vont s'entre-tuer demain à cause d'elle ou à cause de toi.

MAZETTO. — Permettez : ceci dès lors est grave, et mon humanité me défend de dissimuler davantage...

FABIO. — Parle.

MAZETTO. — Au moins, remettez vos épées.

FABIO. — Alors nous prendrons des bâtons.

MARCELLI. — Non; nous devons le ménager s'il dit la vérité tout entière, mais à ce prix-là seulement.

CORILLA. — Son insolence m'indigne au dernier point.

MARCELLI. — Le faut-il assommer avant qu'il ait parlé?

CORILLA. — Non; je veux tout savoir, et que, dans une si noire aventure, il ne reste du moins aucun doute sur ma loyauté.

MAZETTO. — Ma confession est votre panégyrique, madame; tout Naples connaît l'austérité de votre vie. Or, le seigneur Marcelli, que voilà, était passionnément épris de vous; il allait jusqu'à promettre de vous offrir son nom si vous vouliez quitter le théâtre; mais il fallait qu'il pût du moins mettre à vos genoux l'hommage de son cœur, je ne dis pas de sa fortune; mais vous en avez bien pour deux, on le sait, et lui aussi.

MARCELLI. — Faquin!...

FABIO. — Laissez-le finir.

MAZETTO. — La délicatesse du motif m'engagea dans son parti. Comme valet du théâtre, il m'était aisé de mettre ses billets sur votre toilette. Les premiers furent brûlés; d'autres, laissés ouverts, reçurent un meilleur accueil. Le dernier vous décida à accorder un rendez-vous au seigneur Marcelli, lequel m'en a fort bien récom-pensé!...

MARCELLI. — Mais qui te demande tout ce récit ?

FABIO. — Et moi, traître! âme à double face! comment m'as-tu servi ? Mes lettres les as-tu remises ? Quelle est cette femme voilée que tu m'as envoyée tantôt, et que tu m'as dit être la signora Corilla elle-même ?

MAZETTO. — Ah! seigneurs, qu'eussiez-vous dit de moi et quelle idée madame en eût-elle pu concevoir si je lui avais remis des lettres de deux écritures différentes et des bouquets de deux amoureux ? Il faut de l'ordre en toute chose, et je respecte trop madame pour lui avoir supposé la fantaisie de mener de front deux amours. Cependant le désespoir du seigneur Fabio, à mon pre-mier refus de le servir, m'avait singulièrement touché.

Je le laissai d'abord épancher sa verve en lettres et en sonnets que je feignis de remettre à la signora, supposant que son amour pourrait bien être de ceux qui viennent si fréquemment se brûler les ailes aux flammes de la rampe; passions d'écoliers et de poètes, comme nous en voyons tant... Mais c'était plus sérieux, car la bourse du seigneur Fabio s'épuisait à fléchir ma résolution vertueuse...

MARCELLI. — En voilà assez! Signora, nous n'avons point affaire, n'est-ce pas, de ces divagations.

CORILLA. — Laissez-le dire, rien ne nous presse, monsieur.

MAZETTO. — Enfin, j'imaginai que le seigneur Fabio étant épris par les yeux seulement, puisqu'il n'avait jamais pu réussir à s'approcher de madame, et n'avait jamais entendu sa voix qu'en musique, il suffirait de lui procurer la satisfaction d'un entretien avec quelque créature de la taille et de l'air de la signora Corilla... Il faut dire que j'avais déjà remarqué une petite bouquetière qui vend ses fleurs le long de la rue de Tolède ou devant les cafés de la place du Môle. Quelquefois elle s'arrête un instant, et chante des chansonnettes espagnoles avec une voix d'un timbre fort clair...

MARCELLI. — Une bouquetière qui ressemble à la signora, allons donc! ne l'aurais-je point aussi remarquée?

MAZETTO. — Seigneur, elle arrive tout fraîchement par le galion de Sicile, et porte encore le costume de son pays.

CORILLA. — Cela n'est pas vraisemblable assurément.

MAZETTO. — Demandez au seigneur Fabio si, le costume aidant, il n'a pas cru tantôt voir passer madame elle-même?

FABIO. — Eh bien! cette femme...

MAZETTO. — Cette femme, seigneur, est celle qui vous attend à la Villa-Reale, ou plutôt qui ne vous attend plus, l'heure étant de beaucoup passée.

FABIO. — Peut-on imaginer une plus noire complication d'intrigues?

MARCELLI. — Mais non; l'aventure est plaisante. Et, voyez, la signora elle-même ne peut s'empêcher d'en rire... Allons, beau cavalier, séparons-nous sans rancune, et corrigez-moi ce drôle d'importance... Ou plutôt, tenez, profitez de son idée : la nuée qu'embrassait Ixion valait bien pour lui la divinité dont elle était l'image, et je vous crois assez poète pour vous soucier peu des réalités. — Bonsoir, seigneur Fabio!

FABIO, MAZETTO.

FABIO, *à lui-même*. — Elle était là, et pas un mot de
pitié, pas un signe d'attention! Elle assistait, froide et
morne, à ce débat qui me couvrait de ridicule, et elle est
partie dédaigneusement sans dire une parole, riant seulement, sans doute, de ma maladresse et de ma simplicité!...
Oh! tu peux te retirer, va, pauvre diable si inventif, je
ne maudis plus ma mauvaise étoile, et je vais rêver le long
de la mer à mon infortune, car je n'ai plus même l'énergie
d'être furieux.

MAZETTO. — Seigneur, vous feriez bien d'aller rêver
du côté de la Villa-Reale. La bouquetière vous attend
peut-être encore...

FABIO, seul.

En vérité, j'aurais été curieux de rencontrer cette créature et de la traiter comme elle le mérite. Quelle femme
est-ce donc que celle qui se prête à une telle manœuvre ?
Est-ce une niaise enfant à qui l'on fait la leçon, ou quelque
effrontée qu'on n'a eu que la peine de payer et de mettre
en campagne ? Mais il faut l'âme d'un plat valet pour
m'avoir jugé digne de donner dans ce piège un instant.
Et pourtant elle ressemble à celle que j'aime... et moi-
même, quand je la rencontrai voilée, je crus reconnaître
et sa démarche et le son si pur de sa voix... Allons, il est
bientôt six heures de nuit, les derniers promeneurs
s'éloignent vers Sainte-Lucie et vers Chiaia, et les ter-
rasses des maisons se garnissent de monde... A l'heure
qu'il est, Marcelli soupe gaiement avec sa conquête facile.
Les femmes n'ont d'amour que pour ces débauchés sans
cœur.

FABIO, UNE BOUQUETIÈRE.

FABIO. — Que me veux-tu, petite ?
LA BOUQUETIÈRE. — Seigneur, je vends des roses, je
vends des fleurs du printemps. Voulez-vous acheter tout
ce qui me reste pour parer la chambre de votre amoureuse ? On va bientôt fermer le jardin, et je ne puis rem-
porter cela chez mon père; je serais battue. Prenez le tout
pour trois carlins.

FABIO. — Crois-tu donc que je sois attendu ce soir, et me trouves-tu la mine d'un amant favorisé ?

LA BOUQUETIÈRE. — Venez ici à la lumière. Vous m'avez l'air d'un beau cavalier, et, si vous n'êtes pas attendu, c'est que vous attendez... Ah! mon Dieu!

FABIO. — Qu'as-tu, ma petite ? Mais vraiment, cette figure... Ah! je comprends tout maintenant : tu es la fausse Corilla!... A ton âge, mon enfant, tu entames un vilain métier!

LA BOUQUETIÈRE. — En vérité, seigneur, je suis une honnête fille, et vous allez me mieux juger. On m'a déguisée en grande dame, on m'a fait apprendre des mots par cœur; mais, quand j'ai vu que c'était une comédie pour tromper un honnête gentilhomme, je me suis échappée et j'ai repris mes habits de pauvre fille, et je suis allée, comme tous les soirs, vendre mes fleurs sur la place du Môle et dans les allées du jardin royal.

FABIO. — Cela est-il bien vrai ?

LA BOUQUETIÈRE. — Si vrai, que je vous dis adieu, seigneur; et puisque vous ne voulez pas de mes fleurs, je les jetterai dans la mer en passant; demain elles seraient fanées.

FABIO. — Pauvre fille, cet habit te sied mieux que l'autre, et je te conseille de ne plus le quitter. Tu es, toi, la fleur sauvage des champs; mais qui pourrait se tromper entre vous deux ? Tu me rappelles sans doute quelques-uns de ses traits, et ton cœur vaut mieux que le sien, peut-être. Mais qui peut remplacer dans l'âme d'un amant la belle image qu'il s'est plu tous les jours à parer d'un nouveau prestige ? Celle-là n'existe plus en réalité sur la terre; elle est gravée seulement au fond du cœur fidèle, et nul portrait ne pourra jamais rendre son impérissable beauté.

LA BOUQUETIÈRE. — Pourtant on m'a dit que je la valais bien, et, sans coquetterie, je pense qu'étant parée comme la signora Corilla, aux feux des bougies, avec l'aide du spectacle et de la musique, je pourrais bien vous plaire autant qu'elle, et cela sans blanc de perle et sans carmin.

FABIO. — Si ta vanité se pique, petite fille, tu m'ôteras même le plaisir que je trouve à te regarder un instant. Mais, vraiment, tu oublies qu'elle est la perle de l'Espagne et de l'Italie, que son pied est le plus fin et sa main la plus royale du monde. Pauvre enfant! la misère n'est pas la culture qu'il faut à des beautés si accomplies, dont le luxe et l'art prennent soin tour à tour.

LA BOUQUETIÈRE. — Regardez mon pied sur ce banc

de marbre; il se découpe encore assez bien dans sa chaussure brune. Et ma main, l'avez-vous seulement touchée ?

FABIO. — Il est vrai que ton pied est charmant, et ta main... Dieu! qu'elle est douce!... Mais, écoute, je ne veux pas te tromper, mon enfant, c'est bien elle seule que j'aime, et le charme qui m'a séduit n'est pas né dans une soirée. Depuis trois mois que je suis à Naples, je n'ai pas manqué de la voir un seul jour d'Opéra. Trop pauvre pour briller près d'elle, comme tous les beaux cavaliers qui l'entourent aux promenades, n'ayant ni le génie des musiciens, ni la renommée des poètes qui l'inspirent et qui la servent dans son talent, j'allais sans espérance m'enivrer de sa vue et de ses chants, et prendre ma part dans ce plaisir de tous, qui pour moi seul était le bonheur et la vie. Oh! tu la vaux bien peut-être, en effet... mais as-tu cette grâce divine qui se révèle sous tant d'aspects ? As-tu ces pleurs et ce sourire ? As-tu ce chant divin, sans lequel une divinité n'est qu'une belle idole ? Mais alors tu serais à sa place, et tu ne vendrais pas des fleurs aux promeneurs de la Villa-Reale...

LA BOUQUETIÈRE. — Pourquoi donc la nature, en me donnant son apparence, aurait-elle oublié la voix ? Je chante fort bien, je vous jure; mais les directeurs de San-Carlo n'auraient jamais l'idée d'aller ramasser une prima donna sur la place publique... Écoutez ces vers d'opéra que j'ai retenus pour les avoir entendus seulement au petit théâtre de la Fenice.

(Elle chante.)

AIR ITALIEN

Qu'il m'est doux de conserver la paix du cœur, le calme de la pensée.

Il est sage d'aimer dans la belle saison de l'âge; plus sage de n'aimer pas.

FABIO, *tombant à ses pieds.* — Oh! madame, qui vous méconnaîtrait maintenant ? Mais cela ne peut être... Vous êtes une déesse véritable, et vous allez vous envoler! Mon Dieu! qu'ai-je à répondre à tant de bontés ? je suis indigne de vous aimer, pour ne vous avoir point d'abord reconnue!

CORILLA. — Je ne suis donc plus la bouquetière ?... Eh bien! je vous remercie; j'ai étudié ce soir un nouveau rôle, et vous m'avez donné la réplique admirablement.

FABIO. — Et Marcelli ?

CORILLA. — Tenez, n'est-ce pas lui que je vois errer tristement le long de ces berceaux, comme vous faisiez tout à l'heure ?

FABIO. — Évitons-le, prenons une allée.

CORILLA. — Il nous a vus, il vient à nous.

FABIO, CORILLA, MARCELLI.

MARCELLI. — Hé, seigneur Fabio, vous avez donc trouvé la bouquetière ? Ma foi, vous avez bien fait, et vous êtes plus heureux que moi ce soir.

FABIO. — Eh bien! qu'avez-vous donc fait de la signora Corilla ? vous alliez souper ensemble gaiement.

MARCELLI. — Ma foi, l'on ne comprend rien aux caprices des femmes. Elle s'est dite malade, et je n'ai pu que la reconduire chez elle; mais demain...

FABIO. — Demain ne vaut pas ce soir, seigneur Marcelli.

MARCELLI. — Voyons donc cette ressemblance tant vantée. Elle n'est pas mal, ma foi!... mais ce n'est rien; pas de distinction, pas de grâce. Allons, faites-vous illusion à votre aise... Moi, je vais penser à la prima donna de San-Carlo, que j'épouserai dans huit jours.

CORILLA, *reprenant son ton naturel.* — Il faudra réfléchir là-dessus, seigneur Marcelli. Tenez, moi, j'hésite beaucoup à m'engager. J'ai de la fortune, je veux choisir. Pardonnez-moi d'avoir été comédienne en amour comme au théâtre, et de vous avoir mis à l'épreuve tous deux. Maintenant, je vous l'avouerai, je ne sais trop si aucun de vous m'aime, et j'ai besoin de vous connaître davantage. Le seigneur Fabio n'adore en moi que l'actrice peut-être, et son amour a besoin de la distance et de la rampe allumée; et vous, seigneur Marcelli, vous me paraissez vous aimer avant tout le monde, et vous émouvoir difficilement dans l'occasion. Vous êtes trop mondain, et lui trop poète. Et maintenant, veuillez tous deux m'accompagner. Chacun de vous avait gagé de souper avec moi : j'en avais fait la promesse à chacun de vous; nous souperons tous ensemble. Mazetto nous servira.

MAZETTO, *paraissant et s'adressant au public.* — Sur quoi, messieurs, vous voyez que cette aventure scabreuse va se terminer le plus moralement du monde. Excusez les fautes de l'auteur.

ÉMILIE

...Personne n'a bien su l'histoire du lieutenant Desroches, qui se fit tuer l'an passé au combat de Hambergen, deux mois après ses noces. Si ce fut là un véritable suicide, que Dieu veuille lui pardonner! Mais, certes, celui qui meurt en défendant sa patrie ne mérite pas que son action soit nommée ainsi, quelle qu'ait été sa pensée d'ailleurs.

— Nous voilà retombés, dit le docteur, dans le chapitre des capitulations de conscience. Desroches était un philosophe décidé à quitter la vie : il n'a pas voulu que sa mort fût inutile; il s'est élancé bravement dans la mêlée; il a tué le plus d'Allemands qu'il a pu, en disant : Je ne puis mieux faire à présent; je meurs content; et il a crié : *Vive l'empereur!* en recevant le coup de sabre qui l'a abattu. Dix soldats de sa compagnie vous le diront.

— Et ce n'en fut pas moins un suicide, répliqua Arthur. Toutefois, je pense qu'on aurait eu tort de lui fermer l'église...

— A ce compte, vous flétririez le dévouement de Curtius. Ce jeune chevalier romain était peut-être ruiné par le jeu, malheureux dans ses amours, las de la vie, qui sait ? Mais, assurément, il est beau en songeant à quitter le monde de rendre sa mort utile aux autres, et voilà pourquoi cela ne peut s'appeler un suicide, car le suicide n'est autre chose que l'acte suprême de l'égoïsme, et c'est pour cela seulement qu'il est flétri parmi les hommes... A quoi pensez-vous, Arthur ?

— Je pense à ce que vous disiez tout à l'heure, que Desroches, avant de mourir, avait tué le plus d'Allemands possible...

— Eh bien ?

— Eh bien, ces braves gens sont allés rendre devant Dieu un triste témoignage de la belle mort du lieutenant, vous me permettrez de dire que c'est là un *suicide* bien *homicide*.

— Eh! qui va songer à cela ? Des Allemands, ce sont des ennemis.

— Mais y en a-t-il pour l'homme résolu à *mourir ?* A ce moment-là, tout instinct de nationalité s'efface, et je doute que l'on songe à un autre pays que l'autre monde, et à un autre empereur que Dieu. Mais l'abbé nous écoute sans rien dire, et cependant j'espère que je parle ici selon ses idées. Allons, l'abbé, dites-nous votre opinion, et tâchez de nous mettre d'accord; c'est là une mine de controverse assez abondante, et l'histoire de Desroches, ou plutôt ce que nous en croyons savoir, le docteur et moi, ne paraît pas moins ténébreuse que les profonds raisonnements qu'elle a soulevés parmi nous.

— Oui, dit le docteur, Desroches, à ce qu'on prétend, était très affligé de sa dernière blessure, celle qui l'avait si fort défiguré; et peut-être a-t-il surpris quelque grimace ou quelque raillerie de sa nouvelle épouse; les philosophes sont susceptibles. En tout cas, il est mort, et volontairement.

— Volontairement, puisque vous y persistez; mais n'appelez pas suicide la mort qu'on trouve dans une bataille; vous ajouteriez un contresens de mots à celui que peut-être vous faites en pensée; on meurt dans une mêlée parce qu'on y rencontre quelque chose qui tue; ne meurt pas qui veut.

— Eh bien, voulez-vous que ce soit la fatalité ?

— A mon tour, interrompit l'abbé, qui s'était recueilli pendant cette discussion : il vous semblera singulier peut-être que je combatte vos paradoxes ou vos suppositions...

— Eh bien, parlez, parlez; vous en savez plus que nous, assurément. Vous habitez Bitche depuis long-temps; on dit que Desroches vous connaissait, et peut-être même s'est-il confessé à vous...

— En ce cas, je devrais me taire; mais il n'en fut rien malheureusement, et toutefois la mort de Desroches fut chrétienne, croyez-moi; et je vais vous en raconter les causes et les circonstances, afin que vous emportiez cette idée que ce fut là encore un honnête homme ainsi qu'un bon soldat, mort à temps pour l'humanité, pour lui-même, et selon les desseins de Dieu.

Desroches était entré dans un régiment à quatorze ans,

à l'époque où la plupart des hommes s'étant fait tuer
sur la frontière, notre armée républicaine se recrutait
parmi les enfants. Faible de corps, mince comme une
jeune fille, et pâle, ses camarades souffraient de lui voir
porter un fusil sous lequel ployait son épaule. Vous devez
avoir entendu dire qu'on obtint du capitaine l'autori-
sation de le lui rogner de six pouces. Ainsi accommodée
à ses forces, l'arme de l'enfant fit merveille dans les
guerres de Flandre; plus tard, Desroches fut dirigé sur
Haguenau, dans ce pays où nous faisions, c'est-à-dire
où vous faisiez la guerre depuis si longtemps.

A l'époque dont je vais vous parler, Desroches était
dans la force de l'âge et servait d'enseigne au régiment
bien plus que le numéro d'ordre et le drapeau, car il
avait à peu près seul survécu à deux renouvellements, et
il venait enfin d'être nommé lieutenant quand, à Bergheim, il y a vingt-sept mois, en commandant une charge
à la baïonnette, il reçut un coup de sabre prussien tout
au travers de la figure. La blessure était affreuse; les
chirurgiens de l'ambulance, qui l'avaient souvent plai-
santé, lui vierge encore d'une égratignure, après trente
combats, froncèrent le sourcil quand on l'apporta devant
eux. S'il guérissait, dirent-ils, le malheureux deviendra
imbécile ou fou.

C'est à Metz que le lieutenant fut envoyé pour se
guérir. La civière avait fait plusieurs lieues sans qu'il s'en
aperçût; installé dans un bon lit et entouré de soins, il
lui fallut cinq ou six mois pour arriver à se mettre sur
son séant, et cent jours encore pour ouvrir un œil et
distinguer les objets On lui commanda bientôt les for-
tifiants, le soleil, puis le mouvement, enfin la promenade, et un matin, soutenu par deux camarades, il
s'achemina tout vacillant, tout étourdi, vers le quai
Saint-Vincent, qui touche presque à l'hôpital militaire,
et là, on le fit asseoir sur l'esplanade, au soleil du midi,
sous les tilleuls du jardin public : le pauvre blessé croyait
voir le jour pour la première fois.

A force d'aller ainsi, il put bientôt marcher seul, et
chaque matin, il s'asseyait sur un banc, au même endroit
de l'esplanade, la tête ensevelie dans un amas de taffetas
noir, sous lequel à peine on découvrait un coin de visage
humain, et sur son passage, lorsqu'il se croisait avec des
promeneurs, il était assuré d'un grand salut des hommes,
et d'un geste de profonde commisération des femmes, ce
qui le consolait peu.

Mais une fois assis à sa place, il oubliait son infortune pour ne plus songer qu'au bonheur de vivre après un tel ébranlement, et au plaisir de voir en quel séjour il vivait. Devant lui la vieille citadelle, ruinée sous Louis XVI, étalait ses remparts dégradés; sur sa tête les tilleuls en fleur projetaient leur ombre épaisse, à ses pieds, dans la vallée qui se déploie au-dessous de l'esplanade, les prés Saint-Symphorien, que vivifie, en les noyant, la Moselle débordée, et qui verdissent entre ses deux bras; puis le petit îlot, l'oasis de la poudrière, cette île du Saulcy, semée d'ombrages, de chaumières; enfin la chute de la Moselle et ses blanches écumes, ses détours étincelant au soleil, puis tout au bout, bornant le regard, la chaîne des Vosges, bleuâtre et comme vaporeuse au grand jour, voilà le spectacle qu'il admirait toujours davantage, en pensant que là était son pays, non pas la terre conquise, mais la province vraiment française, tandis que ces riches départements nouveaux, où il avait fait la guerre, n'étaient que des beautés fugitives, incertaines comme celles de la femme gagnée hier, qui ne nous appartiendra plus demain.

Vers le mois de juin, aux premiers jours, la chaleur était grande, et le banc favori de Desroches se trouvant bien à l'ombre, deux femmes vinrent s'asseoir près du blessé. Il salua tranquillement et continua de contempler l'horizon, mais sa position inspirait tant d'intérêt que les deux femmes ne purent s'empêcher de le questionner et de le plaindre.

L'une des deux, fort âgée, était la tante de l'autre qui se nommait Emilie, et qui avait pour occupation de broder des ornements d'or sur de la soie ou du velours. Desroches questionna comme on lui en avait donné l'exemple, et la tante lui apprit que la jeune fille avait quitté Haguenau pour lui faire compagnie, qu'elle brodait pour les églises, et qu'elle était depuis longtemps privée de tous ses autres parents.

Le lendemain, le banc fut occupé comme la veille; au bout d'une semaine, il y avait traité d'alliance entre les trois propriétaires de ce banc favori, et Desroches, tout faible qu'il fût, tout humilié par les attentions que la jeune fille lui prodiguait comme au plus inoffensif vieillard, Desroches se sentit léger, en fonds de plaisanteries, et plus près de se réjouir que de s'affliger de cette bonne fortune inattendue.

Alors, de retour à l'hôpital, il se rappela sa hideuse

blessure, cet épouvantail dont il avait souvent gémi en lui-même, lui, et que l'habitude et la convalescence lui avaient rendu depuis longtemps moins déplorable.

Il est certain que Desroches n'avait pu encore ni soulever l'appareil inutile de sa blessure, ni se regarder dans un miroir. De ce jour-là, cette idée le fit frémir plus que jamais. Cependant il se hasarda à écarter un coin du taffetas protecteur, et il trouva dessous une cicatrice un peu rose encore, mais qui n'avait rien de trop repoussant. En poursuivant cette observation, il reconnut que les différentes parties de son visage s'étaient recousues convenablement entre elles, et que l'œil demeurait fort limpide et fort sain. Il manquait bien quelques brins du sourcil, mais c'était si peu de chose! cette raie oblique qui descendait du front à l'oreille en traversant la joue, c'était... Eh bien! c'était un coup de sabre reçu à l'attaque des lignes de Bergheim, et rien n'est plus beau, les chansons l'ont assez dit.

Donc, Desroches fut étonné de se retrouver si présentable après la longue absence qu'il avait faite de lui-même. Il ramena fort adroitement ses cheveux qui grisonnaient du côté blessé, sous les cheveux noirs abondants du côté gauche, étendit sa moustache sur la ligne de la cicatrice, le plus loin possible, et ayant endossé son uniforme neuf, il se rendit le lendemain à l'esplanade d'un air assez triomphant.

Dans le fait, il s'était si bien redressé, si bien tourné, son épée avait si bonne grâce à battre sa cuisse, et il portait le schako si martialement incliné en avant, que personne ne le reconnut dans le trajet de l'hôpital au jardin; il arriva le premier au banc des tilleuls, et s'assit comme à l'ordinaire, en apparence, mais au fond bien plus troublé et bien plus pâle, malgré l'approbation du miroir.

Les deux dames ne tardèrent pas à arriver; mais elles s'éloignèrent tout à coup en voyant un bel officier occuper leur place habituelle. Desroches fut tout ému.

— Eh quoi! leur cria-t-il, vous ne me reconnaissez pas?

Ne pensez pas que ces préliminaires nous conduisent à une de ces histoires où la pitié devient de l'amour, comme dans les opéras du temps. Le lieutenant avait désormais des idées plus sérieuses. Content d'être encore jugé comme un cavalier passable, il se hâta de rassurer les deux dames, qui paraissaient disposées, d'après sa transformation, à revenir sur l'intimité commencée entre eux trois. Leur réserve ne put tenir devant ses franches déclarations. L'union était sortable de tous points, d'ailleurs : Desroches avait un petit bien de famille près d'Epinal ; Emilie possédait, comme héritage de ses parents, une petite maison à Haguenau, louée au café de la ville, et qui rapportait encore cinq à six cents francs de rente. Il est vrai qu'il en revenait la moitié à son frère Wilhelm, principal clerc du notaire de Schennberg.

Quand les dispositions furent bien arrêtées, on résolut de se rendre pour la noce à cette petite ville, car là était le domicile réel de la jeune fille, qui n'habitait Metz depuis quelque temps que pour ne point quitter sa tante. Toutefois, on convint de revenir à Metz après le mariage. Emilie se faisait un grand plaisir de revoir son frère. Desroches s'étonna à plusieurs reprises que ce jeune homme ne fût pas aux armées comme tous ceux de notre temps ; on lui répondit qu'il avait été réformé pour cause de santé. Desroches le plaignit vivement.

Voici donc les deux fiancés et la tante en route pour Haguenau ; ils ont pris des places dans la voiture publique qui relaye à Bitche, laquelle était alors une simple patache composée de cuir et d'osier. La route est belle, comme vous savez. Desroches, qui ne l'avait jamais faite qu'en uniforme, un sabre à la main, en compagnie de trois à quatre mille hommes, admirait les solitudes, les roches bizarres, les horizons bornés par cette dentelure des monts revêtus d'une sombre verdure, que de longues vallées interrompent seulement de loin en loin. Les riches plateaux de Saint-Avold, les manufactures de Sarreguemines, les petits taillis compacts de Limblingue, où les frênes, les peupliers et les sapins étalent leur triple couche de verdure nuancée du gris au vert sombre ; vous savez combien tout cela est d'un aspect magnifique et charmant.

A peine arrivés à Bitche, les voyageurs descendirent à la petite auberge du Dragon, et Desroches me fit demander au fort. J'arrivai avec empressement ; je vis sa nouvelle famille, et je complimentai la jeune demoiselle, qui était d'une rare beauté, d'un maintien doux, et qui paraissait fort éprise de son futur époux. Ils déjeunèrent tous trois avec moi, à la place où nous sommes assis dans ce moment. Plusieurs officiers, camarades de Desroches, attirés par le bruit de son arrivée, le vinrent chercher à l'auberge et le retinrent à dîner chez l'hôtelier de la redoute, où l'état-major payait pension. Il fut convenu que les deux dames se retireraient de bonne heure, et que le lieutenant donnerait à ses camarades sa dernière soirée de garçon.

Le repas fut gai; tout le monde savourait sa part du bonheur et de la gaieté que Desroches ramenait avec lui. On lui parla de l'Egypte, de l'Italie, avec transport, en faisant des plaintes amères sur cette mauvaise fortune qui confinait tant de bons soldats dans des forteresses de frontière.

— Oui, murmuraient quelques officiers, nous étouffons ici, la vie est fatigante et monotone, autant vaudrait être sur un vaisseau que de vivre ainsi sans combats, sans distractions, sans avancement possible. Le fort est imprenable, a dit Bonaparte quand il a passé ici en rejoignant l'armée d'Allemagne, nous n'avons donc rien que la chance de mourir d'ennui.

— Hélas! mes amis, répondit Desroches, ce n'était guère plus amusant de mon temps; car j'ai été ici comme vous, et je me suis plaint comme vous aussi. Moi soldat parvenu jusqu'à l'épaulette à force d'user les souliers du gouvernement dans tous les chemins du monde, je ne savais guère alors que trois choses : l'exercice, la direction du vent et la grammaire, comme on l'apprend chez le magister. Aussi, lorsque je fus nommé sous-lieutenant et envoyé à Bitche avec le 2e bataillon du Cher, je regardais ce séjour comme une excellente occasion d'études sérieuses et suivies. Dans cette pensée, je m'étais procuré une collection de livres, de cartes et de plans. J'ai étudié la théorie et appris l'allemand sans étude, car, dans ce pays français et bon français, on ne parle que cette langue. De sorte que ce temps, si long pour vous qui n'avez plus tant à apprendre, je le trouvais court et insuffisant, et quand la nuit venait, je me réfugiais dans un petit cabinet de pierre sous la vis du grand escalier; j'allumais ma lampe en calfeutrant hermétiquement les meurtrières, et je travaillais; une de ces nuits-là...

Ici, Desroches s'arrêta un instant, passa la main sur ses yeux, vida son verre, et reprit son récit sans terminer sa phrase.

— Vous connaissez tous, dit-il, ce petit sentier qui monte de la plaine ici, et que l'on a rendu tout à fait impraticable, en faisant sauter un gros rocher, à la place duquel à présent s'ouvre un abîme. Eh bien! ce passage a toujours été meurtrier pour les ennemis toutes les fois

qu'ils ont tenté d'assaillir le fort; à peine engagés dans
ce sentier, les malheureux essuyaient le feu de quatre
pièces de vingt-quatre, qu'on n'a pas dérangées sans doute
et qui rasaient le sol dans toute la longueur de cette
pente... — Vous avez dû vous distinguer, dit un colonel
à Desroches, est-ce là que vous avez gagné la lieutenance ?
— Oui, colonel, et c'est là que j'ai tué le premier, le
seul homme que j'aie frappé en face et de ma propre
main. C'est pourquoi la vue de ce fort me sera toujours
pénible.

— Que nous dites-vous là ? s'écria-t-on; quoi! vous
avez fait vingt ans la guerre, vous avez assisté à quinze
batailles rangées, à cinquante combats peut-être, et vous
prétendez n'avoir jamais tué qu'un seul ennemi ?

— Je n'ai pas dit cela, messieurs : des dix mille car-
touches que j'ai bourrées dans mon fusil, qui sait si la
moitié n'a pas lancé une balle au but que le soldat cherche ?
Mais j'affirme qu'à Bitche, pour la première fois, ma main
s'est rougie du sang d'un ennemi, et que j'ai fait le cruel
essai d'une pointe de sabre que le bras pousse jusqu'à
ce qu'elle crève une poitrine humaine et s'y cache en
frémissant.

— C'est vrai, interrompit l'un des officiers, le soldat
tue beaucoup et ne le sent presque jamais. Une fusillade
n'est pas, à vrai dire, une exécution, mais une intention mortelle. Quant à la baïonnette, elle fonctionne peu
dans les charges les plus désastreuses; c'est un conflit
dans lequel l'un des deux ennemis tient ou cède sans
porter de coups, les fusils s'entrechoquent, puis se
relèvent quand la résistance cesse; le cavalier, par
exemple, frappe réellement...

— Aussi, reprit Desroches, de même que l'on n'oublie
pas le dernier regard d'un adversaire tué en duel, son
dernier râle, le bruit de sa lourde chute, de même, je
porte en moi presque comme un remords, riez-en si
vous pouvez, l'image pâle et funèbre du sergent prussien
que j'ai tué dans la petite poudrière du fort.

Tout le monde fit silence, et Desroches commença
son récit.

— C'était la nuit, je travaillais, comme je l'ai expliqué
tout à l'heure. A deux heures, tout doit dormir, excepté
les sentinelles. Les patrouilles sont fort silencieuses, et
tout bruit fait esclandre. Pourtant je crus entendre comme
un mouvement prolongé dans la galerie qui s'étendait
sous ma chambre; on heurtait à une porte, et cette porte

craquait. Je courus, je prêtai l'oreille au fond du corridor, et j'appelai à demi-voix la sentinelle : pas de réponse. J'eus bientôt réveillé les canonniers, endossé l'uniforme, et, prenant mon sabre sans fourreau, je courus du côté du bruit. Nous arrivâmes trente à peu près dans le rond-point que forme la galerie vers son centre, et à la lueur de quelques lanternes nous reconnûmes les Prussiens, qu'un traître avait introduits par la poterne fermée. Ils se pressaient avec désordre, et en nous apercevant ils tirèrent quelques coups de fusil, dont l'éclat fut effroyable dans cette pénombre et sous ces voûtes écrasées.

« Alors, on se trouva face à face ; les assaillants continuaient d'arriver ; les défenseurs descendirent précipitamment dans la galerie ; on en vint à pouvoir à peine se remuer, mais il y avait entre les deux partis un espace de six à huit pieds, un champ clos que personne ne songeait à occuper, tant il y avait de stupeur chez les Français surpris, et de défiance chez les Prussiens désappointés.

« Pourtant l'hésitation dura peu. La scène se trouvait éclairée par des flambeaux et des lanternes ; quelques canonniers avaient suspendu les leurs aux parois ; une sorte de combat antique s'engagea ; j'étais au premier rang, je me trouvais en face d'un sergent prussien de haute taille, tout couvert de chevrons et de décorations. Il était armé d'un fusil, mais il pouvait à peine le remuer, tant la presse était compacte ; tous ces détails me sont encore présents, hélas ! Je ne sais s'il songeait même à me résister ! je m'élançai vers lui, j'enfonçai mon sabre dans ce noble cœur ; la victime ouvrit horriblement les yeux, crispa ses mains avec effort, et tomba dans les bras des autres soldats.

« Je ne me rappelle pas ce qui suivit ; je me retrouvai dans la première cour tout mouillé de sang ; les Prussiens, refoulés par la poterne, avaient été reconduits à coups de canon jusqu'à leurs campements. »

Après cette histoire, il se fit un long silence, et puis l'on parla d'autre chose. C'était un triste et curieux spectacle pour le penseur, que toutes ces physionomies de soldats assombries par le récit d'une infortune si vulgaire en apparence... et l'on pouvait savoir au juste ce que vaut la vie d'un homme, même d'un Allemand, docteur, en interrogeant les regards intimidés de ces tueurs de profession.

— Il est certain, répondit le docteur un peu étourdi,

que le sang de l'homme crie bien haut, de quelque façon
qu'il soit versé; cependant Desroches n'a point fait de
mal; il se défendait.

— Qui le sait ? murmura Arthur.

— Vous qui parliez de capitulation de conscience,
docteur, dites-nous si cette mort du sergent ne ressemble
pas un peu à un assassinat. Est-il sûr que le Prussien eût
tué Desroches ?

— Mais c'est la guerre, que voulez-vous ?

— A la bonne heure, oui, c'est la guerre. On tue à
trois cents pas dans les ténèbres un homme qui ne vous
connaît pas et ne vous voit pas; on égorge en face et
avec la fureur dans le regard des gens contre lesquels
on n'a pas de haine, et c'est avec cette réflexion qu'on
s'en console et qu'on s'en glorifie! Et cela se fait honorablement entre des peuples chrétiens!...

L'aventure de Desroches sema donc différentes
impressions dans l'esprit des assistants. Et puis l'on fut
se mettre au lit. Notre officier oublia le premier sa
lugubre histoire, parce que de la petite chambre qui lui
était donnée on apercevait parmi les massifs d'arbres
une certaine fenêtre de l'hôtel du Dragon éclairée de
l'intérieur par une veilleuse. Là dormait tout son avenir.
Lorsqu'au milieu de la nuit les rondes et le qui-vive
venaient le réveiller, il se disait qu'en cas d'alarme son
courage ne pourrait plus comme autrefois galvaniser tout
l'homme, et qu'il s'y mêlerait un peu de regret et de
crainte. Avant l'heure de la diane, le lendemain, le
capitaine de garde lui ouvrit là une porte, et il trouva
ses deux amies qui se promenaient en l'attendant le long
des fossés extérieurs. Je les accompagnai jusqu'à
Neunhoffen, car ils devaient se marier à l'état civil
d'Haguenau, et revenir à Metz pour la bénédiction
nuptiale.

Wilhelm, le frère d'Emilie, fit à Desroches un accueil
assez cordial. Les deux beaux-frères se regardaient parfois avec une attention opiniâtre. Wilhelm était d'une
taille moyenne, mais bien prise. Ses cheveux blonds
étaient rares déjà, comme s'il eût été miné par l'étude
ou par les chagrins; il portait des lunettes bleues à cause
de sa vue, si faible, disait-il, que la moindre lumière le
faisait souffrir. Desroches apportait une liasse de papiers
que le jeune praticien examina curieusement, puis il
produisit lui-même tous les titres de sa famille, en forçant
Desroches à s'en rendre compte, mais il avait affaire à

un homme confiant, amoureux et désintéressé, les enquêtes ne furent donc pas longues. Cette manière de procéder parut flatter quelque peu Wilhelm; aussi commença-t-il à prendre le bras de Desroches, à lui offrir une de ses meilleures pipes, et à le conduire chez tous ses amis d'Haguenau.

Partout on fumait et l'on buvait force bière. Après dix présentations, Desroches demanda grâce, et on lui permit de ne plus passer ses soirées qu'auprès de sa fiancée.

Peu de jours après, les deux amoureux du banc de l'esplanade étaient deux époux unis par M. le maire d'Haguenau, vénérable fonctionnaire qui avait dû être bourgmestre avant la Révolution française, et qui avait tenu dans ses bras bien souvent la petite Émilie, que peut-être il avait enregistrée lui-même à sa naissance; aussi lui dit-il bien bas, la veille de son mariage : — Pourquoi n'épousez-vous donc pas un bon Allemand?

Émilie paraissait peu tenir à ces distinctions. Wilhelm lui-même s'était réconcilié avec la moustache du lieutenant, car, il faut le dire, au premier abord, il y avait eu réserve de la part de ces deux hommes; mais Desroches y mettant beaucoup du sien, Wilhelm faisant un peu pour sa sœur, et la bonne tante pacifiant et adoucissant toutes les entrevues, on réussit à fonder un parfait accord. Wilhelm embrassa de fort bonne grâce son beau-frère après la signature du contrat. Le jour même, car tout s'était conclu vers neuf heures, les quatre voyageurs partirent pour Metz. Il était six heures du soir quand la voiture s'arrêta à Bitche, au grand hôtel du Dragon.

On voyage difficilement dans ce pays entrecoupé de ruisseaux et de bouquets de bois; il y a dix côtes par lieue, et la voiture du messager secoue rudement ses voyageurs. Ce fut là peut-être la meilleure raison du malaise qu'éprouva la jeune épouse en arrivant à l'auberge. Sa tante et Desroches s'installèrent auprès d'elle et Wilhelm, qui souffrait d'une faim dévorante, descendit dans la petite salle où l'on servait à huit heures le souper des officiers.

Cette fois, personne ne savait le retour de Desroches. La journée avait été employée par la garnison à des excursions dans les taillis de Huspoletden. Desroches, pour n'être pas enlevé au poste qu'il occupait près de sa femme, défendit à l'hôtesse de prononcer son nom.

Réunis tous trois près de la petite fenêtre de la chambre, ils virent rentrer les troupes au fort, et la nuit s'approchant, les glacis se bordèrent de soldats en négligé qui savouraient le pain de munition et le fromage de chèvre fourni par la cantine.

Cependant Wilhelm, en homme qui veut tromper l'heure et la faim, avait allumé sa pipe, et sur le seuil de la porte il se reposait entre la fumée du tabac et celle du repas, double volupté pour l'oisif et pour l'affamé. Les officiers, à l'aspect de ce voyageur bourgeois dont la casquette était enfoncée jusqu'aux oreilles et les lunettes bleues braquées vers la cuisine, comprirent qu'ils ne seraient pas seuls à table et voulurent lier connaissance avec l'étranger; car il pouvait venir de loin, avoir de l'esprit, raconter des nouvelles, et dans ce cas c'était une bonne fortune; ou arriver des environs, garder un silence stupide, et alors c'était un niais dont on pouvait rire.

Un sous-lieutenant des écoles s'approcha de Wilhelm avec une politesse qui frisait l'exagération.

— Bonsoir, monsieur, savez-vous des nouvelles de Paris ?

— Non, monsieur, et vous ? dit tranquillement Wilhelm.

— Ma foi, monsieur, nous ne sortons pas de Bitche, comment saurions-nous quelque chose ?

— Et moi, monsieur, je ne sors jamais de mon cabinet.

— Seriez-vous dans le génie ?...

Cette raillerie dirigée contre les lunettes de Wilhelm égaya beaucoup l'assemblée.

— Je suis clerc de notaire, monsieur.

— En vérité ? à votre âge, c'est surprenant.

— Monsieur, dit Wilhelm, est-ce que vous voudriez voir mon passeport ?

— Non, certainement.

— Eh bien, dites-moi que vous ne vous moquez pas de ma personne, et je vais vous satisfaire sur tous les points.

L'assemblée reprit son sérieux.

— Je vous ai demandé sans intention maligne si vous faisiez partie du génie, parce que vous portiez des lunettes. Ne savez-vous pas que les officiers de cette arme ont seuls le droit de se mettre des verres sur les yeux ?

— Et cela prouve-t-il que je sois soldat ou officier, comme vous voudrez ?

— Mais tout le monde est soldat aujourd'hui. Vous n'avez pas vingt-cinq ans, vous devez appartenir à l'armée; ou bien vous êtes riche, vous avez quinze ou vingt mille francs de rente, vos parents ont fait des sacrifices... et dans ce cas-là, on ne dîne pas à une table d'hôte d'auberge.

— Monsieur, dit Wilhelm, en secouant sa pipe, peut-être avez-vous le droit de me soumettre à cette inquisition, alors je dois vous répondre catégoriquement. Je n'ai pas de rentes, puisque je suis un simple clerc de notaire, comme je vous l'ai dit. J'ai été réformé pour cause de mauvaise vue. Je suis myope, en un mot.

Un éclat de rire général et intempéré accueillit cette déclaration.

— Ah! jeune homme! jeune homme! s'écria le capitaine Vallier en lui frappant sur l'épaule, vous avez bien raison, vous profitez du proverbe : Il vaut mieux être poltron et vivre longtemps!

Wilhelm rougit jusqu'aux yeux.

— Je ne suis pas un poltron, monsieur le capitaine! et je vous le prouverai quand il vous plaira. D'ailleurs, mes papiers sont en règle, et si vous êtes officier de recrutement, je puis vous les montrer.

— Assez, assez, crièrent quelques officiers; laisse ce bourgeois tranquille, Vallier. Monsieur est un particulier paisible, il a le droit de souper ici.

— Oui, dit le capitaine; ainsi mettons-nous à table, et sans rancune, jeune homme. Rassurez-vous, je ne suis pas chirurgien examinateur, et cette salle à manger n'est pas une salle de révision. Pour vous prouver ma bonne volonté, je m'offre à vous découper une aile de ce vieux dur à cuire qu'on nous donne pour un poulet.

— Je vous remercie, dit Wilhelm, à qui la faim avait passé; je mangerai seulement de ces truites qui sont au bout de la table.

Et il fit signe à la servante de lui apporter le plat.

— Sont-ce des truites vraiment? dit le capitaine à Wilhelm, qui avait ôté ses lunettes en se mettant à table. Ma foi, monsieur, vous avez meilleure vue que moi-même, tenez, franchement, vous ajusteriez votre fusil tout aussi bien qu'un autre... Mais vous avez eu des protections, vous en profitez, très bien. Vous aimez la paix, c'est un goût tout comme un autre. Moi, à votre place, je ne pourrais pas lire un bulletin de la grande armée, et songer que les jeunes gens de mon âge se font tuer en Allemagne, sans me sentir bouillir le sang dans les veines. Vous n'êtes donc pas Français ?

— Non, dit Wilhelm, avec effort et satisfaction à la fois, je suis né à Haguenau ; je ne suis pas Français, je suis Allemand.

— Allemand ? Haguenau est situé en deçà de la province rhénane, c'est un bon et beau village de l'Empire français, département du Bas-Rhin. Voyez la carte.

— Je suis de Haguenau, vous dis-je, village d'Allemagne il y a dix ans, aujourd'hui village de France ; et moi je suis Allemand toujours, comme vous seriez Français jusqu'à la mort, si votre pays appartenait jamais aux Allemands.

— Vous dites là des choses dangereuses, jeune homme, songez-y.

— J'ai tort peut-être, dit impétueusement Wilhelm ; mon sentiment à moi est de ceux qu'il importe, sans doute, de garder dans son cœur, si l'on ne peut les changer. Mais c'est vous-même qui avez poussé si loin les choses, qu'il faut, à tout prix, que je me justifie ou que je passe pour un lâche. Oui, tel est le motif qui, dans ma conscience, légitime le soin que j'ai mis à profiter d'une infirmité réelle, sans doute, mais qui peut-être n'eût pas dû arrêter un homme de cœur. Oui, je l'avouerai, je ne me sens point de haine contre les peuples que vous combattez aujourd'hui. Je songe que, si le malheur eût voulu que je fusse obligé de marcher contre eux, j'aurais dû, moi aussi, ravager des campagnes allemandes, brûler des villes, égorger des compatriotes ou d'anciens compatriotes, si vous aimez mieux, et frapper, au milieu d'un groupe de prétendus ennemis, oui, frapper, qui sait ? des parents, d'anciens amis de mon père... Allons, allons, vous voyez bien qu'il vaut mieux pour moi écrire des rôles chez le notaire d'Haguenau... D'ailleurs, il y a assez de sang versé dans ma famille ; mon père a répandu le sien jusqu'à la dernière goutte, voyez-vous, et moi...

— Votre père était soldat ? interrompit le capitaine Vallier.

— Mon père était sergent dans l'armée prussienne, et il a défendu longtemps ce territoire que vous occupez aujourd'hui. Enfin, il fut tué à la dernière attaque du fort de Bitche.

Tout le monde était fort attentif à ces dernières paroles de Wilhelm, qui arrêtèrent l'envie qu'on avait,

quelques minutes auparavant, de rétorquer ses paradoxes touchant le corps particulier de sa nationalité.

— C'était donc en 93 ?

— En 93, le 17 novembre, mon père était parti la
veille de Sirmasen pour rejoindre sa compagnie. Je sais
qu'il dit à ma mère qu'au moyen d'un plan hardi cette
citadelle serait emportée sans coup férir. On nous le
rapporta mourant vingt-quatre heures après ; il expira
sur le seuil de la porte, après m'avoir fait jurer de rester
auprès de ma mère, qui lui survécut quinze jours.

J'ai su que, dans l'attaque qui eut lieu cette nuit-là,
il reçut dans la poitrine le coup de sabre d'un jeune
soldat, qui abattit ainsi l'un des plus beaux grenadiers
de l'armée du prince de Hohenlohe.

— Mais on nous a raconté cette histoire, dit le major...

— Eh bien ! dit le capitaine Vallier, c'est toute l'aventure du sergent prussien tué par Desroches.

— Desroches ! s'écria Wilhelm ; est-ce du lieutenant
Desroches que vous parlez ?

— Oh ! non, non, se hâta de dire un officier, qui
s'aperçut qu'il allait y avoir là quelque révélation terrible ; ce Desroches dont nous parlons était un chasseur
de la garnison, mort il y a quatre ans, car son premier
exploit ne lui a pas porté bonheur.

— Ah ! il est mort, dit Wilhelm en essuyant son front
d'où tombaient de larges gouttes de sueur.

Quelques minutes après, les officiers le saluèrent et le
laissèrent seul. Desroches, ayant vu par la fenêtre qu'ils
s'étaient tous éloignés, descendit dans la salle à manger,
où il trouva son beau-frère accoudé sur la longue table
et la tête dans ses mains.

— Eh bien, eh bien, nous dormons déjà ?... Mais
je veux souper, moi, ma femme s'est endormie enfin,
et j'ai une faim terrible... Allons, un verre de vin, cela
nous réveillera, et vous me tiendrez compagnie.

— Non, j'ai mal à la tête, dit Wilhelm, je monte à ma
chambre. A propos, ces messieurs m'ont beaucoup
parlé des curiosités du fort. Ne pourriez-vous pas m'y
conduire demain !

— Mais sans doute, mon ami.

— Alors demain matin je vous éveillerai.

Desroches soupira, puis il alla prendre possession du
second lit qu'on avait préparé dans la chambre où son
beau-frère venait de monter (car Desroches couchait
seul, n'étant mari qu'au civil). Wilhelm ne put dormir

de la nuit, et tantôt il pleurait en silence, et tantôt il dévorait de regards furieux le dormeur, qui souriait dans ses songes.

Ce qu'on appelle le pressentiment ressemble fort au poisson précurseur qui avertit les cétacés immenses et presque aveugles que là pointille une roche tranchante, ou qu'ici est un fond de sable. Nous marchons dans la vie si machinalement que certains caractères, dont l'habitude est insouciante, iraient se heurter ou se briser sans avoir pu se souvenir de Dieu, s'il ne paraissait un peu de limon à la surface de leur bonheur. Les uns s'assombrissent au vol du corbeau, les autres sans motifs, d'autres, en s'éveillant, restent soucieux sur leur séant, parce qu'ils ont fait un rêve sinistre. Tout cela est pressentiment. Vous allez courir un danger, dit le rêve; prenez garde, crie le corbeau; soyez triste, murmure le cerveau qui s'alourdit.

Desroches, vers la fin de la nuit, eut un songe étrange. Il se trouvait au fond d'un souterrain, derrière lui marchait une ombre blanche dont les vêtements frôlaient ses talons; quand il se retournait, l'ombre reculait; elle finit par s'éloigner à une telle distance que Desroches ne distinguait plus qu'un point blanc, ce point grandit, devint lumineux, emplit toute la grotte et s'éteignit. Un léger bruit se faisait entendre, c'était Wilhelm qui rentrait dans la chambre, le chapeau sur la tête et enveloppé d'un long manteau bleu.

Desroches se réveilla en sursaut.

— Diable! s'écria-t-il, vous étiez déjà sorti ce matin ?

— Il faut vous lever, répondit Wilhelm.

— Mais nous ouvrira-t-on au fort ?

— Sans doute, tout le monde est à l'exercice; il n'y a plus que le poste de garde.

— Déjà! Eh bien, je suis à vous... Le temps seulement de dire bonjour à ma femme.

— Elle va bien, je l'ai vue; ne vous occupez pas d'elle.

Desroches fut surpris de cette réponse, mais il la mit sur le compte de l'impatience, et plia encore une fois devant cette autorité fraternelle qu'il allait bientôt pouvoir secouer.

Comme ils passaient sur la place pour aller au fort, Desroches jeta les yeux sur les fenêtres de l'auberge. Emilie dort sans doute, pensa-t-il. Cependant, le rideau tremble, se ferme, et le lieutenant crut remarquer qu'on s'était éloigné du carreau pour n'être pas aperçu de lui.

Les guichets s'ouvrirent sans difficulté. Un capitaine invalide, qui n'avait pas assisté au souper de la veille, commandait l'avant-poste. Desroches prit une lanterne et se mit à guider de salle en salle son compagnon silencieux.

Après une visite de quelques minutes sur différents points où l'attention de Wilhelm ne trouva guère à se fixer : — Montrez-moi donc les souterrains, dit-il à son beau-frère.

— Avec plaisir, mais ce sera, je vous jure, une promenade peu agréable; il règne là-dessous une grande humidité. Nous avons les poudres sous l'aile gauche, et là on ne saurait pénétrer sans ordre supérieur. A droite sont les conduits d'eau réservés et les salpêtres bruts; au milieu, les contre-mines et les galeries... Vous savez ce que c'est qu'une voûte ?

— N'importe, je suis curieux de visiter des lieux où se sont passés tant d'événements sinistres... où même vous avez couru des dangers, à ce qu'on m'a dit.

— Il ne me fera pas grâce d'un caveau, pensa Desroches. — Suivez-moi, frère, dans cette galerie qui mène à la poterne ferrée.

La lanterne jetait une triste lueur aux murailles moisies, et tremblait en se reflétant sur quelques lames de sabre et quelques canons de fusil rongés par la rouille.

— Qu'est-ce que ces armes ? demanda Wilhelm.

— Les dépouilles des Prussiens tués à la dernière attaque du fort, et dont mes camarades ont réuni les armes en trophée.

— Il est donc mort plusieurs Prussiens ici ?

— Il en est mort beaucoup dans ce rond-point.

— N'y tuâtes-vous pas un sergent, vieillard de haute taille à moustaches rousses ?

— Sans doute, ne vous en ai-je pas conté l'histoire ?

— Non, pas vous; mais hier à table on m'a parlé de cet exploit... que votre modestie nous avait caché.

— Qu'avez-vous donc, frère, vous pâlissez ?

Wilhelm répondit d'une voix forte :

— Ne m'appelez pas frère, mais ennemi!... Regardez, je suis un Prussien! Je suis le fils de ce sergent que vous avez assassiné.

— Assassiné!

— Ou tué, qu'importe! Voyez; c'est là que votre sabre a frappé.

Wilhelm avait rejeté son manteau et indiquait une

déchirure dans l'uniforme vert qu'il avait revêtu, et qui était l'habit même de son père, pieusement conservé.

— Vous êtes le fils de ce sergent! Oh! mon Dieu, me raillez-vous ?

— Vous railler ? Joue-t-on avec de pareilles horreurs ?... Ici a été tué mon père, son noble sang a rougi ces dalles; ce sabre est peut-être le sien! Allons, prenez-en un autre et donnez-moi la revanche de cette partie!... Allons, ce n'est pas un duel, c'est le combat d'un Allemand contre un Français; en garde!

— Mais vous êtes fou, cher Wilhelm, laissez donc ce sabre rouillé. Vous voulez me tuer, suis-je coupable ?

— Aussi, vous avez la chance de me frapper à mon tour, et elle est double pour le moins de votre côté. Allons, défendez-vous.

— Wilhelm! tuez-moi sans défense, je perds la raison moi-même, la tête me tourne... Wilhelm! j'ai fait comme tout soldat doit faire; mais songez-y donc... D'ailleurs, je suis le mari de votre sœur; elle m'aime! Oh ce combat est impossible.

— Ma sœur!... et voilà justement ce qui rend impossible que nous vivions tous deux sous le même ciel! Ma sœur! elle sait tout; elle ne reverra jamais celui qui l'a faite orpheline. Hier, vous lui avez dit le dernier adieu.

Desroches poussa un cri terrible et se jeta sur Wilhelm pour le désarmer; ce fut une lutte assez longue, car le jeune homme opposait aux secousses de son adversaire la résistance de la rage et du désespoir.

— Rends-moi ce sabre, malheureux, criait Desroches, rends-le-moi! Non, tu ne me frapperas pas, misérable fou!... rêveur cruel!...

— C'est cela, criait Wilhelm d'une voix étouffée, tuez aussi le fils dans la galerie!... Le fils est un Allemand... un Allemand!

En ce moment des pas retentirent et Desroches lâcha prise. Wilhelm abattu ne se relevait pas...

Ces pas étaient les miens, messieurs, ajouta l'abbé. Emilie était venue au presbytère me raconter tout, pour se mettre sous la sauvegarde de la religion, la pauvre enfant. J'étouffai la pitié qui parlait au fond de mon cœur, et lorsqu'elle me demanda si elle pouvait aimer encore le meurtrier de son père, je ne répondis pas. Elle comprit, me serra la main et partit en pleurant. Un pressentiment me vint; je la suivis, et quand j'entendis qu'on lui répondait à l'hôtel que son frère et son mari étaient allés visiter le fort, je me doutai de l'affreuse vérité. Heureusement j'arrivai à temps pour empêcher une nouvelle péripétie entre ces deux hommes égarés par la colère et par la douleur.

Wilhelm, bien que désarmé, résistait toujours aux prières de Desroches; il était accablé, mais son œil gardait encore toute sa fureur.

— Homme inflexible! lui dis-je, c'est vous qui réveillez les morts et qui soulevez des fatalités effrayantes! N'êtes-vous pas chrétien, et voulez-vous empiéter sur la justice de Dieu? Voulez-vous devenir ici le seul criminel et le seul meurtrier? L'expiation sera faite, n'en doutez point; mais ce n'est pas à nous qu'il appartient de la prévoir, ni de la forcer.

Desroches me serra la main et me dit : — Emilie sait tout. Je ne la reverrai pas. Mais je sais ce que j'ai à faire pour lui rendre sa liberté.

— Que dites-vous, m'écriai-je, un suicide?

A ce mot, Wilhelm s'était levé et avait saisi la main de Desroches.

— Non! disait-il, j'avais tort. C'est moi seul qui suis coupable, et qui devais garder mon secret et mon désespoir!

Je ne vous peindrai pas les angoisses que nous souffrîmes dans cette heure fatale; j'employai tous les raisonnements de ma religion et de ma philosophie, sans faire naître d'issue satisfaisante à cette cruelle situation; une séparation était indispensable dans tous les cas, mais le moyen d'en déduire les motifs devant la justice! Il y avait là non seulement un débat pénible à subir, mais encore un danger politique à révéler ces fatales circonstances.

Je m'appliquai surtout à combattre les projets sinistres de Desroches et à faire pénétrer dans son cœur les sentiments religieux qui font un crime du suicide. Vous savez que ce malheureux avait été nourri à l'école des matérialistes du dix-huitième siècle. Toutefois, depuis sa blessure, ses idées avaient changé beaucoup. Il était devenu l'un de ces chrétiens à demi sceptiques comme nous en avons tant, qui trouvent qu'après tout un peu de religion ne peut nuire, et qui se résignent même à consulter un prêtre *en cas* qu'il y ait un Dieu! C'est en vertu de cette religiosité vague qu'il acceptait mes consolations. Quelques jours s'étaient passés.

Wilhelm et sa sœur n'avaient pas quitté l'auberge; car Emilie était fort malade après tant de secousses. Desroches logeait au presbytère et lisait toute la journée des livres de piété que je lui prêtais. Un jour il alla seul au fort, y resta quelques heures, et, en revenant, il me montra une feuille de papier où son nom était inscrit; c'était une commission de capitaine dans un régiment qui partait pour rejoindre la division Partouneaux.

Nous reçûmes au bout d'un mois la nouvelle de sa mort glorieuse autant que singulière. Quoi qu'on puisse dire de l'espèce de frénésie qui le jeta dans la mêlée, on sent que son exemple fut un grand encouragement pour tout le bataillon qui avait perdu beaucoup de monde à la première charge...

Tout le monde se tut après ce récit, chacun gardait la pensée étrange qu'excitaient une telle vie et une telle mort. L'abbé reprit en se levant : — Si vous voulez, messieurs, que nous changions ce soir la direction habituelle de nos promenades, nous suivrons cette allée de peupliers jaunis par le soleil couchant, et je vous conduirai jusqu'à la Butte-aux-Lierres, d'où nous pourrons apercevoir la croix du couvent où s'est retirée madame Desroches. »

LES CHIMÈRES

LES ENFANTS

EL DESDICHADO

Je suis le ténébreux, — le veuf, — l'inconsolé,
Le prince d'Aquitaine à la tour abolie :
Ma seule *étoile* est morte, — et mon luth constellé
Porte le *soleil* noir de la *Mélancolie.*

Dans la nuit du tombeau, toi qui m'as consolé,
Rends-moi le Pausilippe et la mer d'Italie,
La *fleur* qui plaisait tant à mon cœur désolé,
Et la treille où le pampre à la rose s'allie.

Suis-je Amour ou Phébus ?... Lusignan ou Biron ?
Mon front est rouge encor du baiser de la reine;
J'ai rêvé dans la grotte où nage la sirène...

Et j'ai deux fois vainqueur traversé l'Achéron :
Modulant tour à tour sur la lyre d'Orphée
Les soupirs de la sainte et les cris de la fée.

MYRTHO

Je pense à toi, Myrtho, divine enchanteresse,
Au Pausilippe altier, de mille feux brillant,
A ton front inondé des clartés d'Orient,
Aux raisins noirs mêlés avec l'or de ta tresse.

C'est dans ta coupe aussi que j'avais bu l'ivresse,
Et dans l'éclair furtif de ton œil souriant,
Quand aux pieds d'Iacchus on me voyait priant,
Car la Muse m'a fait l'un des fils de la Grèce.

Je sais pourquoi là-bas le volcan s'est rouvert...
C'est qu'hier tu l'avais touché d'un pied agile,
Et de cendres soudain l'horizon s'est couvert.

Depuis qu'un duc normand brisa tes dieux d'argile,
Toujours, sous les rameaux du laurier de Virgile,
Le pâle hortensia s'unit au myrte vert!

HORUS

Le dieu Kneph en tremblant ébranlait l'univers :
Isis, la mère, alors se leva sur sa couche,
Fit un geste de haine à son époux farouche,
Et l'ardeur d'autrefois brilla dans ses yeux verts.

« Le voyez-vous, dit-elle, il meurt, ce vieux pervers,
Tous les frimas du monde ont passé par sa bouche,
Attachez son pied tors, éteignez son œil louche,
C'est le dieu des volcans et le roi des hivers!

« L'aigle a déjà passé, l'esprit nouveau m'appelle,
J'ai revêtu pour lui la robe de Cybèle...
C'est l'enfant bien-aimé d'Hermès et d'Osiris! »

La déesse avait fui sur sa conque dorée,
La mer nous renvoyait son image adorée,
Et les cieux rayonnaient sous l'écharpe d'Iris.

ANTÉROS

Tu demandes pourquoi j'ai tant de rage au cœur
Et sur un col flexible une tête indomptée;
C'est que je suis issu de la race d'Antée,
Je retourne les dards contre le dieu vainqueur.

Oui, je suis de ceux-là qu'inspire le Vengeur,
Il m'a marqué le front de sa lèvre irritée,
Sous la pâleur d'Abel, hélas ! ensanglantée,
J'ai parfois de Caïn l'implacable rougeur !

Jéhovah ! le dernier, vaincu par ton génie,
Qui, du fond des enfers, criait : « O tyrannie ! »
C'est mon aïeul Bélus ou mon père Dagon...

Ils m'ont plongé trois fois dans les eaux du Cocyte,
Et, protégeant tout seul ma mère Amalécyte,
Je ressème à ses pieds les dents du vieux dragon.

DELFICA

La connais-tu, Dafné, cette ancienne romance,
Au pied du sycomore, ou sous les lauriers blancs,
Sous l'olivier, le myrte, ou les saules tremblants,
Cette chanson d'amour qui toujours recommence ?...

Reconnais-tu le Temple au péristyle immense,
Et les citrons amers où s'imprimaient tes dents,
Et la grotte, fatale aux hôtes imprudents,
Où du dragon vaincu dort l'antique semence ?...

Ils reviendront, ces dieux que tu pleures toujours !
Le temps va ramener l'ordre des anciens jours ;
La terre a tressailli d'un souffle prophétique...

Cependant la sibylle au visage latin
Est endormie encor sous l'arc de Constantin
— Et rien n'a dérangé le sévère portique.

ARTÉMIS

La Treizième revient... C'est encor la première ;
Et c'est toujours la seule, — ou c'est le seul moment ;
Car es-tu reine, ô toi ! la première ou dernière ?
Es-tu roi, toi le seul ou le dernier amant ?...

Aimez qui vous aima du berceau dans la bière;
Celle que j'aimai seul m'aime encor tendrement :
C'est la mort — ou la morte... O délice! ô tourment!
La rose qu'elle tient, c'est la *Rose trémière*.

Sainte napolitaine aux mains pleines de feux,
Rose au cœur violet, fleur de sainte Gudule :
As-tu trouvé ta croix dans le désert des cieux ?

Roses blanches, tombez! vous insultez nos dieux,
Tombez, fantômes blancs, de votre ciel qui brûle :
— La sainte de l'abîme est plus sainte à mes yeux!

LE CHRIST AUX OLIVIERS

> Dieu est mort! le ciel est vide...
> Pleurez! enfants, vous n'avez plus de père.
>
> JEAN-PAUL.

I

Quand le Seigneur, levant au ciel ses maigres bras,
Sous les arbres sacrés, comme font les poètes,
Se fut longtemps perdu dans ses douleurs muettes,
Et se jugea trahi par des amis ingrats,

Il se tourna vers ceux qui l'attendaient en bas
Rêvant d'être des rois, des sages, des prophètes...
Mais engourdis, perdus dans le sommeil des bêtes,
Et se prit à crier : « Non, Dieu n'existe pas! »

Ils dormaient. « Mes amis, savez-vous *la nouvelle ?*
J'ai touché de mon front à la voûte éternelle;
Je suis sanglant, brisé, souffrant pour bien des jours!

Frères, je vous trompais : Abîme! abîme! abîme!
Le dieu manque à l'autel où je suis la victime...
Dieu n'est pas! Dieu n'est plus! » Mais ils dormaient
[toujours!

II

Il reprit : « Tout est mort ! J'ai parcouru les mondes ;
Et j'ai perdu mon vol dans leurs chemins lactés,
Aussi loin que la vie, en ses veines fécondes,
Répand des sables d'or et des flots argentés :

Partout le sol désert côtoyé par des ondes,
Des tourbillons confus d'océans agités...
Un souffle vague émeut les sphères vagabondes,
Mais nul esprit n'existe en ces immensités.

En cherchant l'œil de Dieu, je n'ai vu qu'une orbite
Vaste, noire et sans fond, d'où la nuit qui l'habite
Rayonne sur le monde et s'épaissit toujours ;

Un arc-en-ciel étrange entoure ce puits sombre,
Seuil de l'ancien chaos dont le néant est l'ombre,
Spirale engloutissant les Mondes et les Jours !

III

« Immobile Destin, muette sentinelle,
Froide Nécessité !... Hasard qui, t'avançant
Parmi les mondes morts sous la neige éternelle,
Refroidis, par degrés, l'univers pâlissant,

Sais-tu ce que tu fais, puissance originelle,
De tes soleils éteints, l'un l'autre se froissant...
Es-tu sûr de transmettre une haleine immortelle,
Entre un monde qui meurt et l'autre renaissant ?...

O mon père ! est-ce toi que je sens en moi-même ?
As-tu pouvoir de vivre et de vaincre la mort ?
Aurais-tu succombé sous un dernier effort

De cet ange des nuits que frappa l'anathème ?...
Car je me sens tout seul à pleurer et souffrir,
Hélas ! et, si je meurs, c'est que tout va mourir ! »

IV

Nul n'entendait gémir l'éternelle victime,
Livrant au monde en vain tout son cœur épanché ;
Mais prêt à défaillir et sans force penché,
Il appela le *seul* — éveillé dans Solyme :

« Judas ! lui cria-t-il, tu sais ce qu'on m'estime,
Hâte-toi de me vendre, et finis ce marché :
Je suis souffrant, ami ! sur la terre couché...
Viens ! ô toi qui, du moins, as la force du crime ! »

Mais Judas s'en allait, mécontent et pensif,
Se trouvant mal payé, plein d'un remords si vif
Qu'il lisait ses noirceurs sur tous les murs écrites...

Enfin Pilate seul, qui veillait pour César,
Sentant quelque pitié, se tourna par hasard :
« Allez chercher ce fou ! » dit-il aux satellites.

V

C'était bien lui, ce fou, cet insensé sublime...
Cet Icare oublié qui remontait les cieux,
Ce Phaéton perdu sous la foudre des dieux,
Cet bel Atys meurtri que Cybèle ranime !

L'augure interrogeait le flanc de la victime,
La terre s'enivrait de ce sang précieux...
L'univers étourdi penchait sur ses essieux,
Et l'Olympe un instant chancela vers l'abîme.

« Réponds ! criait César à Jupiter Ammon,
Quel est ce nouveau dieu qu'on impose à la terre ?
Et si ce n'est un dieu, c'est au moins un démon... »

Mais l'oracle invoqué pour jamais dut se taire ;
Un seul pouvait au monde expliquer ce mystère :
— Celui qui donna l'âme aux enfants du limon.

VERS DORÉS

Eh quoi! tout est sensible.

PYTHAGORE.

Homme, libre penseur! te crois-tu seul pensant
Dans ce monde où la vie éclate en toute chose ?
Des forces que tu tiens ta liberté dispose,
Mais de tous tes conseils l'univers est absent.

Respecte dans la bête un esprit agissant :
Chaque fleur est une âme à la Nature éclose;
Un mystère d'amour dans le métal repose;
« Tout est sensible! » Et tout sur ton être est puissant.

Crains, dans le mur aveugle, un regard qui t'épie :
A la matière même un verbe est attaché...
Ne la fais pas servir à quelque usage impie!

Souvent dans l'être obscur habite un Dieu caché;
Et comme un œil naissant couvert par ses paupières,
Un pur esprit s'accroît sous l'écorce des pierres!

TABLE DES MATIÈRES

Sganarelle – Dom Garcie de Navarre – L'École des maris – Les Fâcheux.

GF — TEXTE INTÉGRAL — GF

1461 — 1965. — IMPRIMERIE-RELIURE MAME
N° d'édition 5117. - 1ᵉʳ trimestre 1965. PRINTED IN FRANCE.

Il existe dans la Collection des Classiques Garnier une édition en deux volumes de toutes les grandes œuvres de Gérard de Nerval. Le premier volume contient : Petits Châteaux de Bohême, les Illuminés, les Nuits d'octobre, Promenades et Souvenirs, les Filles du feu (*y compris* les Chimères), la Pandora, Aurélia. *Le second volume est occupé par le Voyage en Orient. Chacun de ces chefs-d'œuvres est suivi d'un certain nombre de textes mineurs qui lui sont apparentés par l'inspiration. L'édition a été établie par Henri Lemaitre. Elle comprend une chronologie de la vie et de l'œuvre de Nerval, une introduction générale de soixante-dix pages, des notices en tête des œuvres, d'abondantes notes, des relevés des variantes les plus significatives, des bibliographies. Chaque volume est enrichi de nombreuses illustrations.*

